Queridos estudiantes y familiares:

¡Bienvenidos a *Texas Go Math! ¡Vivan las M[...]
Grado 4! Este interesante programa de matem[...] contiene
actividades de práctica para realizar y problemas de la vida real para
resolver. Lo mejor de todo es que escribirás tus ideas y respuestas en el
propio libro. Así, al escribir y dibujar en las páginas de *Texas Go Math!*
¡Vivan las Matemáticas!, podrás pensar profundamente en lo que
estás aprendiendo, ¡y aprenderás las matemáticas en serio!

Por cierto, todas las hojas de tu libro *Texas Go Math! ¡Vivan las*
Matemáticas! fueron hechas con papel reciclado. Queremos que sepas
que con *Texas Go Math! ¡Vivan las Matemáticas!* ayudas a proteger
el medio ambiente.

Atentamente,

Los autores

Hecho en Estados Unidos
Impreso en papel 100% reciclado

Texas
GoMath!
¡Vivan las matemáticas!

Autores

Juli K. Dixon, Ph.D.
Professor, Mathematics
 Education
University of Central Florida
Orlando, Florida

Matthew R. Larson, Ph.D.
K-12 Curriculum Specialist for
 Mathematics
Lincoln Public Schools
Lincoln, Nebraska

Edward B. Burger, Ph.D.
President
Southwestern University
Georgetown, Texas

Martha E. Sandoval-Martinez
Math Instructor
El Camino College
Torrance, California

Autora de consulta

Valerie Johse
Math Consultant
Texas Council for Economic
 Education
Houston, Texas

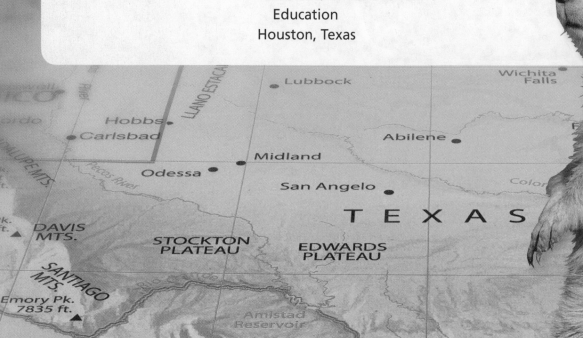

Unidad 1 • Números y operaciones: valor de posición, conceptos de fracciones y operaciones

☑ **Muestra lo que sabes** **1**
Desarrollo del vocabulario **2**
Lectura y redacción de matemáticas **3**
Prepárate para jugar **4**

Módulo 1 — Valor de posición de números enteros

TEKS

1.1	Valor de posición y patrones	4.2.A	5
1.2	Leer y escribir números	4.2.B	11
1.3	**Resolución de problemas** • Comparar y ordenar números	4.2.C	17
1.4	Redondear números	4.2.D	23

⭐ **Preparación para la prueba de TEXAS** • Evaluación del Módulo 1 . . . . . . **29**

Módulo 2 — Valor de posición de números decimales

TEKS

2.1	**Investiga** • Representar décimos y centésimos	4.2.A, 4.2.B	31
2.2	Explorar el valor de posición de los decimales	4.2.B	37
2.3	**Resolución de problemas** • Relacionar décimos y decimales	4.2.G, 4.2.H	43
2.4	Relacionar centésimos y decimales	4.2.G, 4.2.H	49
2.5	Relacionar fracciones, decimales y dinero	4.2.E	55
2.6	Comparar decimales	4.2.F	61
2.7	Ordenar decimales	4.2.F	67

⭐ **Preparación para la prueba de TEXAS** • Evaluación del Módulo 2 . . . . . . **73**

Módulo 3 — Conceptos de fracciones

		TEKS	
3.1	**Investiga** • Fracciones equivalentes	4.3.C	75
3.2	Generar fracciones equivalentes	4.3.C	81
3.3	Mínima expresión	4.3.C	87
3.4	**Resolución de problemas** • Hallar fracciones equivalentes	4.3.C	93
3.5	Escribir fracciones como sumas	4.3.A, 4.3.B	99
3.6	Convertir fracciones y números mixtos	4.3.B	105
⭐	Preparación para la prueba de TEXAS • Evaluación del Módulo 3		111

Módulo 4 — Comparar fracciones

		TEKS	
4.1	Comparar fracciones usando puntos de referencia	4.3.D	113
4.2	Comparar fracciones	4.3.D	119
4.3	**Resolución de problemas** • Comparar y ordenar fracciones	4.3.D, 4.3.G	125
⭐	Preparación para la prueba de TEXAS • Evaluación del Módulo 4		131

Módulo 5 — Sumar y restar fracciones

		TEKS	
5.1	**Investiga** • Sumar y restar partes de un entero	4.3.E	133
5.2	Sumar fracciones usando modelos	4.3.E	139
5.3	**Resolución de problemas** • Restar fracciones usando modelos	4.3.E	145
5.4	Usar puntos de referencia para determinar lo razonable	4.3.F	151
5.5	Sumar y restar fracciones	4.3.E	157
5.6	Sumar y restar números mixtos	4.3.E	163
5.7	Usar las propiedades de la suma	4.3.E	169
⭐	Preparación para la prueba de TEXAS • Evaluación del Módulo 5		175
⭐	Preparación para la prueba de TEXAS • Evaluación de la Unidad 1		177

Busca estas secciones:

En el mundo

H.O.T. Problemas de alta capacidad de razonamiento

Problemas de **múltiples pasos**

Recursos

APRENDE EN LÍNEA

RECURSOS EN LÍNEA
Busca en línea el Libro del estudiante interactivo con videos de Matemáticas al instante. Usa *i*Tools en español, el glosario electrónico multimedia y más.

vi

Volumen 1

Unidad 2 • Números y operaciones: operaciones con números enteros y decimales

Busca estas secciones:

☑ Muestra lo que sabes **181**
Desarrollo del vocabulario **182**
Lectura y redacción de matemáticas **183**
Prepárate para jugar **184**

H.O.T. Problemas de alta capacidad de razonamiento

Problemas de múltiples pasos

Módulo 6 Sumar y restar números enteros y números decimales

		TEKS	
6.1	Sumar números enteros	4.4.A	**185**
6.2	Restar números enteros	4.4.A	**191**
6.3	**Resolución de problemas** • Problemas de comparación con la suma y la resta	4.4.A	**197**
6.4	Sumar decimales	4.4.A	**203**
6.5	Restar decimales	4.4.A	**209**

Tarea y práctica

Tarea y práctica de TEKS en cada lección.

⭐ Preparación para la prueba de TEXAS • Evaluación del Módulo 6 . . . . . **215**

Módulo 7 Multiplicar por números de un dígito

		TEKS	
7.1	Multiplicar decenas, centenas y millares	4.4.B	**217**
7.2	Estimar productos	4.4.G	**223**
7.3	Multiplicar usando la propiedad distributiva	4.4.D	**229**
7.4	Multiplicar usando la forma desarrollada	4.4.D	**235**
7.5	Multiplicar usando productos parciales	4.4.D	**241**
7.6	Multiplicar usando el cálculo mental	4.4.D	**247**
7.7	**Resolución de problemas** • Problemas de multiplicación de múltiples pasos	4.4.D	**253**
7.8	Multiplicar números de tres dígitos y cuatro dígitos	4.4.D	**259**

⭐ Preparación para la prueba de TEXAS • Evaluación del Módulo 7 . . . . . **265**

Busca estas secciones:

En el mundo

H.O.T. Problemas de alta capacidad de razonamiento

Problemas de múltiples pasos

Recursos

RECURSOS EN LÍNEA
Busca en línea el Libro del estudiante interactivo con videos de Matemáticas al instante. Usa *i*Tools en español, el glosario electrónico multimedia y más.

Módulo 8 Multiplicar por números de dos dígitos

		TEKS	
8.1	Multiplicar por decenas	4.4.B	267
8.2	Estimar productos	4.4.G	273
8.3	**Investiga** • Modelos de área y productos parciales	4.4.C	279
8.4	Multiplicar usando productos parciales	4.4.C, 4.4.D	285
8.5	Multiplicar por reagrupación	4.4.D	291
8.6	Elegir un método para multiplicar	4.4.D	297
8.7	**Resolución de problemas** • Multiplicar números de dos dígitos	4.4.D	303
⭐	Preparación para la prueba de TEXAS • Evaluación del Módulo 8		309

Módulo 9 Estrategias de división

		TEKS	
9.1	**Investiga** • Residuos	4.4.E	311
9.2	**Resolución de problemas** • Interpretar el residuo	4.4.H	317
9.3	Dividir decenas, centenas y millares	4.4.F	323
9.4	Estimar cocientes usando números compatibles	4.4.G	329
9.5	**Investiga** • La división y la propiedad distributiva	4.4.E	335
⭐	Preparación para la prueba de TEXAS • Evaluación del Módulo 9		341

Módulo 10 Dividir entre números de un dígito

		TEKS	
10.1	**Investiga** • Dividir usando la resta repetida	4.4.F	343
10.2	Dividir usando cocientes parciales	4.4.F	349
10.3	**Investiga** • Representar la división usando la reagrupación	4.4.F	355
10.4	**Resolución de problemas** • Ubicar el primer dígito	4.4.F	361
10.5	Dividir entre números de un dígito	4.4.F	367
⭐	Preparación para la prueba de TEXAS • Evaluación del Módulo 10		373
⭐	Preparación para la prueba de TEXAS • Evaluación de la Unidad 2		375
	Glosario		H1
	Tabla de medidas		H14

Volumen 2

Unidad 3 • Razonamiento algebraico

☑ **Muestra lo que sabes** **379**
Desarrollo del vocabulario. **380**
Lectura y redacción de matemáticas **381**
Prepárate para jugar **382**

Busca estas secciones:

En el mundo

H.O.T. Problemas de alta capacidad de razonamiento
Problemas de **múltiples pasos**

Módulo 11) **Álgebra: Problemas de múltiples pasos**

		TEKS	
11.1	Problemas de suma de múltiples pasos	4.5.A	**383**
11.2	Problemas de resta de múltiples pasos	4.5.A	**389**
11.3	Resolver problemas de múltiples pasos usando ecuaciones	4.5.A	**395**
11.4	**Resolución de problemas • Problemas de división de múltiples pasos**	4.5.A	**401**

⭐ Preparación para la prueba de TEXAS • Evaluación del Módulo 11 . . . . . **407**

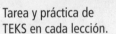

Tarea y práctica

Tarea y práctica de TEKS en cada lección.

Módulo 12) **Patrones numéricos, perímetro y área**

		TEKS	
12.1	Patrones numéricos	4.5.B	**409**
12.2	Hallar la regla	4.5.B	**415**
12.3	Representar las fórmulas para el perímetro	4.5.C, 4.5.D	**421**
12.4	Representar las fórmulas para el área	4.5.C, 4.5.D	**427**
12.5	**Resolución de problemas • Hallar el perímetro y el área**	4.5.D	**433**

⭐ Preparación para la prueba de TEXAS • Evaluación del Módulo 12 . . . . . **439**

⭐ Preparación para la prueba de TEXAS • Evaluación de la Unidad 3 . . . . . **441**

Busca estas secciones:

H.O.T. Problemas de alta capacidad de razonamiento

Problemas de múltiples pasos

Volumen 2

Unidad 4 • Geometría y medición

✓ Muestra lo que sabes 445
Desarrollo del vocabulario 446
Lectura y redacción de matemáticas 447
Prepárate para jugar 448

Módulo 13 · Conceptos de geometría

		TEKS	
13.1	Líneas, rayos y ángulos	4.6.A	449
13.2	Clasificar triángulos	4.6.C, 4.6.D	455
13.3	Líneas paralelas y líneas perpendiculares	4.6.A	461
13.4	Clasificar cuadriláteros	4.6.D	467
13.5	**Resolución de problemas** • Simetría axial	4.6.B	473
13.6	Hallar y dibujar ejes de simetría	4.6.B	479

⭐ **Preparación para la prueba de TEXAS** • Evaluación del Módulo 13 485

Módulo 14 · Medición de ángulos

		TEKS	
14.1	Ángulos y partes fraccionarias de un círculo	4.7.A	487
14.2	Grados	4.7.B	493
14.3	Medir y dibujar ángulos	4.7.C, 4.7.D	499
14.4	Unir y separar ángulos	4.7.C, 4.7.E	505
14.5	**Resolución de problemas** • Medidas desconocidas de ángulos	4.7.E	511

⭐ **Preparación para la prueba de TEXAS** • Evaluación del Módulo 14 517

Recursos

RECURSOS EN LÍNEA
Busca en línea el Libro del estudiante interactivo con vídeos de Matemáticas al instante. Usa *i*Tools en español, el glosario electrónico multimedia y más.

Módulo 15 · Medidas métricas y del sistema inglés (usual)

TEKS

15.1	Medidas de puntos de referencia	4.8.A	519
15.2	Unidades de longitud del sistema inglés (usual)	4.8.A, 4.8.B	525
15.3	Unidades de peso del sistema inglés (usual)	4.8.A, 4.8.B	531
15.4	Unidades de volumen de un líquido del sistema inglés (usual)	4.8.A, 4.8.B	537
15.5	Medidas mixtas	4.8.C	543
15.6	**Investiga** • Unidades de longitud del sistema métrico	4.8.A, 4.8.B	549
15.7	**Resolución de problemas** • Medidas de masa y de volumen de un líquido del sistema métrico	4.8.B, 4.8.C	555
⭐	Preparación para la prueba de TEXAS • Evaluación del Módulo 15		561

Módulo 16 · Tiempo y dinero

TEKS

16.1	Unidades de tiempo	4.8.C	563
16.2	**Resolución de problemas** • Tiempo transcurrido	4.8.C	569
16.3	Sumar y restar dinero	4.8.C	575
16.4	Multiplicar y dividir dinero	4.8.C	581
⭐	Preparación para la prueba de TEXAS • Evaluación del Módulo 16		587
⭐	Preparación para la prueba de TEXAS • Evaluación de la Unidad 4		589

Volumen 2

Unidad 5 • Análisis de datos

✓	**Muestra lo que sabes**	593
	Desarrollo del vocabulario	594
	Lectura y redacción de matemáticas	595
	Prepárate para jugar	596

Módulo 17 · Representar e interpretar datos

TEKS

17.1	Tabla de frecuencia	4.9.A	597
17.2	Usar tablas de frecuencia	4.9.B	603
17.3	**Resolución de problemas** • Diagrama de puntos	4.9.A	609
17.4	Usar diagramas de puntos	4.9.B	615
17.5	Diagramas de tallo y hojas	4.9.A	621
17.6	Usar diagramas de tallo y hojas	4.9.B	627
⭐	Preparación para la prueba de TEXAS • Evaluación de la Unidad 5		633

Busca estas secciones:

H.O.T. Problemas de alta capacidad de razonamiento

Problemas de múltiples pasos

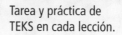

Tarea y práctica de TEKS en cada lección.

Busca estas secciones:

H.O.T. Problemas de alta capacidad de razonamiento

Problemas de múltiples pasos

Volumen 2

Unidad 6 • Comprensión de finanzas personales

✓ Muestra lo que sabes 637
Desarrollo del vocabulario 638
Lectura y redacción de matemáticas 639
Prepárate para jugar 640

Módulo 18   Comprensión de finanzas

		TEKS	
18.1	Gastos fijos y gastos variables	4.10.A	641
18.2	Hallar la ganancia	4.10.B	647
18.3	**Resolución de problemas • Planes de ahorro**	4.10.C	653
18.4	Presupuesto de un fondo semanal	4.10.D	659
18.5	Instituciones financieras	4.10.E	665

⭐ Preparación para la prueba de TEXAS • Evaluación de la Unidad 6 671

Glosario H1
Tabla de medidas H12

Recursos

RECURSOS EN LÍNEA
Busca en línea el Libro del estudiante interactivo con videos de Matemáticas al instante. Usa *i*Tools en español, el glosario electrónico multimedia y más.

Razonamiento algebraico

Muestra lo que sabes ✓

Comprueba si comprendes las destrezas importantes.

Nombre _____

▶ **Factores que faltan** **Halla el factor que falta.**

1.

_____ × 6 = 24

2.

3 × _____ = 27

▶ **Hallar el perímetro** **Suma para hallar el perímetro.**

3.

Perímetro = _____

4.

Perímetro = _____

5.
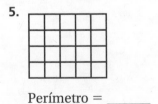

Perímetro = _____

6.

Perímetro = _____

▶ **Hallar el área de los rectángulos** **Halla el área.**

7.
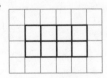

Área = _____ unidades cuadradas

8.
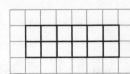

Área = _____ unidades cuadradas

Opciones de evaluación:
Soar to Success Math

Desarrollo del vocabulario

▶ **Visualizar** ••

Escribe las palabras que tienen una marca de cotejo en la columna correcta de la tabla. Puedes usar las palabras más de una vez.

la alfombra que cubre el piso de una habitación rectangular	el zócalo que rodea el borde del piso de una habitación rectangular

▶ **Comprender el vocabulario** •••••••••••••••••••••••••••

Escribe la palabra o término que responda el acertijo.

1. Soy el número de unidades cuadradas que se necesitan para cubrir una superficie plana.

   _____

2. Soy la distancia alrededor de una figura.

   _____

3. Soy una unidad de área que mide 1 unidad por 1 unidad.

   _____

4. Soy un conjunto de símbolos que expresan una regla matemática.

   _____

5. Soy un conjunto ordenado de números u objetos.

   _____

• **Libro interactivo del estudiante**
• **Glosario multimedia**

APRENDE EN LÍNEA

Nombre _____

Lectura En la lectura, piensa en lo que ya sabes para comprender el nuevo tema. Ya sabes mucho acerca de geometría y medidas. Puedes usar lo que sabes para continuar.

Antes de comenzar una lección acerca de perímetro y área, Lili hizo una lista de cinco cosas que ya sabe.

Tema: Perímetro y área

¿Qué ya sé?

1. El perímetro es la distancia alrededor de una figura.

2. Puedes usar una regla en pulgadas para medir el perímetro.

3. Puedes usar una regla en centímetros para medir el perímetro.

4. El área es el número de unidades cuadradas que se necesitan

   para cubrir una superficie plana.

5. Puedes usar papel cuadriculado para hallar el área.

Redacción Piensa en lo que ya sabes acerca de perímetro y área. Usa papel cuadriculado. Dibuja. Halla el perímetro. Halla el área.

Piensa

Me acordé cómo hallar el perímetro de un rectángulo. Sumé las longitudes de sus lados.

Halla el área

Objetivo del juego Practica para hallar el área de rectángulos de diferentes tamaños.

Materiales

- reglas en pulgadas
- tarjetas de rectángulos (2 conjuntos)

Preparación

Cada jugador recibe una regla en pulgadas. Los jugadores barajean las Tarjetas de rectángulos y las colocan boca abajo en una pila.

Número de jugadores 2

Instrucciones

1 Los jugadores se turnan para sacar una tarjeta de la pila hasta que cada jugador tenga 4 tarjetas.

2 Los jugadores usan una regla en pulgadas para medir la longitud y el ancho de cada rectángulo a la pulgada más cercana.

3 Los jugadores hallan el área para cada uno de los rectángulos y suman las áreas.

4 El jugador con la suma más grande obtiene un punto.

5 Devuelva todas las tarjetas a la pila y barájelas. Repita los pasos 1 a 4. El primer jugador que obtenga un total de 3 puntos es el ganador.

11.1 Problemas de suma de múltiples pasos

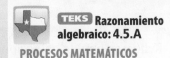

TEKS Razonamiento algebraico: 4.5.A
PROCESOS MATEMÁTICOS
4.1.C, 4.1.D, 4.1.E

? **Pregunta esencial**

¿Cómo puedes representar y resolver problemas de suma de múltiples pasos utilizando diagramas de tiras?

Soluciona el problema En el mundo

Sami obtuvo 3,489 puntos en la primera ronda de un nuevo juego de computadora. Él obtuvo 7,415 puntos más en la segunda ronda que en la primera. ¿Cuántos puntos obtuvo Sami en ambas rondas?

🔒 Ejemplo 1

PASO 1 Halla cuántos puntos obtuvo Sami en la segunda ronda.

Puntos en la
primera ronda   7,415 puntos más

3,489

Segunda
ronda   _____

p ⟵ Sea p el número total de puntos obtenidos en la segunda ronda.

_____ + _____ = p Escribe una ecuación.

_____ = p Resuelve.

> **Recuerda**
>
> Una variable es una letra o símbolo que representa un número. Una ecuación es una oración numérica que indica que dos cantidades son iguales.

PASO 2 Halla cuántos puntos en total se obtuvieron.

Puntos en
la primera
ronda   Puntos en
la segunda
ronda

| 3,489 | 10,904 |

n ⟵ Sea n el número total de puntos obtenidos en ambas rondas.

_____ + _____ = n Escribe una ecuación.

_____ = n Resuelve.

Entonces, Sami obtuvo _____ puntos en el juego.

Kylie y su abuelo coleccionan sellos. Kylie tiene 1,342 sellos. Su abuelo tiene 2,887 más sellos que ella. ¿Cuántos sellos tienen Kylie y su abuelo juntos?

🔑 Ejemplo 2

PASO 1 Halla cuántos sellos tiene el abuelo de Kylie.

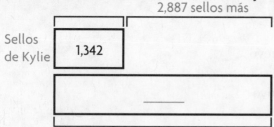

2,887 sellos más

Sellos de Kylie | 1,342

s ← El número de sellos que tiene el abuelo de Kylie.

_____1,342_____ + _____ = s Escribe una ecuación.

_____ = s Resuelve.

PASO 2 Halla cuántos sellos tienen Kylie y su abuelo juntos.

Sellos de Kylie | _____ | _____ | Sellos del abuelo de Kylie

t ← Sea t el número de sellos juntos.

_____ + _____ = t Escribe una ecuación.

_____ = t Resuelve.

Entonces, Kylie y su abuelo tienen _____ sellos juntos.

> **Charla matemática**
> **Procesos matemáticos**
> Explica cómo el usar los diagramas de tiras te puede ayudar a representar el problema.

Comparte y muestra

1. Sarah tiene 345 monedas de 1¢ en su alcancía. Su hermana Lynn tiene 187 monedas de 1¢ más que Sarah. ¿Cuántas monedas de 1¢ tienen juntas?

✓ **a. Primero,** hallo cuántas monedas de 1¢ tiene Lynn. **Piensa:** $345 + 187 = p$

   Entonces, Lynn tiene _____ monedas de 1¢.

✓ **b. Después,** hallo el número total de monedas de 1¢. **Piensa:** $345 + 532 = t$

   Entonces, Sarah y Lynn tienen _____ monedas de 1¢.

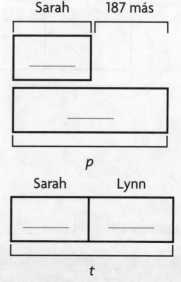

Sarah   187 más

p

Sarah   Lynn

t

Nombre _____

Use la tabla para los problemas 2 y 3.

2. La tienda Caseta Telefónica tuvo una oferta de teléfonos durante cinco semanas. Durante la semana 5, vendieron 787 teléfonos más que durante la semana 4. ¿Cuántos teléfonos vendió la tienda durante las semanas 4 y 5?

Venta de teléfonos Caseta Telefónica	
Semana 1	432
Semana 2	641
Semana 3	870
Semana 4	1,157

_____

3. **H.O.T.** **Analiza Y si** el número de teléfonos vendidos durante la semana 5 fuera 1,798 teléfonos más que los vendidos en la semana 1, ¿cuántos teléfonos se hubieran vendido durante las semanas 1 y 5?

Matemáticas al instante

_____

_____

4. **H.O.T.** **Múltiples pasos** El zoológico Nosotros Amamos a los Animales recibió 1,453 visitantes el sábado. El domingo recibieron 239 visitantes más que el sábado. ¿Cuántos visitantes en total recibió el zoológico el sábado y el domingo?

_____

Escribe ▶ **Muestra tu trabajo**

5. **H.O.T.** **¿Cuál es el error?** Kylie condujo 476 millas el miércoles y el jueves condujo 121 millas más que el miércoles. Kylie dijo que condujo 597 millas entre miércoles y jueves. ¿Está en lo correcto? **Explica tu respuesta**.

_____

_____

_____

_____

Tarea diaria de evaluación

Rellena el círculo completamente para mostrar tu respuesta.

6. El borde externo del anillo E de Saturno está a unos 308,000 km de distancia del anillo G. El anillo G está a unos 108,100 km de distancia del anillo D. ¿Qué distancia viajarías desde el anillo E pasando por el anillo G hasta el anillo D y regresando al anillo E?

  Ⓐ 832,200 km   Ⓒ 416,100 km

  Ⓑ 399,800 km   Ⓓ 804,200 km

7. Sarah juega un videojuego y obtiene 56,432 puntos en la primera ronda. Ella obtiene 1,823 puntos más en la segunda ronda que en la primera. ¿Cuántos puntos obtuvo Sarah en ambas rondas?

  Ⓐ 54,609 puntos   Ⓒ 58,255 puntos

  Ⓑ 103,687 puntos   Ⓓ 114,687 puntos

8. Múltiples pasos Una película recaudó $243,102 de la venta de boletos en su primer fin de semana. Se recaudaron $123,463 más en el segundo fin de semana que en el primero. ¿Cuánto reunió la película durante los dos fines de semana?

  Ⓐ $454,473   Ⓒ $609,667

  Ⓑ $278,657   Ⓓ $697,575

 Preparación para la prueba de TEXAS

9. Durante el primer día de la práctica de básquetbol, Bradley lanzó 130 tiros libres. Durante el segundo día de la práctica, Bradley lanzó 45 tiros libres más que los que hizo en el primer día de práctica. ¿Cuántos tiros libres en total lanzó Bradley durante los dos días de práctica?

  Ⓐ 305

  Ⓑ 95

  Ⓒ 85

  Ⓓ 295

Nombre _____

11.1 Problemas de suma de múltiples pasos

1. El viernes, 1,860 personas asistieron a la feria de computación. El sábado, asistieron 3,207 personas más que el viernes. ¿Cuántas personas asistieron a la feria de computación en los dos días?

a. Halla el número de personas que asistieron a la feria el sábado.

Número de personas que asistieron el viernes   3,207 personas más

_____ + 3,207 = f

_____ = f

b. Halla el número de personas que asistieron a la feria en los dos días.

Número de personas que asistieron el viernes   Número de personas que asistieron el sábado

_____	_____

_____ + 5,067 = p

p = _____ personas que asistieron los 2 días

Resolución de problemas En el mundo

2. El club de aves contó 344 gaviotas en su última visita al mar. Hoy el club vio 215 gaviotas más que en su última visita. ¿Cuántas gaviotas vio el club durante las dos visitas al mar?

_____

3. El viernes, 2,364 carros se estacionaron en un centro comercial. El sábado, 2,455 carros se estacionaron más que el viernes. ¿Cuántos carros se estacionaron durante los dos días?

_____

4. Hoy 4,715 personas más leyeron el blog de Hank que el día anterior. Ayer 8,291 personas leyeron el blog. ¿Cuántas personas leyeron el blog durante los dos días?

_____

5. El martes, la tripulación de una nave pesquera capturó 439 libras de peces. El miércoles pescaron 211 libras más. El capitán dice que pescaron 1,089 libras de peces durante los dos días. ¿Está en lo correcto? **Explica tu respuesta.**

_____

Rellena el círculo completamente para mostrar tu respuesta.

6. **Múltiples pasos** Un vivero de plantas vendió 4,721 plantas el mes anterior. Este mes vendieron 1,250 plantas más que el mes anterior. ¿Cuántas plantas vendieron en ambos meses?

Ⓐ 5,971

Ⓑ 10,692

Ⓒ 7,221

Ⓓ 9,692

7. **Múltiples pasos** Randy tiene 386 tarjetas de *hockey*. Tiene 165 tarjetas de béisbol más que tarjetas de *hockey*. ¿Cuántas tarjetas tiene en total?

Ⓐ 1,102

Ⓑ 937

Ⓒ 551

Ⓓ 716

8. **Múltiples pasos** La población de Brook Valley es de 10,680 más que la población de Lone Hill. La población de Lone Hill es de 56,318. ¿Cuál es la población total de los dos lugares?

Ⓐ 66,998

Ⓑ 77,678

Ⓒ 123,316

Ⓓ 112,206

9. **Múltiples pasos** Nora condujo 520 millas más lejos esta semana que la semana anterior. La semana anterior condujo 216 millas. ¿Cuántas millas condujo en las dos semanas?

Ⓐ 1,256 millas

Ⓑ 736 millas

Ⓒ 952 millas

Ⓓ 1,472 millas

10. **Múltiples pasos** Una compañía de envíos de paquetes envió 693 paquetes el lunes. Ellos enviaron 207 paquetes más el martes que el lunes. ¿Cuántos paquetes se enviaron en dos días?

Ⓐ 900

Ⓑ 1,593

Ⓒ 1,107

Ⓓ 1,590

11. **Múltiples pasos** El viernes salieron 536 botes de la Bahía Warm. El sábado salieron 275 botes más de la bahía. ¿Cuántos botes salieron de la bahía los dos días?

Ⓐ 1,622

Ⓑ 1,086

Ⓒ 811

Ⓓ 1,347

11.2 Problemas de resta de múltiples pasos

TEKS Razonamiento algebraico: 4.5.A
PROCESOS MATEMÁTICOS
4.1.C, 4.1.D, 4.1.E

? Pregunta esencial

¿Cómo puedes representar y resolver problemas de resta de múltiples pasos usando diagramas de tiras?

🔑 Soluciona el problema En el mundo

Durante la cosecha del Huerto Manzana Deliciosa, se recogieron 13,485 manzanas. En la semana 1, se vendieron 4,589 manzanas. En la semana 2, se vendieron 2,113 manzanas. ¿Cuántas manzanas quedan después de dos semanas?

🔑 Ejemplo 1

PASO 1 Halla cuántas manzanas quedaron después de la semana 1.

Manzanas vendidas en la semana 1

4,589	a

13,485

← Manzanas que quedan después de la semana 1

← Manzanas cosechadas

_____ − _____ = a Escribe una ecuación.

_____ = a Resuelve.

PASO 2 Halla cuántas manzanas quedaron después de la semana 2.

Manzanas vendidas en la semana 2

2,113	t

8,896

← Manzanas que quedan después de la semana 2

← Manzanas que quedan después de la semana 1

_____ − _____ = t Escribe una ecuación.

_____ = t Resuelve.

Entonces, el Huerto Manzana Deliciosa tenía _____ manzanas después de dos semanas.

• ¿En qué se diferencia el Paso 1 del Paso 2? _____

_____

_____

Greg y su familia viajan durante 4 días para visitar a sus abuelos. Sus abuelos viven a 2,415 millas de Greg. Los 2 primeros días condujeron 1,141 millas. El tercer día condujeron 612 millas. ¿Cuántas millas deben conducir en el cuarto día?

🔑 Ejemplo 2

PASO 1 Halla cuántas millas quedan después de conducir 2 días.

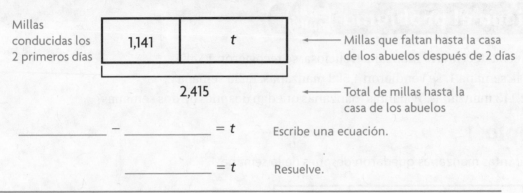

Millas conducidas los 2 primeros días   1,141   t

Millas que faltan hasta la casa de los abuelos después de 2 días

2,415

Total de millas hasta la casa de los abuelos

_____ − _____ = t   Escribe una ecuación.

_____ = t   Resuelve.

PASO 2 Halla cuántas millas más deben conducir en el cuarto día.

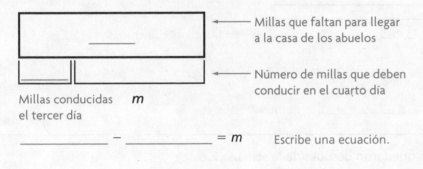

Millas que faltan para llegar a la casa de los abuelos

Número de millas que deben conducir en el cuarto día

Millas conducidas el tercer día   m

_____ − _____ = m   Escribe una ecuación.

_____ = m   Resuelve.

Entonces, la familia de Greg condujo _____ millas más en el cuarto día.

Charla matemática
Procesos matemáticos
Explica por qué hay que hacer más de un paso para resolver el problema del Ejemplo 2.

Comparte y muestra

MATH BOARD

1. Durante una votación escolar, 632 estudiantes votaron por Viernes de sombreros. El Viernes de pijamas obtuvo 187 votos menos que el Viernes de sombreros. ¿Cuántos estudiantes votaron?

Viernes de sombreros

Viernes de pijamas

v

a. **Primero,** halla cuántos estudiantes votaron por el Viernes de pijamas.

Entonces, _____ estudiantes votaron por el Viernes de pijamas.

v = _____

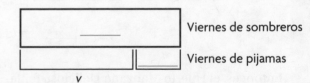

Viernes de sombreros   Viernes de pijamas

f

b. **Después,** halla el número total de estudiantes que votaron.
   Piensa: 632 + 445 = f

Entonces, _____ estudiantes votaron.

f = _____

390

Resolución de problemas En el mundo

Usa la tabla para los problemas 2 y 3.

2. A comienzos de enero había 5,213 latas de sopa en el Supermercado Reyes. ¿Cuántas latas había en el Supermercado Reyes después de febrero?

_____

3. Si en el Supermercado Reyes se vendieron 189 latas de sopa menos en mayo que en abril, ¿cuántas latas de sopa se vendieron durante abril y mayo?

_____

Latas de sopa vendidas en el Supermercado Reyes	
Enero	1,432
Febrero	893
Marzo	870
Abril	574

4. **H.O.T.** Aplica Múltiples pasos Durante la primera semana del lanzamiento de un juego, una tienda electrónica vendió 275 copias del juego. Durante la segunda semana, vendieron 295 copias del juego. También vendieron algunas copias del juego durante la tercera semana. Después de las tres primeras semanas, la tienda electrónica vendió un total de 984 copias del juego. ¿Cuántas copias del juego vendieron durante la semana 3?

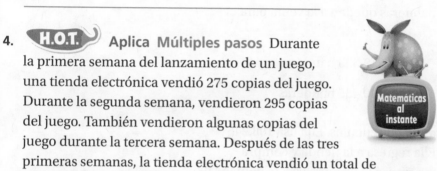

Escribe ▶ Muestra tu trabajo

_____

5. **H.O.T.** ¿Cuál es el error? Ken fue al vivero de plantas a comprar algunos árboles para su patio. No quería gastar más de $300 por los árboles. El primer árbol le costó $175. El segundo árbol costó $25 menos que el primero. Estos fueron los dos artículos que Ken compró. Él dijo que gastó menos de lo que esperaba. ¿Está en lo correcto? **Explica** su error.

_____

_____

_____

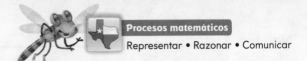

Tarea diaria de evaluación

Rellena el círculo completamente para mostrar tu respuesta.

6. Los vendedores de refrigerios tienen 500,000 botellas de agua a la venta para el desfile. Ellos venden 128,520 botellas durante la primera mitad del desfile. Durante la segunda mitad del desfile, venden 205,000 botellas más que las que vendieron en la primera mitad. ¿Cuántas botellas sin vender quedan al terminar el desfile?

   Ⓐ 166,480 botellas   Ⓒ 371,480 botellas

   Ⓑ 37,960 botellas   Ⓓ 379,600 botellas

7. Una fábrica de banderas confecciona 750,000 banderas. Ellos venden 405,200 banderas para el Día de los Caídos y 125,475 banderas para el Día de la Bandera. ¿Cuántas banderas quedan a la venta para el 4 de Julio?

   Ⓐ 470,275 banderas   Ⓒ 219,325 banderas

   Ⓑ 230,475 banderas   Ⓓ 220,435 banderas

8. **Múltiples pasos** Katie compra 125,000 cuentas. Ella usa 108,246 cuentas para hacer brazaletes. Ella regresa a la tienda y compra 100,000 cuentas más que las que compró la primera vez. ¿Cuántas cuentas tiene ahora Katie para hacer brazaletes?

   Ⓐ 241,754 cuentas   Ⓒ 116,754 cuentas

   Ⓑ 208,246 cuentas   Ⓓ 6,754 cuentas

 ## Preparación para la prueba de TEXAS

9. Melinda ahorró 456 monedas de 1¢ durante una semana, 374 monedas de 1¢ en la segunda semana y algunas monedas de 1¢ más durante la tercera semana. En total, Melinda ahorró 1,245 monedas de 1¢ durante esas tres semanas. ¿Cuántas monedas de 1¢ ahorró Melinda durante la tercera semana?

   Ⓐ 615 monedas de 1¢

   Ⓑ 415 monedas de 1¢

   Ⓒ 2,075 monedas de 1¢

   Ⓓ 525 monedas de 1¢

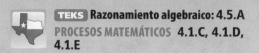

Tarea y práctica

Nombre _____

11.2 Problemas de resta de múltiples pasos

1. Louis compró un paquete de 500 platos de papel. Usó 341 platos en un encuentro familiar y 39 platos en un pícnic. ¿Cuántos platos le quedan?

a. Halla el número de platos de papel que quedaron después de la reunión.

número de platos que quedó | p | _____ | número de platos que se usó en la reunión familiar

500 ← número total de platos

$500 -$ _____ $= b$

$b =$ _____ platos que quedaron después de la reunión

b. Halla el número de platos de papel que quedó después del pícnic.

número de platos que se usó en el pícnic | _____ | p | número de platos que quedó

número de platos que quedó después de la reunión familiar
_____ ←

$159 -$ _____ $= p$

$p =$ _____ platos que quedaron después del pícnic

Resolución de problemas

Usa la tabla para los problemas 2 a 4.

2. A comienzos del mes de junio, el Campamento Naturaleza tenía 3,450 paquetes de leña. ¿Cuántos paquetes quedan a finales de julio?

_____

3. ¿Cuántos paquetes de leña quedan a finales de agosto?

Paquetes de leña vendida en Campamento Naturaleza	
Junio	482
Julio	1,286
Agosto	1,527

4. Para el próximo año, el director del campamento quiere tener 4,000 nuevos paquetes de leña. El personal hizo 1,238 paquetes en septiembre y 1,141 paquetes en octubre. ¿Cuántos paquetes más necesitan hacer?

Rellena el círculo completamente para mostrar tu respuesta.

5. **Múltiples pasos** La distancia entre la casa de Webster y la casa de su tía es de 1,262 millas. Ayer él condujo 416 millas. El hotel donde se quedará esta noche queda a 380 millas de distancia de la casa de su tía. ¿Qué distancia recorrió hoy?

Ⓐ 846 millas

Ⓑ 466 millas

Ⓒ 380 millas

Ⓓ 576 millas

6. **Múltiples pasos** Eric compró 600 bulbos de flores. Compró 280 bulbos de lirios, 75 bulbos de tulipanes y el resto son lilas. ¿Cuántos bulbos de lilas compró?

Ⓐ 320

Ⓑ 355

Ⓒ 205

Ⓓ 245

7. **Múltiples pasos** Para un juego de fútbol americano se vendieron 10,647 boletos. 872 eran boletos de palco y 4,366 eran boletos de la zona de anotación. El resto de los boletos eran de la zona de bandas. ¿Cuántos boletos de la zona de bandas se vendieron?

Ⓐ 5,506

Ⓑ 6,281

Ⓒ 5,409

Ⓓ 6,509

8. **Múltiples pasos** Mindy necesita lograr 500,000 puntos o más en tres juegos para avanzar al siguiente nivel en su juego de computadora. Obtuvo 173,211 puntos en el primer juego y 155,963 puntos en el segundo juego. ¿Cuál es la menor cantidad de puntos que puede obtener en el tercer juego para avanzar al siguiente nivel?

Ⓐ 170,826

Ⓑ 326,789

Ⓒ 171,826

Ⓓ 271,826

9. **Múltiples pasos** El grupo musical va a tener una carroza en el desfile. La semana pasada hicieron 437 flores de papel. Esta semana hicieron 322 más que la semana pasada. Necesitan 1,250 flores. ¿Cuántas flores más deben hacer?

Ⓐ 759

Ⓑ 169

Ⓒ 54

Ⓓ 491

10. **Múltiples pasos** La semana pasada Sandra gastó $247 de sus ahorros en un reproductor de DVD. Hoy depositó $562 en su cuenta de ahorros. Ahora tiene $951 en la cuenta. ¿Cuánto dinero tenía en la cuenta antes de comprar el reproductor de DVD?

Ⓐ $636

Ⓑ $142

Ⓒ $1,266

Ⓓ $746

11.3 Resolver problemas de múltiples pasos usando ecuaciones

TEKS Razonamiento algebraico: 4.5.A
PROCESOS MATEMÁTICOS 4.1.A, 4.1.C, 4.1.F

? Pregunta esencial

¿Cómo puedes representar y resolver problemas de múltiples pasos usando ecuaciones?

Soluciona el problema (En el mundo)

La computadora de Chris tiene 3 discos duros de 64 gigabytes de capacidad cada uno y 2 discos duros de 16 gigabytes de capacidad cada uno. Los archivos de su computadora usan 78 gigabytes de capacidad. ¿Cuánta capacidad de disco duro le queda a su computadora?

• Subraya la información importante.

De una manera Usa varias ecuaciones de un paso.

PASO 1 Halla cuánta capacidad hay en 3 discos duros de 64 gigabytes cada uno.

| 64 | 64 | 64 | ← 3 discos duros de 64 gigabytes de capacidad

n ← Capacidad total de 3 discos duros de 64 gigabytes

$3 \times 64 = n$

_____ $= n$

PASO 2 Halla cuánta capacidad hay en 2 discos duros de 16 gigabytes cada uno.

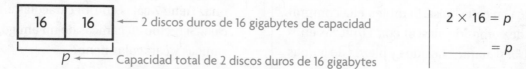

| 16 | 16 | ← 2 discos duros de 16 gigabytes de capacidad

p ← Capacidad total de 2 discos duros de 16 gigabytes

$2 \times 16 = p$

_____ $= p$

PASO 3 Halla la capacidad total de disco duro de la computadora.

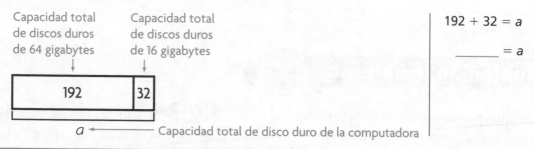

Capacidad total de discos duros de 64 gigabytes
Capacidad total de discos duros de 16 gigabytes

| 192 | 32 |

a ← Capacidad total de disco duro de la computadora

$192 + 32 = a$

_____ $= a$

PASO 4 Los archivos usan 78 gigabytes de capacidad. Halla cuánta capacidad más le queda a la computadora.

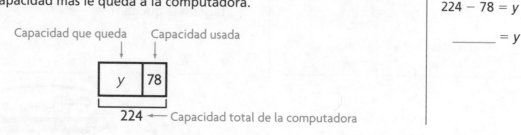

Capacidad que queda
Capacidad usada

| y | 78 |

224 ← Capacidad total de la computadora

$224 - 78 = y$

_____ $= y$

Entonces, a Chris le quedan _____ gigabytes de capacidad de disco duro en la computadora.

1. Carmen y Darío preparan galletas para una venta de dulces. Carmen prepara 3 hornadas de 17 galletas y Darío prepara 3 hornadas de 20 galletas cada una. Después de diez minutos de la venta, vendieron 32 galletas. ¿Cuántas galletas le quedan a Carmen y Darío por vender?

17	17	17

p

$3 \times 17 = p; 51 = p$ ← Primero, multiplico 3×17. Sea p el número de galletas que preparó Carmen.

20	20	20

a

$3 \times 20 = a; 60 = a$ ← Después, multiplico 3×20. Sea a el número de galletas que preparó Darío.

51	60

y

$51 + 60 = y; 111 = y$ ← Luego sumo los dos productos. Sea y el número de galletas que Carmen y Darío prepararon.

$111 - 32 = n; 79 = n$ ← Por último, resto para hallar el número de galletas que le quedan a Carmen y Darío por vender.

2. Tammy compra 3 bolsas de helados con 12 helados en cada bolsa. También ella compra 4 bolsas de gomas de mascar con 11 piezas en cada bolsa. ¿Cuántos helados y piezas de gomas de mascar tiene Tammy?

_____

3. Manuel tiene 4 cajas con 32 canicas en cada una. Tiene 7 cajas con 18 caracolas en cada caja. Si recibe 20 canicas de un amigo, ¿cuántas canicas y caracolas tiene?

_____

4. Mario condujo 60 millas hacia el trabajo cada día durante 5 días. Luego, condujo 54 millas tanto el sábado como el domingo. ¿Cuántas millas condujo Mario durante esos siete días?

_____

5. **H.O.T.** **Aplica** Maggie tiene 3 carpetas con 25 sellos en cada una. Tiene 5 carpetas con 24 tarjetas de béisbol en cada carpeta. Si le regala 35 sellos a un amigo, ¿cuántos sellos y tarjetas le quedan?

_____

Charla matemática

Procesos matemáticos

Explica por qué en el Problema 1 sumaste durante el paso 3 en vez de multiplicar.

Nombre _____

 ¿Cuál es el error?

✓ **6. Múltiples pasos** Dominic tiene 5 libros con 12 postales en cada libro. Tiene 4 cajas con 20 monedas en cada caja. Si le regala 15 postales a un amigo, ¿cuántas postales y monedas tiene?

Dominic hizo este dibujo.

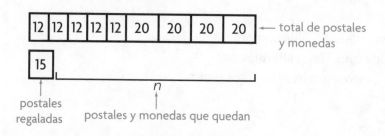

| 12 | 12 | 12 | 12 | 12 | 20 | 20 | 20 | 20 | ← total de postales y monedas

| 15 |

postales regaladas   postales y monedas que quedan
                                    n

Dominic usó estos pasos para resolver.

$5 + 12 = p$

$4 + 20 = c$

$17 + 24 = y$

$41 - 15 = n$

$26 = n$

Observa los pasos que usó Dominic para resolver este problema. Busca y describe su error.

_____

_____

_____

Usa los pasos correctos para resolver el problema.

_____

_____

_____

_____

Entonces, quedan _____ postales y monedas.

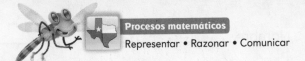

Procesos matemáticos
Representar • Razonar • Comunicar

Tarea diaria de evaluación

Rellena el círculo completamente para mostrar tu respuesta.

7. Eric está obteniendo una acreditación en alpinismo. Durante 63 días, Eric escaló por 2 horas, durante 97 días escaló 1 hora y durante 22 días escaló 3 horas. ¿Cuántas horas más debe escalar Eric para conseguir una acreditación en alpinismo de 500 horas?

Ⓐ 289 horas

Ⓒ 321 horas

Ⓑ 318 horas

Ⓓ 211 horas

8. Teresa tiene 315 fotos que quiere poner en un álbum. Ella compra 4 álbumes con capacidad para 24 fotos cada uno. Hay 3 álbumes con capacidad para 72 fotos cada uno. Teresa quiere enmarcar las fotos que le sobren. ¿Cuántos marcos debe comprar?

Ⓐ 3 marcos

Ⓒ 0 marcos

Ⓑ 13 marcos

Ⓓ 5 marcos

9. **Múltiples pasos** Durante la venta de dulces, el equipo de fútbol vende 54 rosquillas con queso crema a $2 cada una y 36 pastelillos a $1 cada uno. El entrenador usa el dinero recolectado en la venta de dulces para comprar calcetas para 14 jugadores a $6 el par. ¿Cuánto dinero le quedó al entrenador para comprar pelotas de fútbol?

Ⓐ $138

Ⓒ $0

Ⓑ $60

Ⓓ $27

 Preparación para la prueba de TEXAS

10. Trina tiene 2 bolsas con 14 piñas en cada bolsa. Ella tiene 7 cajas con 15 bellotas en cada caja. Si ella intercambia 5 piñas por 10 bellotas, ¿cuántas piñas y bellotas tiene?

Ⓐ 28

Ⓑ 105

Ⓒ 133

Ⓓ 138

398

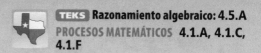
Tarea y práctica

Nombre _____

11.3 Resolver problemas de múltiples pasos usando ecuaciones

Resolución de problemas

1. Rebecca compró un grupo de macetas con 144 margaritas en total. Plantó 3 hileras con 16 margaritas en cada una. Plantó 4 hileras con 14 margaritas en cada una. ¿Cuántas margaritas le quedan por plantar?

16	16	16	14	14	14	14	p

144

$16 \times 3 =$ _____ $14 \times 4 =$ _____

$p = 144 -$ _____ $-$ _____

$p =$ _____

2. Julie empacó 18 DVD en cada una de 4 cajas. Empacó 15 DVD en cada una de 5 cajas. Le quedan 8 DVD. ¿Cuántos DVD tiene Julie?

_____

3. Monty compra 2 boletos de cena para adultos por $22 cada uno, 2 boletos para adultos mayores por $18 cada uno y 3 boletos para niños por $12 cada uno. ¿Cuánto cambio recibirá de $120?

_____

4. John tiene 4 repisas con 22 dinosaurios a escala en cada una. Tiene 3 repisas con 20 dragones a escala en cada repisa. ¿Cuántos dinosaurios a escala más que dragones tiene John?

_____

5. Alexandra necesita 280 tornillos para terminar su escritorio. Ella compró 3 cajas de tornillos con 40 tornillos en cada caja. Tenía 168 tornillos. ¿Cuántos tornillos le quedarán cuando termine el escritorio?

_____

Rellena el círculo completamente para mostrar tu respuesta.

6. Múltiples pasos Erika horneó 7 bandejas con 12 pastelillos en cada una. Simón horneó 5 bandejas con 18 pastelillos en cada una. Acordaron hacer 200 pastelillos para la venta de la escuela. ¿Cuántos pastelillos más deben hacer?

- (A) 26
- (B) 38
- (C) 36
- (D) 52

7. Múltiples pasos Victoria está comprando adhesivos. Ella compró 3 paquetes con 24 estrellas en cada paquete. Compró 2 paquetes con 16 arcoíris en cada paquete. Compró 4 paquetes con 10 corazones en cada paquete. Ella usó 82 de los adhesivos para hacer tarjetas. ¿Cuántos adhesivos le quedan?

- (A) 72
- (B) 62
- (C) 144
- (D) 96

8. Múltiples pasos Willie empacó sus papas en 18 bolsas de diez libras, 16 bolsas de cinco libras y 4 bolsas de veinticinco libras. Le sobraron 2 libras de papas. ¿Cuántas libras de papas tiene?

- (A) 358 libras
- (B) 262 libras
- (C) 352 libras
- (D) 362 libras

9. Múltiples pasos Matt compró 6 sombreros por $14 cada uno y 3 cinturones por $33 cada uno. ¿Cuánto cambio recibió de $200?

- (A) $7
- (B) $17
- (C) $58
- (D) $27

10. Múltiples pasos Carla compró cuatro botellas de jugo de 64 onzas y tres botellas de jugo de 32 onzas. Ella usó 320 onzas de jugo para hacer ponche. ¿Cuántas onzas de jugo le quedan?

- (A) 42 onzas
- (B) 52 onzas
- (C) 32 onzas
- (D) 22 onzas

11. Múltiples pasos Alden tiene 6 bolsas con 10 globos en cada una, 2 bolsas con 25 globos en cada una y 1 bolsa con 50 globos. Hay 14 globos que ya están inflados. ¿Cuántos globos tiene en total?

- (A) 160
- (B) 146
- (C) 174
- (D) 107

11.4 RESOLUCIÓN DE PROBLEMAS • Problemas de división de múltiples pasos

TEKS Razonamiento algebraico: 4.5.A
PROCESOS MATEMÁTICOS
4.1.B, 4.1.F

? Pregunta esencial

¿Cómo puedes usar la estrategia *hacer un diagrama* para resolver problemas de división de múltiples pasos?

Soluciona el problema

Lucía y su papá prepararán maíz para un pícnic comunitario. Hay 3 bolsas de maíz. Cada bolsa contiene 32 mazorcas de maíz. Cuando el maíz esté cocido, ellos quieren dividir el maíz igualmente entre 8 platos de servir. ¿Cuántas mazorcas de maíz deben servir en 8 platos?

Lee

¿Qué necesito hallar?

Necesito hallar el número de _____ que tendrá cada plato.

¿Qué información tengo?

_____ bolsas con _____ mazorcas en cada bolsa. El total de mazorcas de maíz se dividió igualmente

entre _____ grupos.

Planea

¿Cuál es mi plan o estrategia?

Puedo hacer un diagrama de tiras por cada paso

y usar ecuaciones. Luego, _____ para

hallar el total y _____ para hallar el número para cada plato.

Resuelve

Puedo dibujar diagramas de tiras y usar ecuaciones, y luego decidir cómo hallar cuántas mazorcas de maíz deberían ir en cada plato.

Primero, hallaré el número total de mazorcas de maíz.

32	32	32

$32 \times$ _____ $= e$

_____ $= e$

Luego, representaré y dividiré para hallar cuántas mazorcas de maíz deberían ir en cada plato.

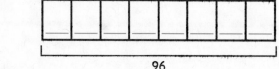

96

$96 \div$ _____ $= c$

_____ $= c$

---

1. ¿Cuántas mazorcas de maíz deberían ir en cada plato? _____

2. ¿Cómo puedes comprobar tu resultado? _____

_____

Haz otro problema

Hay 8 panecillos en un paquete. ¿Cuántos paquetes se necesitarán para servir a 64 personas si cada persona recibe 2 panecillos?

Lee	Resuelve
¿Qué necesito hallar?	
¿Qué información tengo?	
Planea	
¿Cuál es mi plan o estrategia?	

3. ¿Cuántos paquetes de panecillos se necesitarán? _____

4. ¿De qué manera te sirvió dibujar diagramas de tiras para resolver el problema?

_____

_____

_____

Charla matemática

Procesos matemáticos

Describe otro método que podrías usar para resolver el problema.

Comparte y muestra

↑Soluciona el problema

Pistas

√ Usa el tablero de matemáticas de Resolución de problemas.

√ Subraya los hechos importantes.

√ Elige una estrategia que ya conozcas.

1. La despensa de una estación de bomberos tiene 52 latas de verduras y 74 latas de sopa. Cada repisa tiene capacidad para 9 latas. ¿Cuál es el menor número de repisas que se necesitan para todas las latas?

Primero, dibuja un diagrama de tiras para el número total de latas.

Después, suma para hallar el número total de latas.

Luego, dibuja un diagrama de tiras para mostrar el número de repisas que se necesitan.

Por último, divide para hallar el número de repisas que se necesitan.

Charla matemática

Procesos matemáticos

Explica cómo podrías comprobar si tu resultado es correcto.

Entonces, se necesitan _____ repisas para almacenar todas las latas.

2. **H.O.T.** Múltiples pasos ¿Y si caben 18 latas en una repisa? ¿Cuál es el menor número de repisas que se necesitan? Describe de qué manera sería diferente tu respuesta.

_____

_____

_____

Resolución de problemas

3. **H.O.T.** Múltiples pasos La Srta. Johnson compró 6 bolsas de globos. Cada bolsa contiene 25 globos. Ella infla todos los globos y los ordena en ramos de 5 globos. ¿Cuántos ramos puede hacer?

_____

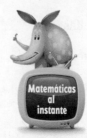

Matemáticas al instante

Tarea diaria de evaluación

Rellena el círculo completamente para mostrar tu respuesta.

4. Las camisetas de básquetbol vienen en paquetes de 6. ¿Cuántos paquetes de camisetas se necesitan para 12 jugadores si cada jugador recibe 4 camisetas?

Ⓐ 3 paquetes

Ⓑ 2 paquetes

Ⓒ 8 paquetes

Ⓓ 48 paquetes

5. Robin y su abuela preparan panecillos para la venta de dulces. Cada hornada de masa alcanza para 36 panecillos pequeños. Ellos preparan 4 hornadas y dividen los panecillos igualmente entre bolsas de 3 panecillos. ¿Cuántas bolsas de 3 panecillos tienen?

Ⓐ 9 bolsas

Ⓒ 12 bolsas

Ⓑ 48 bolsas

Ⓓ 3 bolsas

6. **H.O.T.** **Múltiples pasos** Las clases de cuarto grado de la escuela Sunshine van al Museo de la naturaleza y las ciencias. La escuela paga $671 por el viaje. Los boletos de adultos cuestan $10 cada uno y los boletos de estudiantes cuestan $7 cada uno. Van 9 adultos en el viaje. ¿Cuántos estudiantes van en el viaje?

Ⓐ 74 estudiantes

Ⓒ 95 estudiantes

Ⓑ 86 estudiantes

Ⓓ 83 estudiantes

⭐ Preparación para la prueba de TEXAS

7. Benito recolectó 43 latas y algunas botellas. Recibió 5¢ por cada lata o botella. Si Benito recibió un total de $4.95, ¿cuántas botellas recolectó?

Ⓐ 56 botellas

Ⓑ 99 botellas

Ⓒ 560 botellas

Ⓓ 990 botellas

Nombre _____

11.4 RESOLUCIÓN DE PROBLEMAS • Problemas de división de múltiples pasos

Resolución de problemas

1. Marco compró 2 botellas de jugo. Cada botella contiene 48 onzas. ¿Cuántos vasos de jugo de 8 onzas puede llenar Marco con dos botellas?

a. Haz un diagrama de tiras para el número de onzas de jugo de las dos botellas.

b. Escribe una ecuación para hallar el número total de onzas de jugo de las dos botellas.

c. Haz un diagrama de tiras para mostrar el número de vasos de jugo de 8 onzas que se pueden llenar.

d. Escribe una ecuación para hallar el número de vasos de jugo.

Marco puede llenar _____ vasos de jugo.

2. Describe otro método que podrías haber usado para resolver el problema.

_____

_____

3. ¿Y si Marco hubiera llenado vasos de jugo de 10 onzas? ¿Cuál es la cantidad más grande de vasos llenos de jugo que podría haber servido? **Explica tu respuesta.**

_____

_____

Rellena el círculo completamente para mostrar tu respuesta.

4. Múltiples pasos Orlando tiene una bolsa con 37 manzanas y una bolsa con 29 manzanas. Él puede hornear 6 manzanas en una bandeja. ¿Cuántas bandejas de manzanas puede hornear Orlando?

(A) 66

(B) 33

(C) 11

(D) 22

5. Múltiples pasos Ana tiene 5 ramos con 12 flores en cada uno. Ella tiene 4 ramos con 10 flores en cada uno. ¿Cuántos floreros puede llenar si pone 10 flores en cada florero?

(A) 10

(B) 100

(C) 9

(D) 15

6. Múltiples pasos Cinco amigos van a compartir el costo de dos regalos. Uno de los regalos cuesta $39 y el otro regalo cuesta $26. ¿Cuál es la parte del costo de cada persona?

(A) $7

(B) $15

(C) $18

(D) $13

7. Múltiples pasos Hay 14 sillas en cada una de 6 hileras. Hay 18 sillas en cada una de 4 hileras. ¿Cuántas hileras de 13 sillas se pueden formar con todas las sillas?

(A) 13

(B) 12

(C) 14

(D) 18

8. Múltiples pasos Justin reunió 26 caracoles. Amy reunió 31 caracoles. José reunió 21 caracoles. Si ellos comparten todos los caracoles igualmente, ¿cuántos caracoles recibirá cada persona?

(A) 24

(B) 78

(C) 26

(D) 19

9. Múltiples pasos Taylor tiene 2 paquetes de 36 tachuelas cada uno más 16 tachuelas. ¿Cuántos carteles puede colgar en la venta de garaje si usa 4 tachuelas por cada cartel?

(A) 13

(B) 22

(C) 17

(D) 21

Nombre _____

Evaluación del Módulo 11

Conceptos y destrezas

Halla la suma. ⬇ TEKS 4.5.A

1.   4,348
       + 2,047

2.   35,041
       + 27,595

3.   728,625
       + 211,582

Halla el valor de *n*. ⬇ TEKS 4.5.A

4. $264{,}185 + 38{,}642 = n$

_____ $= n$

5. $238{,}375 + 29{,}558 = n$

_____ $= n$

6. $342{,}205 + 127{,}539 = n$

_____ $= n$

Halla la diferencia. ⬇ TEKS 4.5.A

7.   5,417
       − 2,238

8.   46,347
       − 18,619

9.   527,624
       − 241,302

Halla el valor de *n*. ⬇ TEKS 4.5.A

10. $162{,}712 - 24{,}729 = n$

_____ $= n$

11. $483{,}700 - 26{,}308 = n$

_____ $= n$

12. $400{,}000 - 128{,}803 = n$

_____ $= n$

Halla el producto. ⬇ TEKS 4.5.A

13.   32
        × 4

14.   45
        × 6

15.   468
        × 5

16.   2,270
        × 8

Halla el valor de *n*. ⬇ TEKS 4.5.A

17. $24 \times 10 = n$

_____ $= n$

18. $100 \times 36 = n$

_____ $= n$

19. $45 \times 23 = n$

_____ $= n$

Halla el valor de *n*. ⬇ TEKS 4.5.A

20. $65 \div 5 = n$

_____ $= n$

21. $516 \div 3 = n$

_____ $= n$

22. $620 \div 4 = n$

_____ $= n$

23. $1{,}026 \div 9 = n$

_____ $= n$

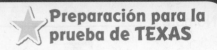
Rellena el círculo completamente para mostrar tu respuesta. Usa diagramas de tiras o ecuaciones para ayudarte a resolver el problema.

24. Durante octubre, la heladería de Joe recibió 11,094 clientes y la tienda de yogur de Tatum recibió 10,237 clientes. La tienda de yogur de Matt recibió 3,810 clientes más que la tienda de Tatum. ¿Cuántos clientes recibieron las tres tiendas durante octubre? ↳ TEKS 4.5.A

Ⓐ 14,047

Ⓑ 5,640

Ⓒ 35,378

Ⓓ 22,331

25. El pueblo de Summerville tiene una población de 40,285 durante el verano, una población de 18,463 durante el invierno y una población de 38,709 durante el otoño. ¿Cuántas personas más visitaron Summerville durante el invierno y el otoño juntos que durante el verano? ↳ TEKS 4.5.A

Ⓐ 20,246   Ⓒ 7,501

Ⓑ 57,172   Ⓓ 16,887

26. La familia Davis está realizando un viaje de diez días en carro. Ellos viajan 10 horas cada día durante 3 días. Viajan 8 horas cada día durante 7 días. ¿Cuántas horas viaja la familia Davis durante su viaje en carro? ↳ TEKS 4.5.A

Ⓐ 86   Ⓒ 26

Ⓑ 56   Ⓓ 30

27. El almacén de la tienda despachó 1,550 libras de tierra en bolsas de 5 libras a la tienda de jardinería. La tienda vendió la mitad de las bolsas el mismo día del despacho. ¿Cuántas bolsas le quedan a la tienda para la venta? ↳ TEKS 4.5.A

Anota tu respuesta y rellena los círculos de la cuadrícula. Asegúrate de usar el valor de posición correcto.

⓪	⓪	⓪	·	⓪	⓪
①	①	①		①	①
②	②	②		②	②
③	③	③		③	③
④	④	④		④	④
⑤	⑤	⑤		⑤	⑤
⑥	⑥	⑥		⑥	⑥
⑦	⑦	⑦		⑦	⑦
⑧	⑧	⑧		⑧	⑧
⑨	⑨	⑨		⑨	⑨

12.1 Patrones numéricos

TEKS Razonamiento algebraico: 4.5.B
PROCESOS MATEMÁTICOS
4.1.A, 4.1.F

? **Pregunta esencial**

¿Cómo puedes formar y describir patrones?

Soluciona el problema En el mundo

Daniela está haciendo patrones para una colcha. Los patrones muestran 40 cuadrados. Cada cuarto cuadrado es azul. ¿Cuántos cuadrados azules hay en el patrón?

Un **patrón** es un conjunto ordenado de números u objetos. Cada número u objeto del patrón se llama **término**.

- Subraya lo que necesitas hallar.
- Encierra en un círculo lo que necesitas.

Actividad Halla un patrón.

Materiales ■ lápices de colores

Sombrea los cuadrados que son azules.

1	2	3	4	5	6	7	8	9	10
11	12	13	14	15	16	17	18	19	20
21	22	23	24	25	26	27	28	29	30
31	32	33	34	35	36	37	38	39	40

Charla matemática
Procesos matemáticos
Describe otro patrón numérico de la colcha de Daniela.

¿Cuántos cuadrados son azules? _____

Entonces, hay _____ cuadrados azules en el patrón.

1. ¿Qué patrones observas cuando ordenas los cuadrados azules?

_____

_____

2. ¿Qué patrones observas en los números de los cuadrados azules?

_____

_____

🔑 Ejemplo Halla y describe un patrón.

La regla para el patrón es *sumar* 5. El primer término del patrón es 5.

Ⓐ **Usa la regla para escribir los números del patrón.**

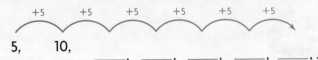

5,   10, ____, ____, ____, ____, ____, ...

Ⓑ **Describe otro patrón que observes en los números.**

¿Qué te llama la atención de los dígitos de la posición de las unidades?

_____

Describe el patrón usando las palabras *impar* y *par*.

_____

Comparte y muestra

Usa la regla para escribir los números del patrón.

1. Regla: Restar 10   Primer término: 100

Piensa: Resta 10

100, ____, ____, ____, ____, ...

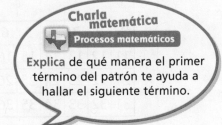

Charla matemática

Procesos matemáticos

Explica de qué manera el primer término del patrón te ayuda a hallar el siguiente término.

Usa la regla para escribir los números del patrón.
Describe otro patrón que observes en los números.

2. Regla: Multiplicar por 2   Primer término: 4

4, _____, _____, _____, _____, ...

_____

3. Regla: Contar de 6 en 6   Primer término: 12

12, _____, _____, _____, _____, ...

_____

4. Regla: Sumar 3   Primer término: 6

6, _____, _____, _____, _____, ...

_____

Resolución de problemas

5. Analiza Todas las habitaciones del hotel numeradas como pares e impares están a diferentes lados del pasillo. ¿Entre qué dos habitaciones está la habitación 231?

6. H.O.T. Múltiples pasos

Juán está ahorrando para ver el Álamo. Comenzó con $24 en su cuenta de ahorros. Todas las semanas recibe $15 por cuidar bebés. De todo eso, gasta $8 y ahorra el resto. Juán usa la regla *sumar 7* para hallar cuánto dinero tiene al final de cada semana. ¿Cuáles son los 8 primeros números de su patrón?

7. H.O.T. Múltiples pasos Plantea un problema En las dos tablas de abajo se muestra una actividad de la Feria de matemáticas.

Números	Operaciones
2	
3	suma
5	resta
6	multiplicación
10	

Usa por lo menos dos de los números y una operación de la tabla para escribir un problema de patrones. Incluye los cinco primeros términos de tu patrón en la solución de tu problema.

Plantea un problema.	Resuelve tu problema.

● **Describe** otros patrones en los términos que escribiste.

_____

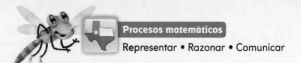

Tarea diaria de evaluación

Rellena el círculo completamente para mostrar tu respuesta.

8. ¿Qué patrón sigue la regla de *sumar* 3?

Ⓐ 60, 63, 60, 63, …

Ⓑ 3, 1, 4, 2, …

Ⓒ 60, 63, 62, 65, …

Ⓓ 60, 63, 66, 69, …

9. La regla del patrón es *sumar* 5. El primer término del patrón es 6. ¿Cuál opción muestra los números del patrón?

Ⓐ 6, 11, 9, 14, 12, …

Ⓑ 6, 11, 16, 21, 26, …

Ⓒ 5, 10, 8, 13, 11, …

Ⓓ 5, 2, 10, 8, 15, …

10. **Múltiples pasos** Sandy vive en el lado de la calle donde todas las casas tienen números pares. La casa a la izquierda tiene el número 356. La casa a la derecha tiene el número 360. ¿Cuál es el número de la casa de Sandy?

Ⓐ 354　　　　　Ⓒ 362

Ⓑ 358　　　　　Ⓓ 357

 Preparación para la prueba de TEXAS

11. Algunos grupos de cigarras aparecen cada 13 años. Darla tenía 5 años de edad cuando escuchó el primer grupo de cigarras. ¿Qué patrón muestra las edades de Darla las próximas 4 veces en las que el grupo de cigarras apareció?

Ⓐ 13, 26, 39, 52

Ⓑ 13, 18, 23, 28

Ⓒ 18, 31, 44, 57

Ⓓ 18, 23, 28, 33

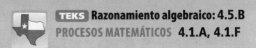

Tarea
y práctica

Nombre _____

12.1 Patrones numéricos

Usa la regla para escribir los números del patrón.

1. Regla: Restar 5   Primer término: 50

50, _____ , _____ , _____ , _____ , ...

2. Regla: Multiplicar por 3   Primer término: 2

2, _____ , _____ , _____ , _____ , ...

Usa la regla para escribir los números del patrón.
Describe otro patrón que observes en los números.

3. Regla: Contar de 4 en 4   Primer término: 8

8, _____ , _____ , _____ , _____ , ...

_____

4. Regla: Sumar 3.   Primer término: 2

2, _____ , _____ , _____ , _____ , _____ , ...

_____

Resolución de problemas

5. El cabello de Kate actualmente mide 10 pulgadas de largo. Ella lee que su cabello crece aproximadamente 6 pulgadas por año. Kate usa la regla *sumar* 6 para hallar cuál será el largo de su cabello en 4 años si no se lo corta. ¿Cuáles son los primeros 5 números de su patrón?

_____

6. Después de semanas sin llover, Juán midió el lunes 2 pulgadas de precipitación en su pluviómetro. El martes midió 2 pulgadas más. Juán usa la regla *sumar* 2 para hallar cuántas pulgadas de precipitación medirá si continúa el patrón. ¿Cuáles son los primeros 4 números de su patrón?

_____

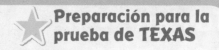
Rellena el círculo completamente para mostrar tu respuesta.

7. La regla para el patrón es *sumar* 4. El primer término del patrón es 4. ¿Cuál opción muestra los números del patrón?

(A) 4, 8, 12, 16, 20

(B) 4, 1, 5, 2, 6

(C) 5, 20, 80, 160, 640

(D) 5, 9, 13, 17, 21

8. La familia de Cassie organiza una reunión cada 3 años. Cassie tenía 4 años de edad en su primera reunión familiar. ¿Qué patrón muestra la edad de Cassie en las 5 siguientes reuniones familiares?

(A) 7, 10, 13, 16, 19

(B) 9, 14, 19, 24, 29

(C) 8, 12, 16, 20, 24

(D) 9, 12, 15, 18, 21

9. ¿Qué patrón muestra la regla *multiplicar por* 4?

(A) 4, 8, 12, 16 . . .

(B) 1, 4, 16, 64 . . .

(C) 4, 12, 36, 108 . . .

(D) 10, 14, 18, 22 . . .

10. Raúl ahorró $86 de su trabajo de verano. Cuando comience la escuela, él planea gastar $5 a la semana. ¿Qué patrón muestra cuánto dinero tendrá Raúl después de 4 semanas?

(A) $82, $78, $74, $70

(B) $81, $77, $72, $68

(C) $82, $77, $72, $67

(D) $81, $76, $71, $66

11. **Múltiples pasos** Paul gana $7 cada semana por pasear el perro del vecino. Cada semana, él resta $3 de sus ingresos para sus gastos y el resto lo ahorra. ¿Qué patrón muestra la cantidad que Paul tendrá ahorrada después de 6 semanas?

(A) $4, $8, $12, $16, $20, $24

(B) $7, $14, $21, $28, $35, $42

(C) $4, $7, $11, $18, $22, $26

(D) $7, $10, $13, $16, $19, $22

12. **Múltiples pasos** A Marcie le gusta coleccionar adhesivos, pero también le gusta regalarlos. Marcie tiene 87 adhesivos en su colección. Si cada semana Marcie colecciona 5 adhesivos nuevos y regala 3 adhesivos, ¿cuál de los siguientes patrones muestra cuántos adhesivos tendrá en su colección después de 5 semanas?

(A) 87, 84, 81, 78, 75, 72

(B) 87, 89, 91, 93, 95, 97

(C) 87, 92, 97, 102, 107, 112

(D) 87, 95, 103, 111, 119, 127

12.2 Hallar la regla

? **Pregunta esencial**

¿Cómo puedes escribir una regla para una función?

Soluciona el problema

Un mesero de un restaurante ordena las mesas para un grupo grande. Una mesa tiene 4 sillas. Dos mesas tienen 8 sillas. Tres mesas tienen 12 sillas. Cuatro mesas tienen 16 sillas, y así sucesivamente. ¿Cuántas sillas hay en 5 mesas?

- Subraya la información que usarás.
- Encierra en un círculo el número de sillas.

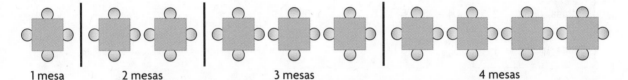

| 1 mesa | 2 mesas | 3 mesas | 4 mesas |

Puedes usar una **tabla de entrada y salida** para mostrar un patrón. Un patrón es una función cuando una cantidad depende de la otra. El número de sillas que se pueden usar depende del número de mesas que se usen. Puedes escribir una regla para describir la relación entre las entradas y las salidas de una función.

Entrada	Salida
Mesas	**Sillas**
m	*s*
1	
2	
3	
4	

 Usa la tabla para escribir una regla.

PASO 1 Completa la tabla de entrada y salida.

PASO 2 Describe la relación entre las mesas y las sillas.

Piensa:
$1 \times 4 = 4$ 1 mesa $\times$ 4 = 4 sillas
$2 \times 4 = 8$ 2 mesas $\times$ 4 = 8 sillas
$3 \times 4 = 12$ 3 mesas $\times$ 4 = 12 sillas
$4 \times 4 = 16$ 4 mesas $\times$ 4 = 16 sillas

El número de sillas es _____ veces el número de mesas.

PASO 3 Halla la regla. Usa una expresión para escribir tu regla.

Piensa: Usa *m* para el número de mesas.

Regla: El número de sillas es _____ $\times$ _____ .

PASO 4 Usa la regla para hallar el número de sillas en 5 mesas.

El número de sillas en 5 mesas es 5 $\times$ _____ .

Entonces, hay _____ en 5 mesas.

 Para evitar errores

Una regla debe resultar para cada par de números en la tabla de función. Asegúrate de comprobar tu regla en cada par de números.

Charla matemática
 **Procesos matemáticos**

Explica cómo usaste la regla para hallar el número de sillas en 8 mesas.

🔑 Ejemplos

Ⓐ Halla la regla. Usa la regla para escribir una expresión.

La salida es _____ más que la entrada.

Usa _____ para la entrada.

Regla: La salida es _____ + _____.

Piensa:

$2 +$ _____ $= 5$

$4 +$ _____ $= 7$

$6 +$ _____ $= 9$

$8 +$ _____ $= 11$

Entrada	Salida
b	c
2	5
4	7
6	9
8	11

Ⓑ Usa la regla para completar la tabla de entrada y salida.

Regla: La salida es $n \div 2$.

Piensa: $4 \div 2$ $8 \div 2$ $10 \div 2$

Entrada	n	2	4	6	8	10
Salida	p	1		3		

Comparte y muestra

MATH BOARD

1. Usa la tabla de entrada y salida para mostrar un patrón. Halla la regla.

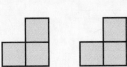   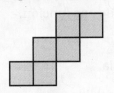

Figura 1   Figura 2   Figura 3   Figura 4

Regla: El número de cuadrados es _____ + _____.

Entrada	Salida
Figuras	Cuadrados
f	c
1	
2	
3	
4	

Usa la regla para completar la tabla de entrada y salida.

✓ 2. Regla: La salida es $n - 5$.

Entrada	n	10	20	30	40
Salida	p	5			

Charla matemática
 Procesos matemáticos
Explica cómo puedes hallar una regla.

Halla una regla. Usa una regla para escribir una expresión.

3.

Entrada	y	1	2	3	4
Salida	z	5	6	7	8

✓ 4.

Entrada	b	1	2	3	4
Salida	c	2	4	6	8

Regla: _____

Regla: _____

Nombre _____

5. **Anota** Usa la pirámide alimenticia para completar la tabla de entrada y salida de abajo. Halla una regla que indique cuántas tazas de leche debería tomar un niño en *d* días.

Entrada	d	2	3	4	5
Salida	t				

_____

Mi pirámide

◀ Para una dieta de 1,800 calorías, necesitas comer o beber todos los días la cantidad que se muestra de cada grupo. Fuente: USDA (Departamento de Agricultura de los Estados Unidos)

Granos	Verduras	Frutas	Leche	Carne y frijoles
6 onzas	$2\frac{1}{2}$ tazas	$1\frac{1}{2}$ tazas	3 tazas	5 onzas

6. Un galón de agua equivale a 4 cuartos de agua. Puedes escribir una regla para mostrarlo.

Sea *g* el número de galones de agua, la entrada, y sea *c* el número total de cuartos de agua, la salida.

Regla: El número de cuartos es $g \times 4$.

Usa la regla para completar la tabla de entrada y salida.

Entrada	Galones	g	1	2	4	6
Salida	Cuartos	c				

7. **H.O.T.** **Analiza** Un galón de agua es igual a 4 cuartos de agua y 1 cuarto de agua es igual a 2 pintas de agua. ¿Cuántas pintas de agua equivalen a 1 galón de agua? **Explica tu respuesta.**

Matemáticas al instante

_____

_____

_____

8. **H.O.T.** Regresa al Problema 6. ¿Y si hay 36 cuartos de agua?

¿Cuántos galones de agua hay? _____

Escribe ▶

Muestra tu trabajo

Tarea diaria de evaluación

Rellena el círculo completamente para mostrar tu respuesta.

9. Tanya está en una fila en un parque de patinaje. Hay 4 personas delante de ella. La tabla de entrada y salida muestra la relación entre el número de personas (p) en la fila y el tiempo (t) que ella tendrá que esperar en la fila. ¿Cuál sería una regla para esta tabla de entrada y salida?

Entrada	p	1	2	3	4
Salida	t	4	8	12	16

Ⓐ La salida es $p + 3$.   Ⓒ La salida es $t - 3$.

Ⓑ La salida es $p \times 4$.   Ⓓ La salida es $p \times 2$.

10. Usa la regla para hallar el número que falta. ¿Cuál es el número que falta?

Regla: La salida es $n - 7$.				
Entrada	n	12	14	16	18
Salida	z	5		9	11

Ⓐ 21   Ⓒ 7

Ⓑ 8   Ⓓ 2

11. **Múltiples pasos** En un álbum de fotos, una página alcanza para 4 fotografías. Dos páginas alcanzan para 8 fotografías, tres páginas alcanzan para 12 fotografías. Cuatro páginas alcanzan para 16 fotografías, y así sucesivamente. ¿Cuántas fotografías caben en 5 páginas?

Entrada	Número de páginas	p	1	2	3	4
Salida	Número de fotografías	f				

Ⓐ 5   Ⓒ 24

Ⓑ 18   Ⓓ 20

⭐ Preparación para la prueba de TEXAS

12. Maggie corre la misma distancia todas las semanas. Ella hizo esta tabla de entrada y salida para mostrar cuántas millas (m) correrá en s semanas. ¿Qué regla funciona para la tabla de entrada y salida?

Entrada	s	3	4	6	8
Salida	m	9	12	18	24

Ⓐ La salida es $s + 6$.   Ⓒ La salida es $s \times 3$.

Ⓑ La salida es $s \div 2$.   Ⓓ La salida es $s \div 3$.

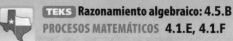
Tarea y práctica

Nombre _____

12.2 Hallar una regla

Usa la regla para completar la tabla de entrada y salida.

1. Regla: La salida es $n + 3$.

Entrada	n	1	2	3	4
Salida	p	4			

2. Regla: La salida es $y \times 5$.

Entrada	y	2	3	4	5
Salida	z	10			

3. Regla: La salida es $f - 4$.

Entrada	f	10	20	30	40
Salida	s	6			

4. Regla: La salida es $x \div 10$.

Entrada	x	100	200	300	400
Salida	y	10			

Halla una regla. Usa la regla para escribir una expresión.

5.

Entrada	y	1	2	3	4
Salida	Z	6	7	8	9

Regla: _____

6.

Entrada	b	1	2	3	4
Salida	c	3	6	9	12

Regla: _____

Resolución de problemas

7. Un galón de agua es igual a 8 pintas de agua. Halla una regla para indicar cuántas pintas de agua hay en g galones.

Regla: _____ .

Entrada	galones	g	1	2	3	4
Salida	pintas	p	8	16	24	32

8. Un cuarto de agua es igual a 4 tazas de agua. Halla una regla para indicar cuántas tazas de agua hay en c cuartos.

Regla: _____ .

Entrada	cuartos	c	1	2	3	4
Salida	tazas	t	4	8	12	16

Rellena el círculo completamente para mostrar tu respuesta.

9. Usa la regla para hallar el número que falta. ¿Cuál es el número que falta?

Regla: La salida es $x - 6$.					
Entrada	x	10	12	14	16
Salida	y	4	6		10

Ⓐ 20

Ⓒ 8

Ⓑ 2

Ⓓ 5

10. ¿Cuál regla se podría usar en la tabla?

Entrada	n	10	15	20	25
Salida	p	20	30	40	50

Ⓐ La salida es $n + 10$.

Ⓑ La salida es $n \times 2$.

Ⓒ La salida es $n - 2$.

Ⓓ La salida es $n - 10$.

11. Nikki está haciendo brazaletes. La tabla de entrada y salida muestra la relación entre el número de brazaletes (b) y el número de cuentas (c) usadas.

Entrada	b	2	4	6	8
Salida	c	16	32	48	64

¿Cuál podría ser la regla para la tabla?

Ⓐ La salida es $n \times 8$.

Ⓑ La salida es $n + 14$.

Ⓒ La salida es $n + 8$.

Ⓓ La salida es $n - 14$.

12. Ken trabaja el mismo número de horas cada semana. Hizo una tabla de entrada y salida para mostrar cuántas horas (h) trabajará en (d) días.

Entrada	d	5	6	7	8
Salida	h	35	42	49	56

¿Cuál podría ser la regla para la tabla?

Ⓐ La salida es $d - 30$.

Ⓑ La salida es $d \div 7$.

Ⓒ La salida es $d \times 7$.

Ⓓ La salida es $d + 30$.

13. **Múltiples pasos** Un pastelero empaca magdalenas en cajas para la venta. Una caja tiene capacidad para 6 magdalenas. Dos cajas contienen 12 magdalenas, y así sucesivamente. ¿Cuántas magdalenas (m) necesitará el pastelero para 4 cajas (c)?

Entrada	m	6	12	18	4
Salida	c				

Ⓐ 6

Ⓒ 18

Ⓑ 24

Ⓓ 12

14 **Múltiples pasos** Los estudiantes de una clase de educación física se dividirán en 2 grupos para jugar juegos. De 30 estudiantes, habrá 15 en cada grupo. De 28 estudiantes, habrá 14 en cada grupo, y así sucesivamente. ¿Cuántos estudiantes habrá en cada grupo (g) si hay 22 estudiantes (e)?

Entrada	e	30	28	24	22
Salida	g				

Ⓐ 11

Ⓒ 10

Ⓑ 12

Ⓓ 8

Nombre _____

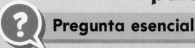

Representar las fórmulas para el perímetro

TEKS Razonamiento algebraico: 4.5.C, 4.5.D
PROCESOS MATEMÁTICOS
4.1.A, 4.1.F

Pregunta esencial

¿Cómo puedes usar una fórmula para hallar el perímetro de un rectángulo?

Soluciona el problema En el mundo

Julio está instalando un borde de piedra alrededor de su jardín rectangular. La longitud del jardín es de 7 pies. El ancho del jardín es de 5 pies. ¿Cuántos pies de borde de piedra necesita Julio?

El **perímetro** es la distancia alrededor de una figura.

Para hallar cuántos pies de borde de piedra necesita Julio, halla el perímetro del jardín.

- Encierra en un círculo los números que usarás.
- ¿Qué se te pide que halles?

_____

_____

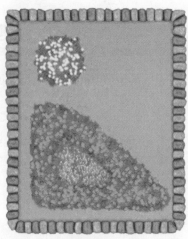

1 **Usa la suma.**

El perímetro de un rectángulo = longitud + ancho + longitud + ancho

$7 + 5 + 7 + 5 =$ _____

El perímetro mide _____ pies.

7pies

Entonces, Julio necesita _____ pies de borde de piedra.

5pies

2 **Usa la multiplicación.**

A Halla el perímetro de un rectángulo.

Perímetro = (2 × longitud) + (2 × ancho) o $2l + 2a$

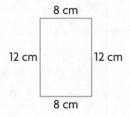

8 cm

12 cm   12 cm

8 cm

Perímetro = (2 × 12) + (2 × 8)

= 24 + 16

= _____

Entonces, el perímetro mide _____ centímetros.

B Halla el perímetro de un cuadrado.

Perímetro = 4 × un lado o 4 × l

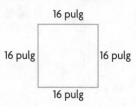

16 pulg

16 pulg   16 pulg

16 pulg

Perímetro = 4 × 16

= _____

Entonces, el perímetro mide _____ pulgadas.

Usa una fórmula Una **fórmula** es una regla matemática. Puedes usar una fórmula para hallar el perímetro.

$$P = (2 \times l) + (2 \times a)$$

↑ perímetro   ↑ longitud   ↑ ancho

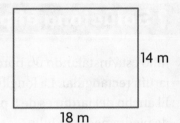

ancho

longitud

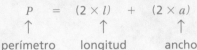 Ejemplo Halla el perímetro de un rectángulo.

$P = (2 \times l) + (2 \times a)$

$= (2 \times \underline{\hspace{1cm}}) + (2 \times \underline{\hspace{1cm}})$ Piensa: Escribe las medidas que conoces.

$= \underline{\hspace{1cm}} + \underline{\hspace{1cm}}$ Piensa: Resuelve primero lo que está entre paréntesis.

$= \underline{\hspace{1cm}}$

El perímetro del rectángulo mide _____.

14 m

18 m

Comparte y muestra

MATH BOARD

1. Halla el perímetro del rectángulo.

$p = (\underline{\hspace{1cm}} \times \underline{\hspace{1cm}}) + (\underline{\hspace{1cm}} \times \underline{\hspace{1cm}})$

$= (\underline{\hspace{1cm}} \times \underline{\hspace{1cm}}) + (\underline{\hspace{1cm}} \times \underline{\hspace{1cm}})$

$= \underline{\hspace{1cm}} + \underline{\hspace{1cm}}$

$= \underline{\hspace{1cm}}$

El perímetro es de _____ pies.

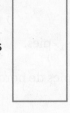

8 pies

4 pies

Fórmulas para perímetro

Rectángulo:

$p = (2 \times l) + (2 \times a)$ o
$p = 2l + 2a$

Cuadrado:

$p = 4 \times l$ o $p = 4l$

Halla el perímetro del rectángulo o del cuadrado.

2.

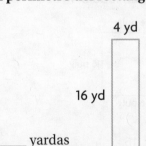

4 yd

16 yd

_____ yardas

3.

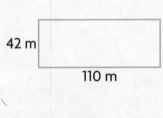

42 m

110 m

_____ metros

4.

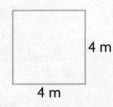

4 m

4 m

_____ metros

Charla matemática

Procesos matemáticos

¿Puedes usar la fórmula $p = (2 \times l) + (2 \times a)$ para hallar el perímetro de un cuadrado? **Explica tu respuesta.**

Nombre _____

5. **H.O.T.** **Múltiples pasos** Alejandra planea tejer un fleco a una bufanda. La bufanda tiene forma rectangular. La longitud de la bufanda es de 48 pulgadas. El ancho es la mitad de la longitud. ¿Cuánto fleco necesita Alejandra?

Ⓐ 72 pulgadas Ⓒ 120 pulgadas

Ⓑ 96 pulgadas Ⓓ 144 pulgadas

a. Dibuja una bufanda y rotula las medidas dadas en tu dibujo.

b. ¿Qué necesitas hallar?

_____

c. ¿Qué fórmula usarás?

_____

d. Muestra los pasos que usaste para resolver el problema.

e. Completa.

La longitud de la bufanda es de _____ pulgadas.

El ancho es la mitad de la longitud

o _____ ÷ 2.

El ancho es de _____ pulgadas.

Entonces, el perímetro es (_____ × _____)

+ (_____ × _____) = _____ pulgadas.

Rellena el círculo para mostrar la respuesta correcta entre las opciones anteriores.

6. **H.O.T.** **Razona** ¿Cuál es la longitud del lado de un cuadrado con perímetro de 44 centímetros?

Ⓐ 4 centímetros

Ⓑ 11 centímetros

Ⓒ 22 centímetros

Ⓓ 176 centímetros

7. **Aplica** El Sr. Wong está instalando ladrillos alrededor de su patio rectangular. ¿Cuál es el perímetro del patio?

```
        18 pies
   ┌──────────────┐
   │              │ 10 pies
   │              │
   └──────────────┘
```

Ⓐ 28 pies Ⓒ 56 pies

Ⓑ 38 pies Ⓓ 66 pies

Tarea diaria de evaluación

Rellena el círculo completamente para mostrar tu respuesta.

8. Una piscina rectangular mide 24 pies de largo por 12 pies de ancho. ¿Cuál es el perímetro de la piscina rectangular?

(A) 288 pies

(C) 60 pies

(B) 36 pies

(D) 72 pies

9. Tomás está instalando una reja alrededor de una sección con forma cuadrada en su patio trasero. La sección cuadrada mide 102 m por lado. ¿Cuántos metros de cerca necesita Tomás en total?

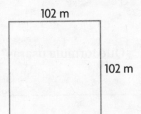

102 m

102 m

(A) 408 m

(C) 800 m

(B) 104 m

(D) 204 m

10. **Múltiples pasos** Joe está instalando adoquines alrededor de su patio rectangular. El ancho del patio es de 14 pies. La longitud es tres veces el ancho. ¿Cuántos pies de adoquines necesita?

(A) 34 pies

(C) 112 pies

(B) 588 pies

(D) 168 pies

 Preparación para la prueba de TEXAS

11. Lola está cosiendo un borde para una colcha que está haciendo. La colcha tiene una forma parecida a un rectángulo. El ancho de la colcha es de 48 pulgadas y su longitud es dos veces su ancho. ¿Cuánto borde necesita Lola?

(A) 96 pulgadas

(B) 288 pulgadas

(C) 144 pulgadas

(D) 192 pulgadas

Nombre _____

12.3 Representar las fórmulas para el perímetro

Halla el perímetro de un rectángulo o de un cuadrado.

1.

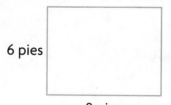

6 pies

8 pies

_____ pies

2.

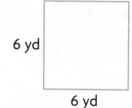

6 yd

6 yd

_____ yardas

3.

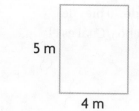

5 m

4 m

_____ metros

4.

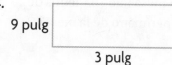

9 pulg

3 pulg

_____ pulgadas

5.

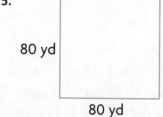

80 yd

80 yd

_____ yardas

6.

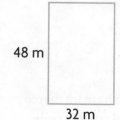

48 m

32 m

_____ metros

Resolución de problemas

7. La Sra. Sanders colocará un borde alrededor del tablero de anuncios que mide 52 pulgadas de largo por 30 pulgadas de ancho. ¿Cuántas pulgadas de borde necesita?

_____

8. Una habitación rectangular mide 10 metros de ancho por 14 metros de largo. ¿Cuál es el perímetro?

_____

Rellena el círculo completamente para mostrar tu respuesta.

9. ¿Cuál es la longitud del lado de un cuadrado con perímetro de 60 metros?

Ⓐ 240 metros

Ⓑ 30 metros

Ⓒ 4 metros

Ⓓ 15 metros

10. Robert quiere poner luces alrededor de su patio. El patio mide 40 pies de largo por 25 pies de ancho. ¿Cuántos pies de luces necesita?

Ⓐ 1000 pies

Ⓑ 130 pies

Ⓒ 100 pies

Ⓓ 160 pies

11. Cada lado de una mesa mide 3 metros de largo. ¿Cuál es el perímetro de la mesa?

Ⓐ 30 metros

Ⓑ 9 metros

Ⓒ 6 metros

Ⓓ 12 metros

12. La pantalla del cine mide 70 pies de largo por 30 pies de ancho. ¿Cuál es el perímetro de la pantalla?

Ⓐ 200 pies

Ⓑ 140 pies

Ⓒ 60 pies

Ⓓ 2100 pies

13. **Múltiples pasos** Marcia hará un marco para su cuadro. La longitud del cuadro es de 15 pulgadas. El ancho es un tercio de la longitud. ¿Cuánta madera necesita Marcia para el marco?

Ⓐ 18 pulgadas

Ⓑ 40 pulgadas

Ⓒ 30 pulgadas

Ⓓ 45 pulgadas

14. **Múltiples pasos** Greg construirá una cerca para su patio. El ancho del patio es de 12 pies. La longitud del patio es el doble que su ancho. ¿Cuánta cerca necesita Greg para su patio?

Ⓐ 60 pies

Ⓑ 48 pies

Ⓒ 24 pies

Ⓓ 72 pies

 **Representar las fórmulas para el área**

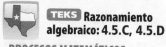 **TEKS** Razonamiento algebraico: 4.5.C, 4.5.D
PROCESOS MATEMÁTICOS
4.1.D, 4.1.F, 4.1.G

? Pregunta esencial

¿Cómo puedes usar una fórmula para hallar el área de un rectángulo?

 Soluciona el problema

La longitud, *l*, de un rectángulo puede ser la medida de cualquier lado. El ancho, *a*, es la medida de un lado perpendicular al lado que representa la longitud.

Un **cuadrado de una unidad** es un cuadrado que tiene 1 unidad de largo por 1 unidad de ancho. El **área** es el número de cuadrados de una unidad que se necesitan para cubrir una superficie en un plano sin dejar espacios ni traslaparse. El área de un cuadrado de una unidad es 1 **unidad cuadrada**. Para hallar el área de una figura, cuenta el número de cuadrados de una unidad dentro de la figura. El área se expresa en unidades cuadradas.

Recuerda

Las líneas perpendiculares y los segmentos perpendiculares forman ángulos rectos.

1 unidad
1 unidad | | 1 unidad
1 unidad

¿Qué relación hay entre la longitud, el ancho y el área de un rectángulo?

 Completa la tabla para hallar el área.

Figura	Longitud	Ancho	Área
	5 unidades		

- ¿Qué relación observas entre la longitud, el ancho y el área?
  Escribe una fórmula para el área de un rectángulo. Usa la letra *A* para el área, la letra *l* para longitud y la letra *a* para ancho.

_____

_____

Usa una fórmula Puedes usar una fórmula para hallar el área.

$$A = l \times a$$

↑ área ↑ longitud ↑ ancho

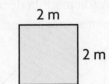

ancho

longitud

🔑 Ejemplos Usa una fórmula para hallar el área de un rectángulo y de un cuadrado.

A

6 pies

2 pies

A =   l   ×   a

= _____ × _____ = _____

El área mide _____.

B

2 m

2 m

A =   l   ×   a

= _____ × _____ = _____

El área mide _____.

Comparte y muestra

1. Halla el área de un rectángulo.

11 cm

13 cm

$A = l \times$ _____

= _____ × _____ = _____

Halla el área de un rectángulo y de un cuadrado.

2.

7 pulg

2 pulg

_____

✔ 3.

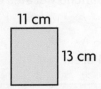

9 m   9 m

_____

✔ 4.

8 pies

14 pies

_____

Práctica: Copia y resuelve Halla el área de un rectángulo.

5. longitud: 16 pies

ancho: 6 pies

_____

6. longitud: 9 yardas

ancho: 17 yardas

_____

7. longitud: 14 centímetros

ancho: 11 centímetros

_____

428

Nombre _____

8. **H.O.T.** **Múltiples pasos** Nancy y Luke están dibujando planos para jardines rectangulares. En el plano de Nancy, el jardín mide 18 pies por 12 pies. En el plano de Luke, el jardín mide 15 pies por 15 pies. ¿Quién hizo el plano de jardín con el área más grande? ¿Cuál es el área?

(A) Luke; 205 pies cuadrados   (C) Nancy; 216 pies cuadrados

(B) Nancy; 206 pies cuadrados   (D) Luke; 225 pies cuadrados

a. ¿Qué necesitas saber? _____

_____

b. ¿Qué fórmula usarás? _____

c. ¿Qué unidades usarás para escribir tu respuesta? _____

d. Muestra los pasos para resolver el problema.

e. Completa las oraciones.

El área del jardín de Nancy mide

_____ .

El área del jardín de Luke mide

_____ .

El jardín de _____ tiene el área más grande.

f. **Anota** Rellena el círculo para mostrar la respuesta correcta entre las opciones anteriores.

9. **H.O.T.** **Usa diagramas** Halla el área del rectángulo.

La longitud de un cuadrado pequeño es de 4 pies.

(A) 32 pies cuadrados

(B) 88 pies cuadrados

(C) 336 pies cuadrados

(D) 384 pies cuadrados

10. **Calcula** Sonia está comprando una alfombra para un comedor que mide 15 pies por 12 pies. ¿Cuántos pies cuadrados de alfombra necesita Sonia para cubrir el comedor?

(A) 45 pies cuadrados

(B) 54 pies cuadrados

(C) 170 pies cuadrados

(D) 180 pies cuadrados

Tarea diaria de evaluación

Rellena el círculo completamente para mostrar tu respuesta.

11. La forma del dormitorio de Denzel se muestra abajo.
    ¿Cuál es el área del piso?

    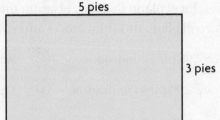

    Ⓐ 15 pies cuadrados

    Ⓑ 8 pies cuadrados

    Ⓒ 2 pies cuadrados

    Ⓓ 16 pies cuadrados

12. La Srta. Juanes está comprando azulejos para el piso de su cocina que
    mide 17 pies por 12 pies. ¿Cuántos pies cuadrados de azulejos necesita
    la Srta. Juanes para cubrir el piso de la cocina?

    Ⓐ 58 pies cuadrados

    Ⓑ 194 pies cuadrados

    Ⓒ 204 pies cuadrados

    Ⓓ 29 pies cuadrados

13. **Múltiples pasos** El patio trasero rectangular de Jasmine mide
    15 yardas por 18 yardas. El patio trasero rectangular de Carolyn mide
    20 yardas por 9 yardas. ¿Cuánto más grande es el área del patio de
    Jasmine que el de Carolyn?

    Ⓐ 8 yardas cuadradas   Ⓒ 50 yardas cuadradas

    Ⓑ 4 yardas cuadradas   Ⓓ 90 yardas cuadradas

 Preparación para la prueba de TEXAS

14. Barry está construyendo una casa para el perro. Quiere ponerle linóleo
    en el piso. El piso de la casa del perro es un rectángulo que mide
    56 pulgadas de largo. El ancho es la mitad de la longitud. ¿Cuántas
    pulgadas cuadradas de linóleo necesita Barry para la casa del perro?

    Ⓐ 6,272 pulgadas cuadradas

    Ⓑ 336 pulgadas cuadradas

    Ⓒ 168 pulgadas cuadradas

    Ⓓ 1,568 pulgadas cuadradas

430

Nombre _____

12.4 Representar las fórmulas para el área

Halla el área de un cuadrado o de un rectángulo.

1.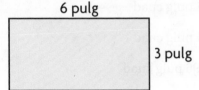
   6 pulg
   3 pulg

   _____

2.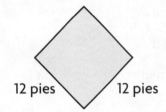
   12 pies   12 pies

   _____

3.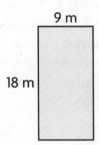
   9 m
   18 m

   _____

4.
   10 yd
   24 yd

   _____

Halla el área de un rectángulo.

5. longitud: 25 centímetros

   ancho: 10 centímetros

   _____

6. longitud: 8 pies

   ancho: 4 pies

   _____

7. longitud: 12 yardas

   ancho: 10 yardas

   _____

8. longitud: 22 pulgadas

   ancho: 5 pulgadas

   _____

Resolución de problemas

9. JoAnn cubrirá un tablero de anuncios con papel. El tablero mide 6 pies por 4 pies. ¿Cuántos pies cuadrados de papel necesita JoAnn para cubrir el tablero?

   _____

10. Frank pintará una pared que mide 10 pies por 14 pies. ¿Cuál es el área de la pared que pintará Frank?

   _____

Rellena el círculo completamente para mostrar tu respuesta.

11. La longitud de una cancha de básquetbol es de 94 pies. El ancho de la cancha es de 50 pies. ¿Cuál es el área de la cancha?

Ⓐ 4,700 pies cuad

Ⓑ 288 pies cuad

Ⓒ 470 pies cuad

Ⓓ 2,880 pies cuad

12. Carmen cosió una colcha de bebé que mide 36 pulgadas por lado. ¿Cuál es el área de la colcha?

Ⓐ 1,266 pulg cuad

Ⓑ 324 pulg cuad

Ⓒ 144 pulg cuad

Ⓓ 1,296 pulg cuad

13. Amy compró una nueva alfombra para su pasillo. La longitud de la alfombra es de 15 pies y el ancho es de 3 pies. ¿Cuál es el área de la alfombra?

Ⓐ 90 pies cuad

Ⓑ 45 pies cuad

Ⓒ 225 pies cuad

Ⓓ 36 pies cuad

14. El Sr. Crain quiere decorar su puerta para el primer día de escuela. La puerta mide 7 pies de alto por 3 pies de ancho. ¿Cuántos pies cuadrados de papel necesita el Sr. Crain para cubrir la puerta antes de decorarla?

Ⓐ 28 pies cuad

Ⓑ 20 pies cuad

Ⓒ 21 pies cuad

Ⓓ 49 pies cuad

15. **Múltiples pasos** Xavier quiere comprar fertilizante para su patio. El patio mide 35 pies por 55 pies. Las instrucciones de la caja de fertilizantes dicen que una bolsa alcanza para cubrir 1,250 pies cuadrados. ¿Cuántas bolsas de fertilizante debería comprar Xavier?

Ⓐ 2

Ⓑ 4

Ⓒ 3

Ⓓ 1

16. **Múltiples pasos** Julieta cubrirá el frente y reverso de una carpeta con papel de envolver. La carpeta mide 29 centímetros por 24 centímetros. ¿Cuántos centímetros cuadrados de papel de envolver usará Julieta?

Ⓐ 696 cm cuad

Ⓑ 212 cm cuad

Ⓒ 576 cm cuad

Ⓓ 1,392 cm cuad

Nombre _____

12.5

RESOLUCIÓN DE PROBLEMAS
• Hallar el perímetro y el área

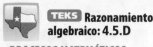
TEKS Razonamiento
algebraico: 4.5.D
PROCESOS MATEMÁTICOS
4.1.A, 4.1.B, 4.1.D

? **Pregunta esencial**

¿Cómo puedes usar la estrategia *resolver un problema más simple* para resolver problemas de perímetro y de área?

? Soluciona el problema *En el mundo*

Un paisajista está poniendo césped en un patio de juegos rectangular. El césped cubrirá la totalidad del patio de juegos, excepto por un cajón de arena. ¿Cuántas yardas cuadradas de césped usará el paisajista?

25 yd

Patio de juegos

Cajón de arena → 6 yd   15 yd

Lee

¿Qué necesito hallar?

Necesito hallar cuántas _____ usará el paisajista.

¿Qué información se me ha dado?

El césped cubrirá el _____.

El césped no cubrirá el _____.

La longitud y el ancho del patio de juegos es de

_____ y _____.

La longitud de lado del cajón de arena es de

_____.

Planea

¿Cuál es mi plan o estrategia?

Puedo resolver problemas más simples.

Hallo el área del _____.

Hallo el área del _____.

Luego _____ el área del _____

del área del _____.

Resuelve

Primero, hallo el área del patio de juegos.

$A = l \times a$

= _____ × _____

= _____ yardas cuadradas

Luego, hallo el área del cajón de arena.

$A = l \times l$

= _____ × _____

= _____ yardas cuadradas

Por último, resto el área del cajón de arena del área del patio de juegos.

$$\begin{array}{r} 375 \\ -\ 36 \\ \hline \end{array}$$ yardas cuadradas

Entonces, el paisajista usará _____

_____ de césped para cubrir el patio de juegos.

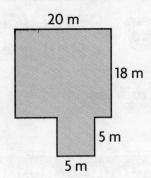

20 m

18 m

5 m

5 m

Haz otro problema

Zach está plantando un jardín para un nuevo museo. Una reja rodeará los lados del jardín, como se muestra en el diagrama. ¿Cuántos metros de reja necesita Zach?

Lee	Resuelve
¿Qué necesito hallar?	
¿Qué información se me ha dado?	
Planea	
¿Cuál es mi plan o estrategia?	

• ¿Cuántos metros de reja necesita Zach? **Explica tu respuesta.**

_____

_____

_____

Comparte y muestra

MATH BOARD

© Houghton Mifflin Harcourt Publishing Company

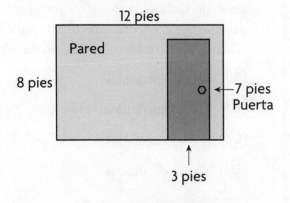

Soluciona el problema Pistas

✓ Usa el tablero de matemáticas de Resolución de problemas.

✓ Subraya las operaciones importantes.

✓ Elige una estrategia que ya conozcas.

1. Lila está empapelando una pared de su dormitorio, como se muestra en el diagrama. Ella cubrirá toda la pared excepto la puerta de entrada. ¿Cuántos pies cuadrados de papel tapiz necesita Lila?

Primero, halla el área de la pared.

$A = l \times a =$ _____ $\times$ _____ $=$ _____ pies cuadrados

Después, halla el área de la puerta.

$A = l \times a =$ _____ $\times$ _____ $=$ _____ pies cuadrados

Por último, resta el área de la puerta del área de la pared.

_____ $-$ _____ $=$ _____ pies cuadrados

Entonces, Lila necesita _____ de papel tapiz.

2. Eduardo está construyendo un modelo de casa con techo plano, como se muestra en el diagrama. Hay una chimenea en el techo. Eduardo cubrirá el techo con tejas cuadradas. Si el área de cada teja es de 1 pulgada cuadrada, ¿cuántas tejas necesitará Eduardo? **Explica tu respuesta.**

_____

_____

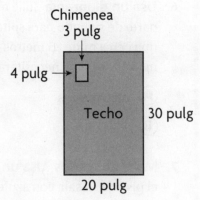

Resolución de problemas En el mundo

3. **H.O.T.** **Múltiples pasos** El Sr. Foster está enmarcando dos cuadros. Uno mide 6 pulgadas por 4 pulgadas y el otro mide 5 pulgadas por 5 pulgadas. ¿Necesita la misma cantidad de marco para cada cuadro? **Explica tu respuesta.**

_____

_____

_____

4. **H.O.T.** **Múltiples pasos** El Sr. Foster está cubriendo dos cuadros con vidrio. Uno mide 6 pulgadas por 4 pulgadas y el otro mide 5 pulgadas por 5 pulgadas. ¿Necesita el mismo número de pulgadas cuadradas para cada cuadro? **Explica tu respuesta.**

Matemáticas al instante

_____

_____

_____

Tarea diaria de evaluación

Rellena el círculo completamente para mostrar tu respuesta.

5. **Múltiples pasos** Francisco construye un carro que funciona con energía solar. La parte superior del carro se muestra en el diagrama de abajo. Cubrirá la superficie rectangular con celdas fotoeléctricas, excepto por el cuadrado recortado para la cabeza del conductor. ¿Cuántos pies cuadrados cubrirá con celdas fotoeléctricas?

(A) 60 pies cuadrados

(B) 22 pies cuadrados

(C) 11 pies cuadrados

(D) 51 pies cuadrados

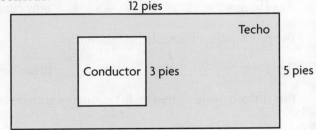

6. **Usa un diagrama** Julie está instalando una cerca alrededor de una parte de su patio para soltar a su perro. La parte que quiere rodear con una cerca mide 25 metros de largo por 16 metros de ancho. ¿Cuántos metros de cerca necesitará Julie?

(A) 400 metros

(C) 380 metros

(B) 82 metros

(D) 64 metros

7. **Múltiples pasos Usa un diagrama** Connor está cubriendo el piso de su sala con azulejos cuadrados que miden 1 pie cuadrado cada uno. Hay una chimenea en una esquina de la habitación que no llevará azulejos. ¿Cuántos azulejos necesita Connor para el piso?

(A) 144 azulejos

(C) 44 azulejos

(B) 20 azulejos

(D) 35 azulejos

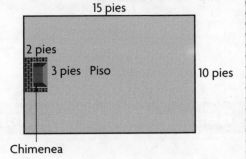

Preparación para la prueba de TEXAS

8. Un piso rectangular mide 12 pies de largo y 11 pies de ancho. Una alfombra que mide 9 pies de largo por 7 pies de ancho cubrirá parte del piso. ¿Cuántos pies cuadrados del piso NO serán cubiertos por la alfombra?

(A) 63 pies cuadrados

(C) 132 pies cuadrados

(B) 69 pies cuadrados

(D) 195 pies cuadrados

TEKS Razonamiento algebraico: 4.5.D
PROCESOS MATEMÁTICOS 4.1.A, 4.1.B, 4.1.D

Nombre _____

12.5 RESOLUCIÓN DE PROBLEMAS • Hallar el perímetro y el área

Resolución de problemas En el mundo

1. Los voluntarios están cercando una parte del Parque de la Ciudad para niños de 1 a 2 años. El diagrama muestra el área del parque que será cercada. ¿Cuántos pies de cerca usarán?

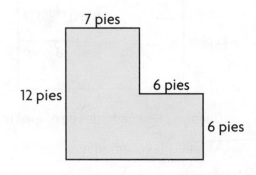

_____

2. Sam está alfombrando una habitación. El tamaño de la habitación se muestra en el diagrama. ¿Cuántos pies cuadrados de alfombra necesita Sam?

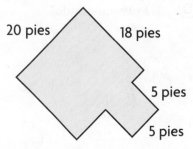

_____

3. Grace está ayudando a su maestra a cubrir la puerta del salón de clases con papel, como se muestra en el diagrama. Ella cubrirá toda la puerta excepto por la ventana. ¿Cuántos pies cuadrados de papel necesita Grace?

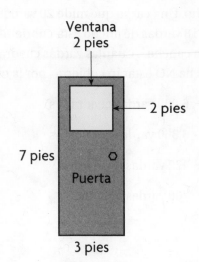

_____

Rellena el círculo completamente para mostrar tu respuesta.

4. El Sr. Flores está poniendo trozos cuadrados de césped en su patio trasero. Cubrirá todo el patio excepto por la huerta.

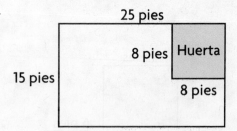

¿Cuántos pies cuadrados de césped usará?

Ⓐ 439 pies cuadrados

Ⓑ 112 pies cuadrados

Ⓒ 375 pies cuadrados

Ⓓ 311 pies cuadrados

5. Los constructores están cubriendo con ladrillos una pared que mide 4 metros de alto por 7 metros de ancho. Ellos cubrirán toda la pared, **excepto** por una ventana cuadrada que mide 2 metros.

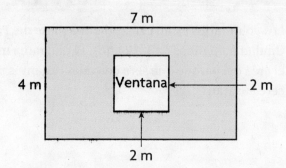

¿Cuántos metros cuadrados de pared serán cubiertos con ladrillos?

Ⓐ 28 metros cuadrados

Ⓑ 32 metros cuadrados

Ⓒ 24 metros cuadrados

Ⓓ 25 metros cuadrados

6. Múltiples pasos Una cancha rectangular mide 120 yardas de largo por 53 yardas de ancho. Una carpa que mide 20 yardas de largo por 18 yardas de ancho está cubriendo parte de la cancha. ¿Cuántas yardas cuadradas de la cancha NO estarán cubiertas por la carpa?

Ⓐ 6,000 yardas cuadradas

Ⓑ 6,360 yardas cuadradas

Ⓒ 422 yardas cuadradas

Ⓓ 706 yardas cuadradas

7. Múltiples pasos Jason está agregando un zócalo alrededor de la orilla de su piso. La habitación mide 14 pies de ancho por 20 pies de largo. Hay un marco de puerta que mide 3 pies de ancho. ¿Cuántos pies de zócalo necesitará Jason?

Ⓐ 68 pies

Ⓑ 65 pies

Ⓒ 277 pies

Ⓓ 280 pies

Evaluación del Módulo 12

Vocabulario

Elige el término correcto del recuadro.

Vocabulario
área
fórmula
patrón
perímetro
unidad cuadrada

1. Un _____ es un conjunto ordenado de números u objetos. (pág. 409)

2. Una _____ es un conjunto de símbolos que expresan una regla matemática. (pág. 422)

3. El _____ es la distancia alrededor de una figura. (pág. 421)

Conceptos y destrezas

Usa la regla para escribir los seis primeros términos del patrón. Describe otro patrón que observes en los números. ➤ TEKS 4.5.B

4. Regla: Sumar 10   Primer término: 11

_____

_____

Usa la regla para completar la tabla de entrada y salida. ➤ TEKS 4.5.B

5. **Regla:** La salida es $t - 3$.

Entrada	t	17	20	22	24
Salida	r				

6. **Regla:** La salida es $a + 7$.

Entrada	a	18	21	23	24
Salida	b				

Halla el perímetro y el área de un rectángulo o de un cuadrado. ➤ TEKS 4.5.D

7.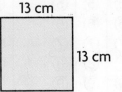
13 cm
13 cm

_____

8. 21 pies
3 pies

_____

9. 8 pulg
15 pulg

_____

10. Erica teje 18 cuadrados el lunes. Ella teje 7 cuadrados más cada día durante el resto de la semana. ¿Cuántos cuadrados tiene Erica después del viernes? 🡇 TEKS 4.5.B

    (A) 39

    (B) 90

    (C) 53

    (D) 46

11. Darío quiere usar una fórmula para hallar el perímetro de la figura de abajo. ¿Qué fórmula debería usar Darío? 🡇 TEKS 4.5.C

    (A) $P = l + a$

    (B) $P = l + a + l + a$

    (C) $P = l \times a$

    (D) $P = 2 + a + 2 + a$

5 pulg

3 pulg

12. Carol quiere hallar el área del jardín rectangular de abajo para saber cuánto abono debe comprar. ¿Qué fórmula debería usar para hallar el área? 🡇 TEKS 4.5.C

    (A) $A = l + a$

    (B) $A = 2 \times a$

    (C) $A = l \times a + l \times a$

    (D) $A = l \times a$

13 cm

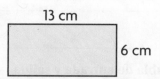

6 cm

13. La tabla de entrada y salida de abajo muestra el número de cajas, c, y el número de almohadas, a, que Jason está empacando. Usando la regla $c \times 4$, ¿cuántas almohadas debería empacar Jason en 7 cajas?

Entrada	c	3	4	6	7
Salida	a	12			

Anota tu respuesta y rellena los círculos de la cuadrícula. Asegúrate de usar el valor de posición correcto. 🡇 TEKS 4.5.B

Evaluación de la Unidad 3

Vocabulario

Elige el término correcto del recuadro.

1. Se llama _____ a un conjunto de símbolos que expresan una regla matemática. (pág. 422)

2. El _____ es la distancia alrededor de una figura. (pág. 421)

3. Un _____ es un conjunto ordenado de números u objetos. (pág. 409)

Conceptos y destrezas

Usa la regla para escribir los diez primeros términos del patrón. Describe otro patrón que observes en los números. 🔹 TEKS 4.5.B

4. Regla: Sumar 8   Primer término: 7

_____

_____

5. Halla una regla. Usa una regla para escribir una expresión. 🔹 TEKS 4.5.B

Entrada	*t*	5	6	7	8
Salida	*r*	11	12	13	14

Regla: _____

6. Usa una regla para completar la tabla de entrada y salida. 🔹 TEKS 4.5.B

Regla: La salida es $a \times 5$.

Entrada	*a*	2	3	4	5
Salida	*b*	10			

Halla el perímetro y el área de un rectángulo o de un cuadrado. 🔹 TEKS 4.5.D

7.
6 pulg
6 pulg

8.
14 pies
6 pies

9.
12 mm
18 mm

Rellena el círculo completamente para mostrar tu respuesta.

10. Melissa quiere usar una fórmula para hallar el perímetro de la figura de abajo. ¿Qué fórmula debería usar Melissa? 🔻 TEKS 4.5.C

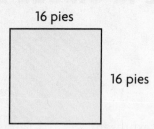

16 pies

16 pies

Ⓐ $P = 2 + a + 2 + l$ Ⓒ $P = l \times a + l \times a$

Ⓑ $P = l + a$ Ⓓ $P = 4l$

11. Martín compra cuatro paquetes de tarjetas de béisbol. Cada paquete contiene 12 tarjetas. Luego él compra 3 paquetes de tarjetas más con 8 tarjetas en cada paquete. ¿Cuántas tarjetas de béisbol compra Martín? Usa diagramas de tiras o ecuaciones para ayudarte a resolver.
🔻 TEKS 4.5.A

Ⓐ 96   Ⓒ 27

Ⓑ 72   Ⓓ 66

12. Greg hizo este bosquejo de su jardín. ¿Cuál es el área del jardín de Greg? 🔻 TEKS 4.5.C

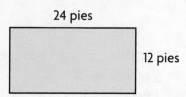

24 pies

12 pies

Ⓐ 36 pies cuadrados   Ⓒ 288 pies cuadrados

Ⓑ 200 pies cuadrados   Ⓓ 72 pies cuadrados

13. Pablo está usando su diagrama de tiras para resolver un problema. ¿Qué ecuación se muestra en el diagrama de tiras? 🔻 TEKS 4.5.A

2,774   5,548

p

Ⓐ $5{,}548 - 2{,}774 = p$ Ⓒ $2{,}774 + 5{,}548 = p$

Ⓑ $5{,}548 - p = 2{,}774$ Ⓓ $2{,}774 + p = 5{,}548$

14. Marcel tenía 72 adhesivos. Le regaló 14 de sus adhesivos a su hermana. Después, le regaló 27 adhesivos a su hermano. ¿Cuántos adhesivos le quedan a Marcel? Usa diagramas de tiras o ecuaciones como ayuda para resolver. ◆ TEKS 4.5.A

Ⓐ 58

Ⓑ 31

Ⓒ 45

Ⓓ 113

15. Gabby quiere instalar una cerca alrededor del perímetro de su patio trasero. Hizo un bosquejo de su patio trasero para determinar el perímetro. ¿Cuál es el perímetro del patio trasero de Gabby? ◆ TEKS 4.5.D

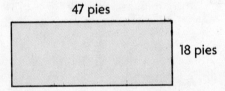

47 pies

18 pies

Ⓐ 130 pies   Ⓒ 112 pies

Ⓑ 611 pies   Ⓓ 83 pies

16. Daniel quiere hallar el área de su habitación rectangular para saber cuánta alfombra debe comprar. ¿Cuál fórmula debería usar para hallar el área de su habitación? ◆ TEKS 4.5.C

Ⓐ $A = l + a$

Ⓑ $A = l \times a$

Ⓒ $A = (l \times a) + (l \times a)$

Ⓓ $A = (2 \times a) + (2 \times a)$

17. Erica tiene 144 helados de palitos. Ella quiere colocar los helados en 8 bolsas diferentes, con el mismo número de helados en cada bolsa. Una vez que Erica tiene todos los helados en las 8 bolsas, ella saca 2 helados de palito de cada bolsa. ¿Cuántos helados de palitos hay en cada una de las 8 bolsas? Usa diagramas de tiras o ecuaciones como ayuda para resolver. ◆ TEKS 4.5.A

Ⓐ 12   Ⓒ 20

Ⓑ 16   Ⓓ 18

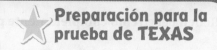
18. Karen camina 4 millas el lunes. Durante los siguientes 7 días, camina 2 millas cada día. ¿Cuántas millas en total camina Karen durante los 8 días? 🔻TEKS 4.5.B

Ⓐ 18 millas

Ⓒ 34 millas

Ⓑ 14 millas

Ⓓ ninguna de las anteriores

19. Durante el recreo, Graciela caminó alrededor del perímetro del patio de juegos. Al llegar a casa, hizo un bosquejo del patio de juegos como ayuda para determinar qué distancia caminó durante el recreo ¿Cuál es el perímetro del patio de juegos? 🔻TEKS 4.5.D

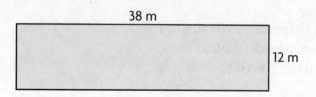

38 m

12 m

Ⓐ 50 m

Ⓒ 62 m

Ⓑ 88 m

Ⓓ 100 m

20. Vanesa está comprando nuevas llantas para algunos carros de su tienda. La tabla de entrada y salida muestra el número de carros, *c*, y el número de llantas, *ll*, de cada carro. Usando la regla $c \times 4$, ¿cuántas llantas debe comprar Vanesa para reemplazar todas las llantas de 6 carros? 🔻TEKS 4.5.B

Entrada	Carros, *c*	1	2	3	4	5	6
Salida	Llantas, *ll*	4	8				

Ⓐ 12

Ⓒ 24

Ⓑ 16

Ⓓ 20

21. Un museo de arte agrega 3 nuevas obras de arte cada mes. Si el museo comienza con 75 obras y el patrón continúa, escribe los números del patrón para los siguientes 8 meses. Describe otro patrón que observes en los números. 🔻TEKS 4.5.B

_____

_____

_____

Geometría y medición

Muestra lo que sabes ✓

Comprueba si comprendes las destrezas importantes.

Nombre _____

▶ **Identificar formas de dos dimensiones** Escribe el número de lados y vértices.

1.   _____ lados

   _____ vértices

   _____ nombre

2.  _____ lados

   _____ vértices

   _____ nombre

▶ **Clasificar ángulos** Clasifica el ángulo. Escribe el nombre del ángulo:
agudo, recto u *obtuso.*

3.  _____

4.  _____

5.   _____

▶ **La hora y la media hora** Lee la hora en el reloj. Escribe qué hora es.

6.

   _____

7.

   _____

8.

   _____

Desarrollo del vocabulario

▶ **Visualizar**

Ordena las palabras que tienen una ✓ en el diagrama de Venn.

Medición

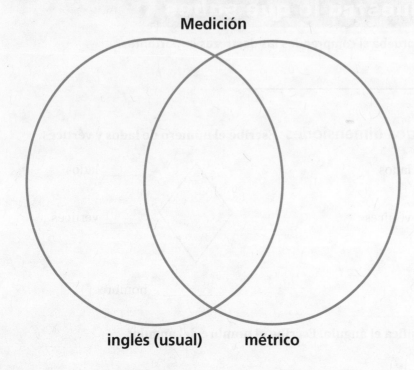

inglés (usual) métrico

▶ **Comprender el vocabulario**

Completa las oraciones usando las palabras de repaso.

1. Un ángulo de menos de 90° se llama _____.

2. Un triángulo que tiene un ángulo de 90° se llama _____.

3. Un cuadrilátero con dos pares de líneas paralelas, cuatro lados

   de igual longitud y cuatro ángulos rectos se llama _____.

4. Un par de líneas que están en el mismo plano, pero que no se cruzan

   y cuya distancia es siempre la misma se llaman _____.

5. Un par de líneas que intersecan en cuatro ángulos rectos

   se llaman _____.

Palabras de repaso
ángulo agudo
ángulo obtuso
cuadrado
✓ decímetros
✓ galones
✓ kilómetro
✓ libra
línea
líneas paralelas
líneas perpendiculares
✓ mililitro
✓ milímetro
✓ milla
punto
rectángulo
rayo
✓ segundo
✓ tazas
✓ toneladas
transportador
triángulo acutángulo
triángulo obtusángulo
triángulo rectángulo

• **Libro interactivo del estudiante**
• **Glosario multimedia**

Nombre _____

Lectura El Vocabulario es importante en el leguaje de la vida diaria. También las matemáticas tienen su propio conjunto de palabras que necesitas aprender.

1. **Palabras matemáticas con significados precisos.** Las figuras geométricas que se muestran abajo son todas cuadriláteros. Como la palabra *cuadrilátero* sugiere, cada una de las figuras tiene 4 (*cuadri*) lados (*lateral*). ¿Cuáles de estas tres figuras también son paralelogramos? ¿Cómo lo sabes?

2. **Necesitas conocer el lenguaje matemático para poder aprender.** En las matemáticas, aprendes algo nuevo en cada grado. Aprendes algo nuevo en cada módulo y lección. En las matemáticas, siempre desarrollas lo que sabes.

Piensa

Llevo un registro de todas las palabras matemáticas que aprendo.

Redacción Da un vistazo previo al Módulo 13. Haz una lista de las palabras que están destacadas en amarillo o en negrita. Escribe "Sí" al lado de cada palabra que conozcas. Escribe "No" al lado de las palabras nuevas. Ten a mano esta lista mientras trabajas en las lecciones. ¡Convierte cada "No" en "Sí"!

REGISTRO DE PALABRAS Módulo 13

	Palabra	¿La conozco?	Significado
Lección 1	ángulo agudo	no	
	ángulo	sí	
	línea		
	segmento		

¿Cuánto mide?

Objetivo del juego Compara ángulos con ángulos rectos para ganar más puntos que el otro jugador.

Materiales

- tarjetas de ángulos

Preparación

Recorte las tarjetas de ángulos y colóquelas boca abajo en un pila.

Número de jugadores 2

Instrucciones

1 El jugador 1 saca una tarjeta de la pila y decide si el ángulo que se muestra es un ángulo recto, es menor que un ángulo recto o si es mayor que un ángulo recto.

- Si el ángulo es menor que un ángulo recto, el jugador 1 obtiene un punto.
- Si el ángulo es un ángulo recto, el jugador 1 obtiene dos puntos.
- Si el ángulo es mayor que un ángulo recto, el jugador 1 obtiene tres puntos.

2 El jugador 2 repite el paso 1. Si un jugador clasifica de manera incorrecta un ángulo, el otro jugador se lleva los puntos.

3 Cuando se hayan usado todas las tarjetas, los jugadores suman sus puntos.

4 El jugador con más puntos es el ganador.

448

13.1 Líneas, rayos y ángulos

TEKS Geometría y medición: 4.6.A
PROCESOS MATEMÁTICOS
4.1.D, 4.1.E

? Pregunta esencial

¿Cómo puedes identificar y dibujar puntos, líneas, segmentos, rayos y ángulos?

🔑 Soluciona el problema

Los artículos cotidianos pueden representar las figuras geométricas. Por ejemplo, el signo ortográfico con el que se indica el final de esta oración representa un punto. Una raya sólida pintada en medio de una avenida recta representa una línea.

Término y su definición	Dibújalo	Léelo	Escríbelo	Ejemplo
Un **punto** es una ubicación exacta en el espacio.	A •	punto A	punto A	
Una **línea** es un camino recto de puntos que continúa sin fin en ambas direcciones.	B — C	línea BC línea CB	$\overleftrightarrow{BC}$ $\overleftrightarrow{CB}$	
Un **segmento** es parte de una línea entre dos extremos.	D — E	segmento DE segmento ED	$\overline{DE}$ $\overline{ED}$	CEDA EL PASO
Un **rayo** es una parte de una línea que tiene un extremo y continúa sin fin en una dirección.	F — G	rayo FG	$\overrightarrow{FG}$	UNA DIRECCIÓN →

🔓 Actividad 1 Traza y rotula $\overleftrightarrow{JK}$.

_____

Charla matemática

Procesos matemáticos

Explica cómo están relacionadas las líneas, los segmentos y los rayos.

• ¿Hay otra manera de nombrar $\overleftrightarrow{JK}$? **Explica tu respuesta.**

_____

_____

Ángulos

Término y su definición	Dibújalo	Léelo	Escríbelo	Ejemplo
Un **ángulo** se forma por dos rayos o segmentos que tienen el mismo extremo. El extremo compartido se llama vértice.	*P* / *Q* *R*	ángulo *PQR* ángulo *RQP* ángulo *Q*	∠*PQR* ∠*RQP* ∠*Q*	

Puedes nombrar un ángulo por su vértice. Cuando nombras un ángulo usando 3 puntos, el vértice siempre es el punto que está en medio.

Los ángulos se clasifican según el tamaño de la apertura que hay entre los rayos.

Un **ángulo recto** forma una esquina cuadrada.	Un **ángulo llano** forma una línea.	Un **ángulo agudo** es menor que un ángulo recto.	Un **ángulo obtuso** es mayor que un ángulo recto y menor que un ángulo llano.

🔒 Actividad 2 Clasifica un ángulo.

Materiales ■ papel

Para clasificar un ángulo, puedes compararlo con un ángulo recto.

Haz un ángulo recto usando una hoja de papel. Dobla el papel dos veces de igual manera para representar un ángulo recto. Usa el ángulo recto para clasificar los siguientes ángulos. Escribe si se trata de un ángulo *agudo, obtuso, recto* o *llano*.

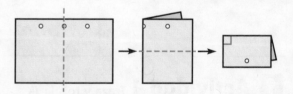

a.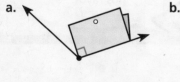

b.

c.

d.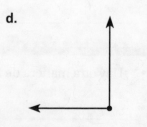

_____ _____ _____ _____

450

Nombre _____

1. Traza y rotula $\overline{AB}$ en el espacio de la derecha.

$\overline{AB}$ es un _____ .

Traza y rotula un ejemplo de la figura.

2. $\overleftrightarrow{XY}$

✓ 3. obtuso $\angle K$

4. recto $\angle CDE$

Usa la Figura *M* para los ejercicios 5 y 6.

5. Nombra un segmento.

✓ 6. Nombra un ángulo recto.

Figura *M*

Resolución de problemas *En el mundo*

Usa la ilustración del puente para los ejercicios 7 y 8.

7. Clasifica $\angle A$.

8. ¿Qué ángulo parece ser obtuso?

9. **H.O.T.** **Usa diagramas** ¿Cuántos ángulos diferentes hay en la Figura *X*? Haz una lista de ellos.

_____

_____

Figura *X*

10. **H.O.T.** **Múltiples pasos ¿Cuál es el error?** Vanessa dibujó un ángulo a la derecha y lo llamó $\angle TRS$. Explica por qué es incorrecto el nombre que Vanessa le dio al ángulo. Escribe un nombre correcto para el ángulo.

_____

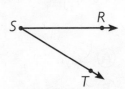

Procesos matemáticos

Representar • Razonar • Comunicar

Rellena el círculo completamente para mostrar tu respuesta.

11. ¿Qué tipo de ángulo es $\angle ABC$?

Ⓐ agudo

Ⓑ recto

Ⓒ obtuso

Ⓓ llano

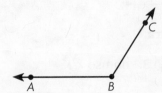

12. ¿Cuál de las siguientes opciones nombra un ángulo llano en la figura de abajo?

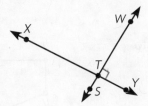

Ⓐ $\angle XTW$ Ⓒ $\angle STY$

Ⓑ $\angle STX$ Ⓓ $\angle WTS$

13. **Múltiples pasos** ¿Cuál es el número total de ángulos agudos que hay en las figuras de abajo?

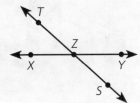
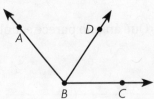

Ⓐ 2   Ⓒ 4

Ⓑ 8   Ⓓ 6

 Preparación para la prueba de TEXAS

14. ¿Cuál de los siguientes términos describe mejor a la figura de abajo?

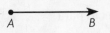

Ⓐ rayo   Ⓒ línea

Ⓑ segmento   Ⓓ ángulo

TEKS Geometría y medición: 4.6.A
PROCESOS MATEMÁTICOS 4.1.D, 4.1.E

Nombre _____

13.1 Líneas, rayos y ángulos

Traza y rotula un ejemplo de la figura.

1. $\overrightarrow{AB}$

2. agudo ∠J

3. recto ∠ABC

4. $\overleftrightarrow{JK}$

5. obtuso ∠XYZ

6. $\overline{PQ}$

Usa la Figura A para los ejercicios 7 y 8.

7. Nombra un ángulo agudo.

8. Nombra un ángulo obtuso.

_____   _____

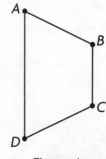

Figura A

Resolución de problemas En el mundo

Usa la ilustración del puente para los ejercicios 9 y 10.

9. Clasifica ∠B.

_____

10. Jenny piensa que ∠C es un ángulo recto. **Explica** por qué el nombre que Jenny le asigna al ángulo es incorrecto. Escribe un nombre correcto para el ángulo.

_____

_____

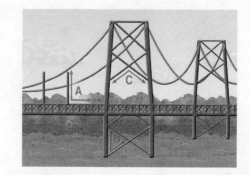

Rellena el círculo completamente para mostrar tu respuesta.

11. ¿Qué tipo de ángulo es ∠XYZ?

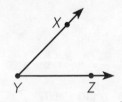

- Ⓐ recto
- Ⓑ agudo
- Ⓒ llano
- Ⓓ obtuso

12. ¿Cuál de las siguientes opciones nombra a un ángulo obtuso en la figura de abajo?

- Ⓐ ∠TZS
- Ⓑ ∠SZY
- Ⓒ ∠XZT
- Ⓓ ∠TZY

13. ¿Cuál de las siguientes opciones nombra a un ángulo agudo de la figura que está a la derecha?

Figura M

- Ⓐ ∠VWU
- Ⓑ ∠VTU
- Ⓒ ∠TUW
- Ⓓ ∠VUW

14. ¿Cuál de los siguientes términos describe mejor la figura de abajo?

A •————————• B

- Ⓐ ángulo
- Ⓑ segmento
- Ⓒ rayo
- Ⓓ línea

15. Múltiples pasos
¿Cuál es el número total de rayos de las figuras que están a la derecha?

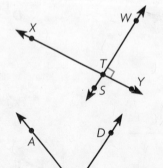

- Ⓐ 6
- Ⓑ 2
- Ⓒ 5
- Ⓓ 7

16. Múltiples pasos
¿Cuántos ángulos rectos hay en la Figura X?

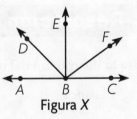

Figura X

- Ⓐ 4
- Ⓑ 2
- Ⓒ 3
- Ⓓ 1

13.2 Clasificar triángulos

TEKS Geometría y medición: 4.6.C, 4.6.D
PROCESOS MATEMÁTICOS
4.1.D, 4.1.E

? Pregunta esencial

¿Cómo puedes clasificar triángulos por el tamaño de sus ángulos?

Soluciona el problema

Un triángulo es un polígono con tres lados y tres ángulos. Puedes nombrar un triángulo según los vértices de sus ángulos.

Triángulo	Nombres posibles	
A *B* ⟋⟍ *C*	△ABC	△ACB
	△BCA	△BAC
	△CAB	△CBA

Lee
Cuando veas "△ABC", di "triángulo ABC".

Un ángulo de un triángulo puede ser recto, agudo u obtuso.

🔑 Actividad 1 Identifica ángulos rectos, agudos y obtusos en los triángulos.

Materiales ■ lápices de colores

Usa la guía que se muestra a la derecha para colorear los siguientes triángulos.

Guía para colorear triángulos	
ROJO	un ángulo recto
AZUL	un ángulo obtuso
VERDE	tres ángulos agudos

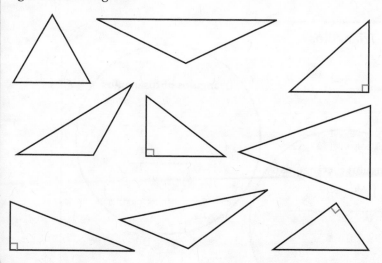

Charla matemática
Procesos matemáticos
¿Puede un triángulo tener más de un ángulo obtuso? Explica tu respuesta.

¡Inténtalo!

a. Nombra el triángulo que tiene un ángulo recto. _____

b. Nombra el triángulo que tiene un ángulo obtuso. _____

c. Nombra el triángulo que tiene tres ángulos agudos. _____

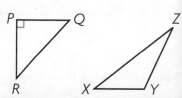

Un **triángulo acutángulo** es un triángulo con tres ángulos agudos.

Triángulo acutángulo

Un **triángulo obtusángulo** es un triángulo con un ángulo obtuso.

Triángulo obtusángulo

Un **triángulo rectángulo** es un triángulo con un ángulo recto.

Triángulo rectángulo

🔒 Actividad 2 Usa un diagrama de Venn para clasificar triángulos.

Escribe los nombres de los triángulos que están en el diagrama de Venn.

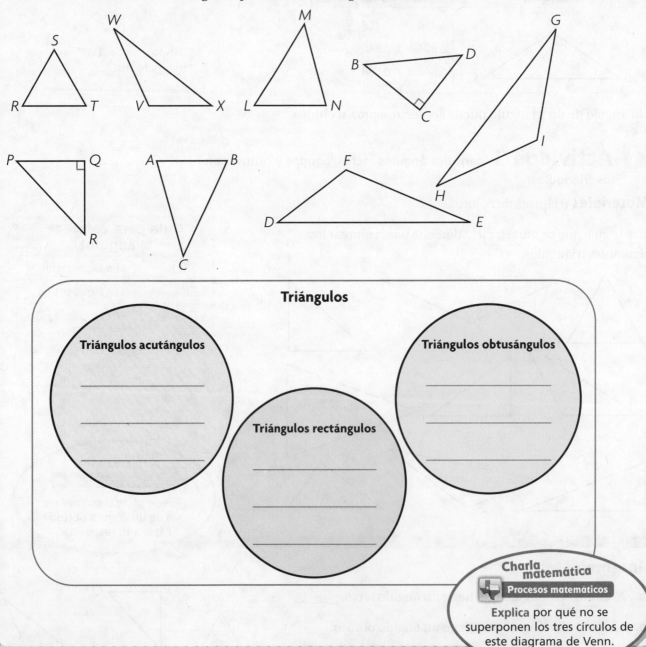

Triángulos

Triángulos acutángulos

_____

_____

_____

Triángulos rectángulos

_____

_____

_____

Triángulos obtusángulos

_____

_____

_____

Charla matemática

Procesos matemáticos

Explica por qué no se superponen los tres círculos de este diagrama de Venn.

Nombre _____

1. Nombra el triángulo. Indica si el ángulo es *agudo*, *recto* u *obtuso*.

   Un nombre para un triángulo es _____.

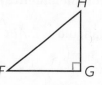

∠*F* es _____. | ∠*G* es _____. | ∠*H* es _____.

Clasifica cada triángulo. Escribe si es *acutángulo, rectángulo* u *obtusángulo*.

2.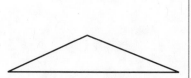

3.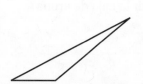

4.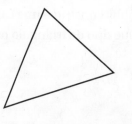

Usa el diagrama de Venn para los ejercicios 5 y 6.

5. **Múltiples pasos** ¿Cuáles triángulos NO tienen un ángulo obtuso? **Explica tu respuesta.**

   _____

   _____

   _____

6. **Comunica** ¿Cuántos triángulos tienen *por lo menos* dos ángulos agudos? **Explica tu respuesta.**

   _____

   _____

   _____

   _____

   _____

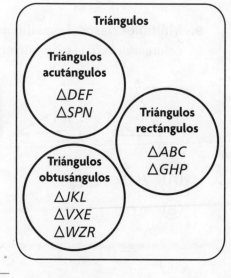

Triángulos

Triángulos acutángulos
△DEF
△SPN

Triángulos rectángulos
△ABC
△GHP

Triángulos obtusángulos
△JKL
△VXE
△WZR

Tarea diaria de evaluación

Rellena el círculo completamente para mostrar tu respuesta.

7. ¿Qué tipo de triángulo es △ABC?

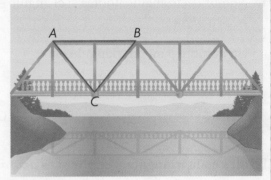

Ⓐ   rectángulo

Ⓑ   acutángulo

Ⓒ   obtusángulo

Ⓓ   llano

8. Bobby construyó una caja de arena con la forma del triángulo de abajo. ¿Qué tipo de triángulo usó para construir la caja de arena?

Ⓐ   obtusángulo   Ⓒ   equilátero

Ⓑ   rectángulo   Ⓓ   acutángulo

9. **Múltiples pasos** Laura dibujó y rotuló los triángulos de abajo. Quiere colorear de rojo el triángulo obtusángulo. ¿Cuál triángulo debe colorear?

  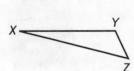

Ⓐ   △ABC   Ⓒ   △XYZ

Ⓑ   △DEF   Ⓓ   △JKL

 Preparación para la prueba de TEXAS

10. ¿Cuántos ángulos agudos hay en un triángulo obtusángulo?

Ⓐ   0   Ⓒ   2

Ⓑ   1   Ⓓ   3

Nombre _____

13.2 Clasificar triángulos

Clasifica cada triángulo. Escribe si es *acutángulo*, *rectángulo* u *obtusángulo*.

1.
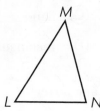

_____

2.
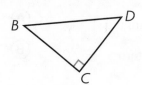

_____

3.
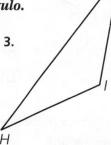

_____

4.
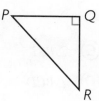

_____

5.
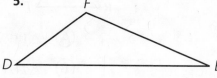

_____

6.
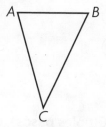

_____

7. Nombra el triángulo. Indica si cada ángulo es *agudo, recto* u *obtuso*.

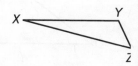

Un nombre para el triángulo es _____.

∠X es _____.   ∠Y es _____.   ∠Z es _____.

Resolución de problemas En el mundo

8. Mark dobló una bandera en un triángulo y construyó un marco en forma del triángulo de abajo. ¿Qué tipo de triángulo usó para construir el marco?

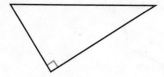

_____

9. Cassie añadió un jardín de flores a la esquina de su jardín, en forma del triángulo de abajo. ¿Qué tipo de triángulo usó para añadir al jardín?

_____

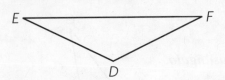

Rellena el círculo completamente para mostrar tu respuesta.

10. ¿Qué tipo de triángulo es △DEF?

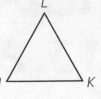

Ⓐ acutángulo   Ⓒ obtusángulo

Ⓑ rectángulo   Ⓓ equilátero

11. ¿Qué tipo de triángulo es △JKL?

Ⓐ acutángulo   Ⓒ llano

Ⓑ obtusángulo   Ⓓ rectángulo

12. ¿Cuántos ángulos agudos hay en un triángulo rectángulo?

Ⓐ 0

Ⓑ 1

Ⓒ 2

Ⓓ 3

13. ¿Cuál triángulo tiene un ángulo recto?

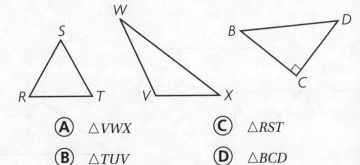

Ⓐ △VWX   Ⓒ △RST

Ⓑ △TUV   Ⓓ △BCD

14. **Múltiples pasos** ¿Cuál triángulo tiene ángulos agudos y obtusos?

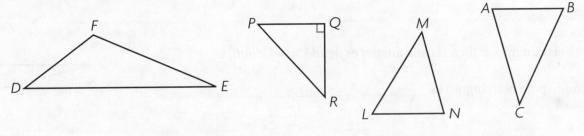

Ⓐ △DEF   Ⓑ △ABC   Ⓒ △PQR   Ⓓ △LMN

15. **Múltiples pasos** ¿Cuál triángulo tiene un ángulo recto y ningún ángulo obtuso?

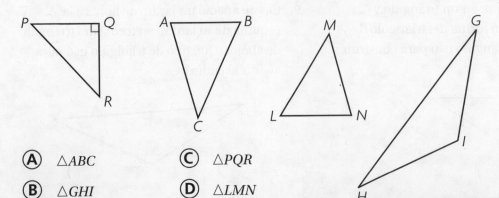

Ⓐ △ABC   Ⓒ △PQR

Ⓑ △GHI   Ⓓ △LMN

Nombre _____

13.3 Líneas paralelas y líneas perpendiculares

TEKS Geometría y medición: 4.6.A
PROCESOS MATEMÁTICOS
4.1.D, 4.1.E

 Pregunta esencial

¿Cómo puedes identificar y dibujar líneas paralelas y líneas perpendiculares?

Soluciona el problema En el mundo

Puedes hallar modelos de líneas en el mundo que te rodea. Por ejemplo, dos calles que se cruzan representan líneas intersecantes. Las vigas de metal de una vía ferroviaria que nunca se cruzan representan líneas paralelas.

Término y su definición	Dibújalo	Léelo	Escríbelo
Las **líneas intersecantes** son líneas que están en un plano y que se cruzan en un punto exacto. Las líneas intersecantes forman cuatro ángulos.	*H, K, J, I, X*	La línea *HI* interseca a la línea *JK* en el punto *X*.	$\overleftrightarrow{HI}$ y $\overleftrightarrow{JK}$ se intersecan en el punto *X*.
Las **líneas paralelas** son líneas que están en un plano y que siempre están a la misma distancia. Las líneas paralelas jamás se intersecan.	*D, E, F, G*	La línea *DE* es paralela a la línea *FG*.	$\overleftrightarrow{DE} \parallel \overleftrightarrow{FG}$ El símbolo $\parallel$ significa que "es paralelo o paralela a".
Las **líneas perpendiculares** son líneas que se intersecan en un plano para formar cuatro ángulos rectos.	*N, L, M, O*	La línea *LM* es perpendicular a la línea *NO*.	$\overleftrightarrow{LM} \perp \overleftrightarrow{NO}$ El símbolo $\perp$ significa que "es perpendicular a".

Charla matemática
Procesos matemáticos
¿Pueden ser paralelos dos rayos? Explica tu respuesta.

¡Inténtalo! Indica cómo parecen estar relacionadas las calles.
Escribe si se trata de líneas *perpendiculares, paralelas* o *intersecantes*.

- La calle 36 oeste y Broadway _____

- La calle 35 oeste y la avenida 7 _____

- La calle 37 oeste y la calle 36 oeste _____

Actividad

Dibuja y rotula $\overrightarrow{YX} \perp \overrightarrow{YZ}$ **intersecando en el punto** *Y*.

Materiales ■ escuadra

PASO 1: Dibuja y rotula $\overrightarrow{YX}$.

PASO 2: Luego dibuja y rotula $\overrightarrow{YZ}$.

● ¿Cómo puedes verificar si dos rayos son perpendiculares?

PASO 3: Asegúrate de que $\overrightarrow{YX}$ y $\overrightarrow{YZ}$ se intersecan en el punto *Y*.

PASO 4: Asegúrate de que los rayos sean perpendiculares.

Comparte y muestra

Charla matemática

Procesos matemáticos

Explica cómo es que los símbolos ⊥ y ∥ te ayudan a recordar las relaciones que describen.

1. Dibuja y rotula $\overline{QR} \parallel \overline{ST}$.

Piensa: Las líneas paralelas nunca se intersecan. Los segmentos paralelos son partes de líneas paralelas.

Usa la figura para los ejercicios 2 y 3.

2. Nombra dos lados que parezcan ser paralelos.

3. Nombra dos lados que parezcan ser perpendiculares.

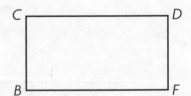

Resolución de problemas

Usa la figura para el ejercicio 4.

4. **H.O.T.** **Múltiples pasos** **¿Cuál es el error?** Daniel dice que $\overleftrightarrow{HL}$ es paralela a $\overleftrightarrow{IM}$. ¿Es esto correcto? **Explica tu respuesta.**

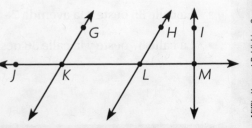

462

Nombre _____

Usa el plano de la casa que está a la derecha para los ejercicios 5 a 7.

5. ¿Qué término geométrico describe una esquina de la sala?

   _____

   _____

6. **Usa diagramas** Nombra tres partes de un plano que muestren segmentos.

   _____

   _____

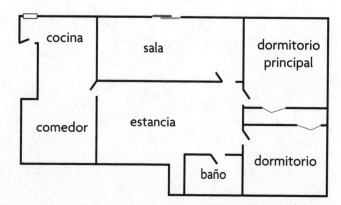

7. **H.O.T.** Nombra un par de segmentos que parezcan ser paralelos.

   _____

   _____

Escribe ▶ Muestra tu trabajo

Usa el mapa que está a la derecha para los ejercicios 8 a 10.

8. Nombra una calle que parezca ser paralela a la calle 17.

   _____

   _____

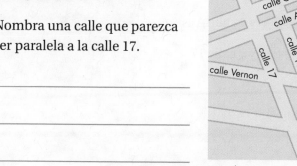

9. Nombra una calle que parezca ser paralela a la calle Vernon.

   _____

10. Nombra una calle que parezca ser perpendicular a la calle 19.

   _____

Tarea diaria de evaluación

Rellena el círculo completamente para mostrar tu respuesta.

11. ¿Qué par de líneas parecen ser paralelas?

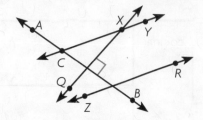

Ⓐ $\overleftrightarrow{AB}$ y $\overleftrightarrow{QX}$

Ⓑ $\overleftrightarrow{AB}$ y $\overleftrightarrow{CY}$

Ⓒ $\overleftrightarrow{CY}$ y $\overleftrightarrow{ZR}$

Ⓓ $\overleftrightarrow{ZR}$ y $\overleftrightarrow{QX}$

12. ¿Qué figura parece mostrar $\overline{QR} \perp \overline{XY}$?

Ⓐ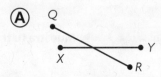

Ⓒ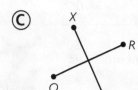

Ⓑ

Ⓓ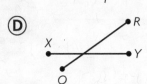

13. Múltiples pasos El mapa muestra algunas de las calles del pueblo de Matt. ¿Qué calles parecen ser paralelas a la calle State?

Ⓐ calle Chestnut y calle Austin

Ⓑ calle 17, calle 18 y calle 19

Ⓒ calle Perry y calle Austin

Ⓓ calle Perry y calle 17

⭐ Preparación para la prueba de TEXAS

14. ¿Cuál de las siguientes opciones describe mejor a las líneas perpendiculares?

Ⓐ Nunca se juntan.

Ⓑ Forman cuatro ángulos rectos.

Ⓒ Forman un ángulo agudo.

Ⓓ Forman un ángulo obtuso.

Nombre _____

13.3 Líneas paralelas y líneas perpendiculares

Usa la figura para los ejercicios 1 a 3.

1. Nombra dos líneas que parezcan ser paralelas.

_____

2. Nombra dos líneas que parezcan ser perpendiculares.

_____

3. Nombra dos líneas que se intersequen, pero que no parezcan ser perpendiculares.

_____

_____

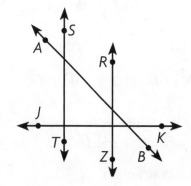

Resolución de problemas

4. Connie dice que la calle Main parece ser paralela a la calle Elm. ¿Está en lo correcto? **Explica tu respuesta**.

_____

_____

_____

5. Daniel dice que la calle Main y la calle 3 parecen ser perpendiculares. ¿Está en lo correcto? **Explica tu respuesta**.

_____

_____

_____

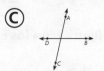
Rellena el círculo completamente para mostrar tu respuesta.

6. ¿Cuál par de líneas parecen ser perpendiculares?

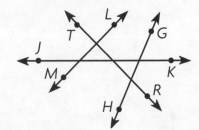

- Ⓐ $\overrightarrow{JK}$ y $\overleftrightarrow{LM}$
- Ⓒ $\overleftrightarrow{LM}$ y $\overrightarrow{TR}$
- Ⓑ $\overleftrightarrow{LM}$ y $\overrightarrow{GH}$
- Ⓓ $\overrightarrow{TR}$ y $\overrightarrow{GH}$

7. ¿Cuál de estas figuras parece mostrar líneas paralelas?

Ⓐ   Ⓒ

Ⓑ 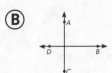 Ⓓ

8. ¿Cuál de las siguientes opciones describe mejor a las líneas paralelas?

- Ⓐ Nunca se juntan.
- Ⓑ Se intersecan en un punto.
- Ⓒ Forman un ángulo agudo.
- Ⓓ Forman un ángulo obtuso.

9. ¿Cuál de las siguientes opciones NO describe a las líneas intersecantes?

- Ⓐ Cruzan exactamente en un punto.
- Ⓑ Forman cuatro ángulos.
- Ⓒ Están a la misma distancia.
- Ⓓ Forman un ángulo recto.

10. **Múltiples pasos** El mapa muestra algunas de las calles del pueblo de Diana. ¿Cuáles calles parecen ser perpendiculares a la calle 19?

- Ⓐ calle Austin y calle State
- Ⓑ calle Chestnut y calle Perry
- Ⓒ calle State y calle 18
- Ⓓ calle 17 y calle 18

11. **Múltiples pasos** ¿Cuáles calles parecen ser paralelas a la calle 17?

- Ⓐ calle State y calle Chestnut
- Ⓑ calle 18 y calle 19
- Ⓒ calle Perry y calle Austin
- Ⓓ calle 19 y calle Perry

13.4 Clasificar cuadriláteros

TEKS Geometría y medición: 4.6.D
PROCESOS MATEMÁTICOS
4.1.D, 4.1.E

Pregunta esencial

¿Cómo puedes ordenar y clasificar cuadriláteros?

Soluciona el problema

Un cuadrilátero es un polígono que tiene cuatro lados y cuatro ángulos. Puedes nombrar un cuadrilátero según los vértices de sus ángulos.

El cuadrilátero *ABCD* es un nombre posible para la figura de la derecha. El cuadrilátero *ACBD* no es un nombre posible ya que los puntos *A* y *C* no son extremos del mismo lado.

Considera que los segmentos que parecen ser paralelos son paralelos.

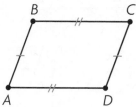

Las marcas de los segmentos muestran que tienen la misma longitud.
Los lados *AD* y *BC* tienen la misma longitud. Los lados *AB* y *CD* tienen la misma longitud.

Cuadriláteros comunes

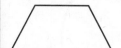

Trapecio
- 1 par de lados paralelos

Paralelogramo
- 2 pares de lados paralelos
- 2 pares de lados de igual longitud

Rombo
- 2 pares de lados paralelos
- 4 lados de igual longitud

Rectángulo
- 2 pares de lados paralelos
- 2 pares de lados de igual longitud
- 4 ángulos rectos

Cuadrado
- 2 pares de lados paralelos
- 4 lados de igual longitud
- 4 ángulos rectos

Actividad 1 Identifica ángulos rectos en los cuadriláteros.

Materiales ▪ lápices de colores

Usa la guía de color para cuadriláteros para colorear los cuadriláteros.

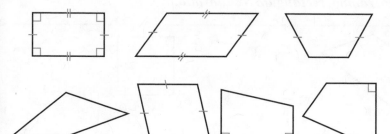

Guía de color para cuadriláteros

ROJO	exactamente 4 ángulos rectos
AZUL	exactamente 2 ángulos rectos
VERDE	exactamente 1 ángulo recto

Charla matemática
Procesos matemáticos

¿Pueden los cuadriláteros tener exactamente 3 ángulos rectos? Explica tu respuesta.

Actividad 2 Usa el diagrama de Venn para ordenar los cuadriláteros.

Escribe los nombres de los cuadriláteros en el diagrama de Venn.

Cuadriláteros

Exactamente 1 par de lados paralelos

_____

_____

_____

Sin lados paralelos

_____

_____

_____

2 pares de lados paralelos

_____

_____

_____

¡Inténtalo! Clasifica cada figura de todas las maneras posibles. Escribe si se trata de un *cuadrilátero, trapecio, paralelogramo, rombo, rectángulo* o *cuadrado*.

a.

_____

_____

_____

b.

_____

_____

_____

c.

_____

_____

_____

Comparte y muestra

1. Indica si el cuadrilátero también es un trapecio, paralelogramo, rombo, rectángulo o cuadrado.

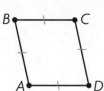

Piensa: _____ pares de lados paralelos

_____ lados de igual longitud

_____ ángulos rectos

El cuadrilátero *ABCD* también es un _____.

Clasifica cada figura de todas las maneras posibles. Escribe si se trata de un *cuadrilátero, trapecio, paralelogramo, rombo, rectángulo* **o** *cuadrado*.

2.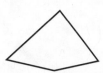

_____

_____

_____

3.

_____

_____

_____

4.

_____

_____

_____

Charla matemática
Procesos matemáticos

¿Cómo podrías clasificar una figura con 4 lados de los cuales ninguno es paralelo? Explica tu respuesta.

Resolución de problemas

5. **H.O.T.** **Múltiples pasos**
Explica en qué se parecen un rombo y un cuadrado y en qué se diferencian.

Matemáticas al instante

_____

_____

_____

6. **H.O.T.** **Comunica Describe** los cuadriláteros que observas en el diagrama.

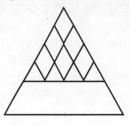

_____

_____

_____

Tarea diaria de evaluación

Rellena el círculo completamente para mostrar tu respuesta.

7. ¿Cuál es el nombre de la figura que se muestra a continuación?

  Ⓐ rectángulo   Ⓒ rombo

  Ⓑ trapecio   Ⓓ cuadrado

8. Jason quiere clasificar la figura de abajo en tantas maneras como sea posible.

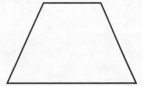

¿Cuál de las siguientes opciones muestra cómo Jason clasifica a la figura?

  Ⓐ cuadrado, trapecio   Ⓒ rombo, cuadrado, trapecio

  Ⓑ cuadrilátero, rectángulo   Ⓓ cuadrilátero, trapecio

9. Múltiples pasos Jane dibuja dos cuadriláteros en cartulina y después los recorta. Un cuadrilátero tiene un par más de lados paralelos que el otro cuadrilátero. ¿Cuál de los dos cuadriláteros pudo haber dibujado Jane?

  Ⓐ rombo y cuadrado   Ⓒ rombo y rectángulo

  Ⓑ rectángulo y trapecio   Ⓓ rectángulo y cuadrado

 Preparación para la prueba de TEXAS

10. ¿Cuál figura no puede nunca tener 2 pares de lados paralelos?

  Ⓐ trapecio

  Ⓑ rombo

  Ⓒ rectángulo

  Ⓓ cuadrilátero

Tarea y práctica

Nombre _____

13.4 Clasificar cuadriláteros

Clasifica cada figura de todas las maneras posibles. Escribe si es un cuadrilátero, trapecio, paralelogramo, rombo, rectángulo o cuadrado.

1.

_____

_____

2.

_____

_____

3.

_____

_____

4.

_____

_____

_____

5.

_____

_____

_____

6.

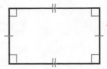

_____

_____

_____

Resolución de problemas

7. Explica en qué se parecen un trapecio y un paralelogramo y en qué se diferencian.

_____

_____

_____

_____

8. Javier piensa que un rombo no siempre es un paralelogramo. ¿Está en lo correcto? **Explica tu respuesta.**

_____

_____

_____

_____

Rellena el círculo completamente para mostrar tu respuesta.

9. ¿Cuál es el nombre de la figura que se muestra a continuación?

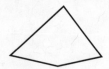

Ⓐ triángulo

Ⓑ rombo

Ⓒ cuadrilátero

Ⓓ paralelogramo

10. Pedro quiere clasificar la figura de abajo de tantas maneras como sea posible.

¿Cuál de las siguientes opciones muestra cómo Pedro clasificó la figura?

Ⓐ rombo, rectángulo, cuadrilátero

Ⓑ cuadrado, paralelogramo, rectángulo

Ⓒ trapecio, rectángulo, cuadrilátero

Ⓓ cuadrilátero, rectángulo, paralelogramo

11. ¿Cuál es el nombre del cuadrilátero que siempre tiene 4 ángulos rectos?

Ⓐ trapecio

Ⓑ rectángulo

Ⓒ rombo

Ⓓ paralelogramo

12. ¿Cuál es el nombre de la figura de abajo?

Ⓐ paralelogramo

Ⓑ rombo

Ⓒ trapecio

Ⓓ cuadrado

13. **Múltiples pasos** Chris tiene dos palitos planos de igual longitud y 2 palitos planos más largos de igual longitud. ¿Cuáles son los dos cuadriláteros que puede hacer con los palitos planos?

Ⓐ trapecio y cuadrado

Ⓑ rombo y cuadrado

Ⓒ paralelogramo y rectángulo

Ⓓ trapecio y rectángulo

14. **Múltiples pasos** Miranda tiene cuatro palitos planos de igual longitud. ¿Cuáles son los dos cuadriláteros que puede hacer con los palitos?

Ⓐ rombo y cuadrado

Ⓑ paralelogramo y trapecio

Ⓒ trapecio y rectángulo

Ⓓ 2 rectángulos que no son cuadrados

Nombre _____

13.5 Simetría axial

? Pregunta esencial

¿Cómo puedes verificar si una figura tiene simetría axial?

🔧 Soluciona el problema *En el mundo*

Un tipo de simetría que se encuentra en las figuras es la simetría axial. Este letrero está en las colinas de Hollywood, California. ¿Muestran simetría axial las letras del letrero de Hollywood?

Una figura tiene **simetría axial** si puede doblarse con una sola línea de manera que haya dos partes exactamente iguales. Una línea de pliegue o un **eje de simetría** divide a una figura en dos partes que son idénticas en tamaño y forma.

🔑 Actividad Explora la simetría axial.

Materiales ▪ patrones de figuras geométricas ▪ tijeras
▪ papel para calcar

A **¿Tiene simetría axial la letra W?**

PASO 1 Usa patrones de figuras geométricas para hacer la letra W.

PASO 2 Traza la letra.

PASO 3 Recorta el trazo.

PASO 4 Dobla el trazo sobre una línea vertical.

Piensa: Las dos partes de la W doblada corresponden con exactitud. La línea de pliegue es un eje de simetría.

Entonces, la letra W _____ simetría axial.

Idea matemática

Una línea vertical sube y baja. ↕

Una línea horizontal va de izquierda a derecha. ↔

Una línea diagonal va a través de los vértices de un polígono que no están uno junto al otro. Puede ir de arriba hacia abajo o a la izquierda o a la derecha. ↗ ↘

Charla matemática
Procesos matemáticos

¿Por qué es importante usar una línea de pliegue para comprobar si la figura tiene simetría axial?

B ¿Tiene simetría axial la letra L?

PASO 1

Usa patrones de figuras geométricas o papel cuadriculado para hacer la letra L.

PASO 2

Traza la letra.

PASO 3

Recorta el trazo.

PASO 4

Dobla el trazo sobre una línea vertical.

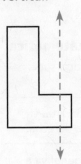

¿Corresponden las dos partes con exactitud?

_____

PASO 5

Ahora ábrela y dóblala de forma horizontal.

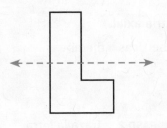

¿Corresponden las dos partes con exactitud?

_____

PASO 6

Ahora ábrela y dóblala en forma diagonal.

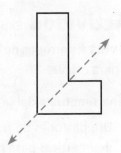

¿Corresponden las dos partes con exactitud?

_____

Entonces, la letra L _____ simetría axial.

 **Comparte y muestra**

Charla matemática

Procesos matemáticos

Explica cómo puede servirte doblar el papel para verificar si una figura tiene simetría axial.

Indica si las partes de cada lado de la línea corresponden. ¿Es la línea un eje de simetría? Escribe _sí_ o _no_.

1.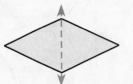

_____

✓ 2.

_____

3.

_____

✓ 4.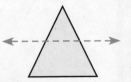

_____

474

Resolución de problemas

H.O.T. Completa el diseño haciendo un reflejo sobre el eje de simetría.

5.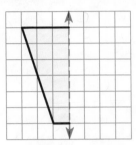

6.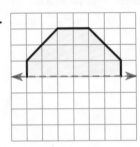

7.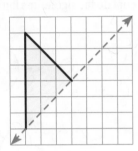

8.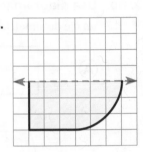

Soluciona el problema

9. **H.O.T.** Múltiples pasos ¿Cuál de estas figuras tiene correctamente dibujado el eje de simetría?

Ⓐ

Ⓒ

Matemáticas al instante

Ⓑ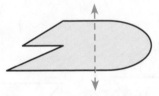

Ⓓ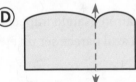

a. ¿Qué necesitas hallar? _____

_____

b. ¿Cómo puedes saber si el eje de simetría es correcto?

_____

_____

c. Indica cómo resolviste el problema.

_____

_____

d. Rellena el círculo para mostrar la respuesta correcta entre las opciones anteriores.

Tarea diaria de evaluación

Rellena el círculo completamente para mostrar tu respuesta.

10. **Usa diagramas** ¿En cuál de las siguientes figuras la línea azul parece no ser un eje de simetría?

(A) 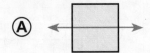 (C)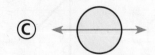

(B) 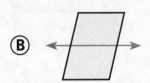 (D)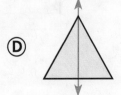

11. Casey está usando adhesivos de espuma para hacer un diseño. ¿En cuál de las siguientes figuras la línea azul parece ser un eje de simetría?

(A)  (B)   (C) 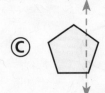 (D)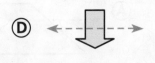

12. Ricardo está haciendo un patrón usando trapecios. ¿En cuál de los siguientes trapecios la línea azul parece ser un eje de simetría?

(A)  (B) 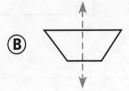 (C)  (D)

⭐ Preparación para la prueba de TEXAS

13. ¿Cuál de las siguientes opciones describe mejor el eje de simetría de la letra M?

M

(A) horizontal (C) vertical

(B) diagonal (D) rotacional

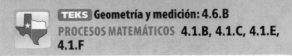 **TEKS** Geometría y medición: 4.6.B
PROCESOS MATEMÁTICOS 4.1.B, 4.1.C, 4.1.E,
4.1.F

Nombre _____

13.5 Simetría axial

**Indica si las partes de cada lado del eje corresponden. ¿Es la línea
un eje de simetría? Escribe *sí* o *no*.**

1.

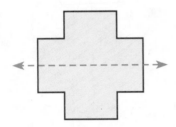

_____

2.

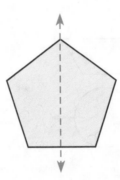

_____

3.

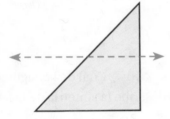

_____

4.

_____

 Resolución de problemas *En el mundo*

Completa el diseño haciendo un reflejo sobre el eje de simetría.

5.

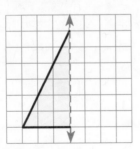

6.

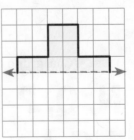

Rellena el círculo completamente para mostrar tu respuesta.

7. ¿En cuál de las siguientes figuras la línea azul parece ser un eje de simetría?

Ⓐ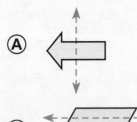

Ⓑ

Ⓒ

Ⓓ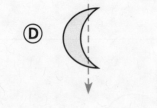

8. ¿Cuál de las letras tiene simetría axial?

Ⓐ **C**

Ⓑ **F**

Ⓒ **J**

Ⓓ **P**

9. Nora está haciendo un patrón usando la forma de una estrella. ¿En cuál de las estrellas la línea azul parece ser un eje de simetría?

10. **Múltiples pasos** ¿Cuál de las siguientes opciones describe la simetría de la letra I?

I

Ⓐ solo vertical

Ⓑ solo horizontal

Ⓒ vertical y horizontal

Ⓓ diagonal y vertical

11. **Múltiples pasos** ¿Cuál grupo de letras no tiene eje de simetría?

Ⓐ **L, N, O, P**

Ⓒ **Q, S, T, M**

Ⓑ **Z, F, G, J**

Ⓓ **C, D, S, V**

Nombre _____

13.6 Hallar y dibujar ejes de simetría

TEKS Geometría y medición: 4.6.B
PROCESOS MATEMÁTICOS
4.1.C, 4.1.F, 4.1.G

? Pregunta esencial

¿Cómo hallas los ejes de simetría?

🔑 Soluciona el problema En el mundo

¿Cuántos ejes de simetría tiene cada polígono?

🔒 Actividad 1 Halla los ejes de simetría.

Materiales ■ papel punteado isométrico ■ escuadra

PASO 1

Dibuja un triángulo como el que se muestra, de manera que todos los lados sean del mismo largo.

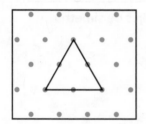

PASO 2

Dobla el triángulo de diferentes maneras para verificar la simetría axial. Dibuja a lo largo de las líneas de doblar aquellas que son ejes de simetría.

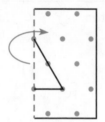

• ¿Hay un eje de simetría si doblas el papel de forma horizontal?

_____

PASO 3

Repite los pasos para cada uno de los siguientes polígonos. Completa la tabla.

Polígono	△ Triángulo	□ Cuadrado	▱ Paralelogramo	◇ Rombo	⬠ Trapecio	⬡ Hexágono
Número de lados	3					
Número de ejes de simetría	3					

• En un polígono regular, todos los lados son de igual longitud y todos los ángulos son iguales. ¿Qué observas sobre el número de ejes de simetría de los polígonos regulares?

_____

_____

Charla matemática

Procesos matemáticos

¿Cuántos ejes de simetría tiene un círculo? Explica tu respuesta.

Actividad 2 Haz diseños con simetría axial.

Materiales ▪ patrones de figuras geométricas

Haz un diseño usando más de un patrón de figuras geométricas. Anota tu diseño. Dibuja el o los ejes de simetría.

> ⚠ **Para evitar errores**
>
> Para evitar cometer errores, puedes usar un espejo para verificar la simetría axial.

Haz un diseño con 2 ejes de simetría.

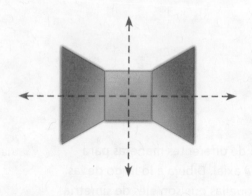

Haz un diseño con 1 eje de simetría.

Haz un diseño con más de 2 ejes de simetría.

Haz un diseño sin ejes de simetría.

Comparte y muestra

1. La figura que está a la derecha tiene simetría axial. Dibuja 2 ejes de simetría.

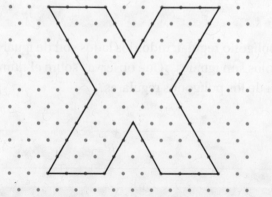

480

Nombre _____

Indica si la figura parece no tener ejes, tener 1 eje o más de 1 eje de simetría. Escribe *cero, 1* o *más de 1.*

2.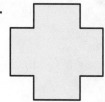

✓ 3.

4.

✓ 5.

_____ _____   _____

Resolución de problemas *En el mundo*

Usa la tabla para los ejercicios 6 a 8.

6. ¿Cuáles letras parecen tener solo 1 eje de simetría?

_____

7. ¿Cuáles letras parecen no tener eje de simetría?

_____

8. **H.O.T.** La letra C tiene simetría horizontal. La letra A tiene simetría vertical. ¿Cuáles letras parecen tener simetrías horizontal y vertical?

_____

Charla matemática
Procesos matemáticos
Explica cómo puedes hallar los ejes de simetría de una figura.

A	H	S
B	I	T
C	J	U
D	K	V
E	L	W

9. **H.O.T.** Justifica ¿Tiene sentido o no?
Jeff dice que la figura solo tiene 2 ejes de simetría.

¿Tiene sentido esta afirmación? **Explica tu respuesta.**

_____

_____

10. **H.O.T.** Comunica Múltiples pasos
Dibuja una figura que tenga por lo menos 2 ejes de simetría. Luego escribe instrucciones que expliquen cómo hallar los ejes de simetría.

_____

_____

_____

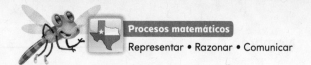

Tarea diaria de evaluación

Rellena el círculo completamente para mostrar tu respuesta.

11. ¿Cuántos ejes de simetría tiene el caracol?

(A) 0   (C) 2

(B) 3   (D) 1

12. ¿Cuál de las siguientes opciones muestra todos los ejes de simetría en la figura de abajo?

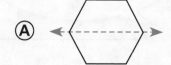

(A) 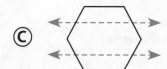 (C)

(B) 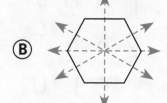 (D)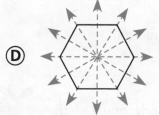

13. ¿Cuál de las siguientes opciones describe a la figura?

(A) cero ejes de simetría   (C) más de 2 ejes de simetría

(B) 2 ejes de simetría   (D) 1 eje de simetría

 ## Preparación para la prueba de TEXAS

14. ¿Cuántos ejes de simetría tiene la figura que está a la derecha?

(A) 10   (C) 5

(B) 3   (D) 0

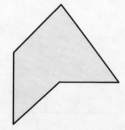

13.6 Hallar y dibujar ejes de simetría

Indica si la figura parece no tener ejes, tener 1 eje o más de 1 eje de simetría. Escribe *cero, 1* o *más de 1*.

1.

_____

2.

_____

3.

_____

4.

_____

Resolución de problemas En el mundo

Usa el cartel para los problemas 5 y 6.

5. Erica está recortando letras para un cartel de ciencias. ¿Cuáles letras del cartel de Erica parecen tener solo 1 eje de simetría?

_____

6. ¿Cuáles letras del cartel de Erica parecen no tener eje de simetría?

_____

7. Escribe tus propias palabras en el cartel. Incluye letras que no tengan ejes de simetría, que tengan uno y dos ejes de simetría. Luego dibuja los ejes de simetría.

_____

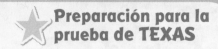
Rellena el círculo completamente para mostrar tu respuesta.

8. ¿Cuántos ejes de simetría tiene el frasco?

Ⓐ 0   Ⓒ 2

Ⓑ 1   Ⓓ 3

9. ¿Cuál de las siguientes opciones describe a esta figura?

Ⓐ cero ejes de simetría

Ⓑ 1 eje de simetría

Ⓒ 2 ejes de simetría

Ⓓ más de 2 ejes de simetría

10. ¿Cuál de las siguientes opciones muestra todos los ejes de simetría de la siguiente figura?

Ⓐ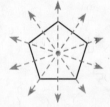

Ⓑ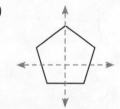

Ⓒ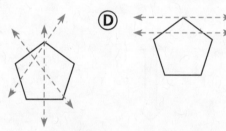

Ⓓ

11. ¿Cuántos ejes de simetría tiene la siguiente figura?

Ⓐ 3   Ⓑ 2   Ⓒ 1   Ⓓ 0

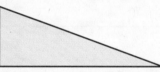

12. **Múltiples pasos** ¿Cuál de los siguientes enunciados sobre el número de ejes de simetría es verdadero?

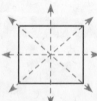

Ⓐ más que el número de lados

Ⓑ menos que el número de ángulos

Ⓒ igual al número de lados

Ⓓ más que el número de ángulos

13. **Múltiples pasos** Luis dibujó esta figura con dos ejes de simetría. ¿Cuál de los siguientes enunciados es verdadero sobre el número de ejes de simetría?

Ⓐ igual al número de lados

Ⓑ más que el número de lados

Ⓒ menos que el número de pares de lados de igual longitud

Ⓓ igual al número de pares de lados de igual longitud

Evaluación del Módulo 13

Vocabulario

Elige el término correcto del recuadro para completar la oración.

Vocabulario
ángulo agudo
ángulo llano
ángulo obtuso
ángulo recto
rayo
segmento

1. Un _____ es parte de una línea que está entre dos extremos. (pág. 449)

2. Un _____ forma una esquina cuadrada. (pág. 450)

3. Un _____ es mayor que un ángulo recto y menor que un ángulo llano. (pág. 450)

4. La figura de dos dimensiones que tiene un extremo es un

   _____ . (pág. 449)

5. Un ángulo que forma una línea se llama _____ . (pág. 450)

Conceptos y destrezas

Usa la Figura A para los ejercicios 6 a 11. 🔷 TEKS 4.6.A

6. Nombra un rayo.

   _____

7. Nombra un ángulo agudo.

   _____

8. Nombra un punto.

   _____

9. Nombra un segmento.

   _____

10. Nombra un par de líneas perpendiculares.

    _____

11. Nombra un ángulo obtuso.

    _____

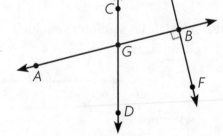

Figura A

Clasifica cada triángulo. Escribe *acutángulo, rectángulo* u *obtusángulo.* 🔷 TEKS 4.6.C

12.

13.

14.

_____   _____   _____

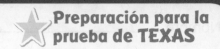

Rellena el círculo completamente para mostrar tu respuesta.

15. ¿Cuál de las siguientes opciones describe a la figura? ✦ TEKS 4.6.B

Ⓐ sin ejes de simetría

Ⓑ 1 eje de simetría

Ⓒ 2 ejes de simetría

Ⓓ más de 2 ejes de simetría

16. ¿Cuál de las figuras de abajo tiene 2 pares de lados que parecen ser paralelos? ✦ TEKS 4.6.D

Ⓐ

Ⓒ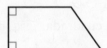

Ⓑ

Ⓓ

17. ¿Cuál de los siguientes cuadriláteros puede tener 2 pares de lados paralelos, todos los lados de igual longitud y sin ángulos rectos? ✦ TEKS 4.6.D

Ⓐ cuadrado

Ⓑ rombo

Ⓒ rectángulo

Ⓓ trapecio

18. ¿Cuál de las siguientes opciones nombra a la figura correctamente? ✦ TEKS 4.6.A

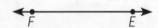

Ⓐ línea *FE*

Ⓑ rayo *FE*

Ⓒ ángulo *FE*

Ⓓ rayo *EF*

Nombre _____

14.1 Ángulos y partes fraccionarias de un círculo

? Pregunta esencial

¿Cómo puedes relacionar ángulos y partes fraccionarias de un círculo?

Investiga

Materiales ■ círculos fraccionarios

A. Coloca una parte fraccionaria de $\frac{1}{12}$ en el círculo. Coloca la punta de la parte fraccionaria en el centro del círculo. Traza alrededor de la parte fraccionaria.

¿Qué figura se forma por la parte fraccionaria? _____

¿Qué partes de la parte fraccionaria representan a los rayos

del ángulo? _____

¿En qué parte del círculo está el vértice del

ángulo? _____

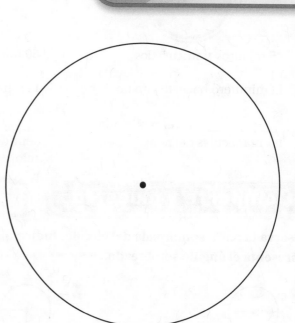

B. Sombrea el ángulo recortado por la parte de $\frac{1}{12}$. Rotúlalo como $\frac{1}{12}$.

C. Coloca la parte de $\frac{1}{12}$ en el ángulo sombreado. Gírala en el sentido contrario de las manecillas del reloj. El **sentido contrario de las manecillas del reloj** es la dirección opuesta a la que las manecillas se mueven en un reloj.

Traza la parte fraccionaria en su nueva posición. ¿Cuántos doceavos has

trazado en total? _____ Rotúlalo como $\frac{2}{12}$.

D. Gira la parte fraccionaria de nuevo en el sentido contrario de las manecillas del reloj y trázala. Rotula el número total de doceavos. Continúa hasta que alcances el ángulo sombreado. ¿Qué figura se forma al girar y trazar la parte fraccionaria? _____

¿Cuántas veces necesitas girar la parte de $\frac{1}{12}$ para

hacer el círculo? _____

¿Cuántos ángulos se juntaron en el centro

del círculo? _____

Puedes relacionar fracciones y ángulos con las manecillas de un reloj.

Deja que las manecillas del reloj representen los rayos de un ángulo que marca una fracción en la esfera de un reloj. Cada marca de 5 minutos representa un giro de $\frac{1}{12}$ **en el sentido de las manecillas del reloj.**

15 minutos transcurridos

El minutero hace un giro de

_____ en el sentido de las manecillas del reloj.

30 minutos transcurridos

El minutero hace un giro de

_____ en el sentido de las manecillas del reloj.

45 minutos transcurridos

El minutero hace un giro de

_____ en el sentido de las manecillas del reloj.

60 minutos transcurridos

El minutero hace un giro de

_____ en el sentido de las manecillas del reloj.

Charla matemática
Procesos matemáticos
Explica cómo un ángulo formado en un círculo usando una parte fraccionaria de $\frac{1}{4}$ es como $\frac{1}{4}$ de giro y 15 minutos transcurridos en un reloj.

Comparte y muestra

MATH BOARD

Observa la parte sombreada del círculo. Indica qué fracción de un círculo representa el ángulo sombreado.

1.

_____

2.

_____

3.

_____

Indica si el ángulo del círculo muestra $\frac{1}{4}$, $\frac{1}{2}$, $\frac{3}{4}$ ó 1 giro completo en el sentido de las manecillas del reloj o en sentido contrario de las manecillas del reloj.

4.

_____

5.
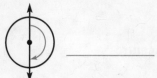
_____

6.

_____

Nombre _____

 ¿Tiene sentido o no?

7. **Analiza** ¿Quién dijo algo que tiene sentido? ¿Quién dijo algo que no tiene sentido? **Explica** tu razonamiento.

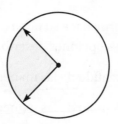 

El ángulo sombreado representa $\frac{1}{4}$ del círculo.

El ángulo sombreado representa $\frac{3}{8}$ del círculo.

Argumento de Carla	**Argumento de Adam**

8. **H.O.T.** Susan vio el partido de la 1 p. m. a la 1:30 p. m. **Describe** el giro que hizo el minutero.

_____

_____

9. **Escribe** ▶ Compara los ángulos de los dos círculos. ¿Acaso la posición del ángulo afecta el tamaño del ángulo? **Explica tu respuesta.**

_____

_____

Tarea diaria de evaluación

Rellena el círculo completamente para mostrar tu respuesta.

10. **Múltiples pasos** Carrie hace su tarea de las 4 p. m. a las 4:45 p. m.
¿Cuál de las siguientes opciones describe el giro que hace el minutero?

Ⓐ $\frac{1}{4}$ de giro en el sentido de las manecillas del reloj

Ⓑ $\frac{3}{4}$ de giro en el sentido de las manecillas del reloj

Ⓒ $\frac{1}{2}$ giro en el sentido contrario de las manecillas del reloj

Ⓓ $\frac{1}{4}$ de giro en el sentido contrario de las manecillas del reloj

11. ¿Cuál ángulo muestra $\frac{1}{2}$ giro en el sentido contrario de las manecillas del reloj?

Ⓐ 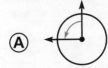   Ⓒ

Ⓑ 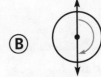   Ⓓ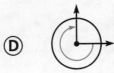

12. Observa la parte sombreada del círculo. ¿Qué fracción del círculo representa el ángulo sombreado?

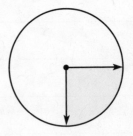

Ⓐ $\frac{1}{4}$

Ⓑ $\frac{1}{12}$

Ⓒ $\frac{3}{4}$

Ⓓ $\frac{1}{2}$

⭐ Preparación para la prueba de TEXAS

13. Felipe vio un partido de voleibol de la 1:45 p. m. a las 2:00 p. m. ¿Qué fracción de un giro hizo el minutero?

Ⓐ $\frac{1}{4}$ de giro en el sentido de las manecillas del reloj

Ⓑ $\frac{1}{2}$ giro en el sentido de las manecillas del reloj

Ⓒ $\frac{3}{4}$ de giro en el sentido de las manecillas del reloj

Ⓓ 1 giro completo en el sentido de las manecillas del reloj

490

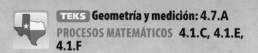
Nombre _____

14.1 Ángulos y partes fraccionarias de un círculo

Observa la parte sombreada del círculo. Indica qué fracción de un círculo representa el ángulo sombreado.

1. _____

2. _____

3. _____

Indica si el ángulo del círculo muestra $\frac{1}{4}$, $\frac{1}{2}$, $\frac{3}{4}$ ó 1 giro completo en el sentido de las manecillas del reloj o en el sentido contrario de las manecillas del reloj.

4.

_____

_____

_____

5.

_____

_____

_____

6.

_____

_____

_____

7.

_____

_____

_____

8.

_____

_____

_____

9.

_____

_____

_____

Resolución de problemas En el mundo

10. Evan practicó el piano de las 3 p. m. a las 3:45 p. m. Describe el giro que hizo el minutero.

_____

_____

11. Al terminar de practicar, Evan comió un refrigerio. Lo acabó a las 4:00. Describe el giro que hizo el minutero.

_____

_____

Rellena el círculo completamente para mostrar tu respuesta.

12. ¿Cuál ángulo muestra $\frac{3}{4}$ de giro en el sentido contrario de las manecillas del reloj?

Ⓐ

Ⓒ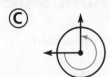

Ⓑ

Ⓓ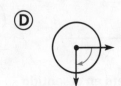

13. Observa la parte sombreada del círculo.¿Cuál de las siguientes fracciones del círculo representa el ángulo sombreado?

Ⓐ $\frac{1}{2}$ Ⓒ $\frac{1}{3}$

Ⓑ $\frac{3}{4}$ Ⓓ $\frac{1}{4}$

14. Múltiples pasos Hannah descansa de las 10 a.m. a las 10:15 a.m. ¿Cuál de las siguientes opciones describe qué giro hace el minutero?

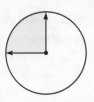

Ⓐ $\frac{1}{4}$ de giro en el sentido contrario de las manecillas del reloj

Ⓑ $\frac{1}{4}$ de giro en el sentido de las manecillas del reloj

Ⓒ $\frac{3}{4}$ de giro en el sentido contrario de las manecillas del reloj

Ⓓ $\frac{3}{4}$ de giro en el sentido de las manecillas del reloj

15. Múltiples pasos Inés saca a pasear a su perro cada mañana de las 7:45 a. m. a las 8:15 a. m. ¿Cuál de las siguientes opciones describe qué giro hace el minutero?

Ⓐ $\frac{1}{2}$ giro en el sentido de las manecillas del reloj

Ⓑ 1 giro completo en el sentido de las manecillas del reloj

Ⓒ $\frac{1}{2}$ giro en el sentido contrario de las manecillas del reloj

Ⓓ $\frac{1}{4}$ de giro en el sentido de las manecillas del reloj

16. Múltiples pasos Ben cuida a su hermana 15 minutos al día. ¿Qué fracción describe el giro que hace el minutero de la esfera del reloj durante el tiempo que Ben cuida a su hermana?

Ⓐ $\frac{1}{2}$ Ⓒ $\frac{12}{12}$

Ⓑ $\frac{3}{4}$ Ⓓ $\frac{1}{4}$

17. Múltiples pasos El horario estándar comienza en el otoño. Muchas personas atrasan sus relojes por una hora. ¿Qué fracción describe el giro que hace el minutero en la esfera del reloj?

Ⓐ $\frac{12}{12}$ Ⓒ $\frac{3}{12}$

Ⓑ $\frac{9}{12}$ Ⓓ $\frac{6}{12}$

TEKS Geometría y
medición: 4.7.B
También 4.7.A
PROCESOS MATEMÁTICOS
4.1.A, 4.1.F, 4.1.G

14.2 Grados

? **Pregunta esencial**

¿Cómo se relacionan los ángulos con las partes fraccionarias de un círculo?

Conecta Puedes usar lo que sabes sobre ángulos y partes fraccionarias de un círculo para entender la medición de ángulos. Los ángulos se miden en unidades llamadas **grados**. Piensa en un círculo dividido en 360 partes iguales. Un ángulo que corta $\frac{1}{360}$ de un círculo mide 1 grado (°).

Idea matemática

Un ángulo que corta $\frac{n}{360}$ de un círculo mide n grados.

Soluciona el problema

El ángulo que está entre dos rayos de la rueda de una bicicleta gira a lo largo de $\frac{10}{360}$ de un círculo. ¿Cuál es la medida del ángulo que está entre los rayos?

● ¿Qué parte de un ángulo de un rayo de la rueda representa?

_____

_____

🔒 Ejemplo 1 Usa partes fraccionarias para hallar la medida de un ángulo.

Cada $\frac{1}{360}$ de giro mide _____ grado.

Diez $\frac{1}{360}$ giros miden _____ grados.

Entonces, la medida del ángulo que está entre los

rayos de la rueda es de _____.

Charla matemática
Procesos matemáticos

¿Cuántos grados mide un ángulo que gira a lo largo de un círculo entero? **Explica** tu respuesta.

🔒 Ejemplo 2 Halla la medida de un ángulo recto.

símbolo de un ángulo recto

Piensa: ¿Qué fracción de un círculo corta un

ángulo recto? _____

PASO 1 Escribe $\frac{1}{4}$ como una fracción equivalente en donde 360 es el denominador.

$$\frac{1}{4} = \frac{}{360}$$ **Piensa:** $4 \times 9 = 36$, entonces $4 \times$ _____ $= 360$.

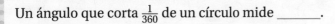

PASO 2 Escribe $\frac{90}{360}$ en grados.

Un ángulo que corta $\frac{1}{360}$ de un círculo mide _____.

Un ángulo que corta $\frac{90}{360}$ de un círculo mide _____.

Entonces, un ángulo recto mide _____.

> **Recuerda**
>
> Para escribir una fracción equivalente, debes multiplicar el numerador y el denominador por el mismo factor.

Comparte y muestra

MATH BOARD

1. Halla la medida del ángulo.

¿Qué fracción de un círculo corta el ángulo? _____

$$\frac{1}{2} = \frac{}{360}$$ **Piensa:** $2 \times 18 = 36$, entonces $2 \times$ _____ $= 360$.

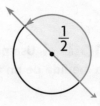

Entonces, la medida del ángulo es _____.

Indica la medida el ángulo en grados.

✓ 2.

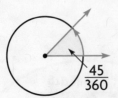

_____

✓ 3.

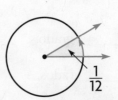

_____

> **Charla matemática**
>
> **Procesos matemáticos**
>
> Si un ángulo mide 60°, ¿qué fracción de un círculo representa? **Explica** tu respuesta.

494

🔑 Soluciona el problema *En el mundo*

4. **H.O.T.** **Múltiples pasos** Ava comenzó a leer a las 3:30 p. m. Se detuvo por un refrigerio a las 3:50 p. m. En este tiempo, ¿a través de qué fracción de un círculo giró el minutero? ¿Cuántos grados giró el minutero?

a. ¿Qué necesitas hallar? _____

_____

b. ¿Qué información puedes usar para hallar la fracción de un círculo a través de la cual el minutero giró?

_____

c. ¿Cómo puedes usar la fracción de un círculo a través de la cual giró el minutero para hallar cuántos grados giró?

_____

_____

d. Muestra cómo puedes resolver el problema.

$$\frac{1 \times \boxed{}}{3 \times \boxed{}} = \frac{\boxed{}}{360}$$

e. Completa las oraciones.

De las 3:30 p. m. a 3:50 p. m., el minutero

hizo un giro de _____ en el sentido de las

manecillas del reloj. El minutero giró _____ grados.

5. **H.O.T.** **Escribe** ▶ ¿Es obtusa la medida de este ángulo? **Explica tu respuesta.**

_____

_____

_____

6. **Analiza** ¿Qué fracción de un círculo corta un ángulo llano? ¿Cuál es la medida de un ángulo llano? **Explica tu respuesta.**

_____

_____

_____

Tarea diaria de evaluación

Rellena el círculo completamente para mostrar tu respuesta.

7. ¿Cuál es la medida del ángulo en grados?

(A) 108°

(B) 95°

(C) 3°

(D) 90°

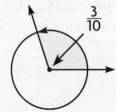

8. Usa el lenguaje matemático ¿Qué tipo de ángulo se muestra?

(A) recto   (C) agudo

(B) obtuso   (D) llano

9. Múltiples pasos Un círculo se divide en 8 secciones iguales. Un ángulo mide igual que la medida total de 3 de las secciones. ¿Cuál es la medida del ángulo?

(A) 270°   (C) 45°

(B) 90°   (D) 135°

 Preparación para la prueba de TEXAS

10. ¿Cuántos grados hay en un ángulo que corta $\frac{2}{4}$ de un círculo?

(A) 90°

(B) 180°

(C) 270°

(D) 360°

TEKS Geometría y medición: 4.7.B
PROCESOS MATEMÁTICOS 4.1.A, 4.1.F, 4.1.G

Nombre _Jairo Mendez_

14.2 Grados

1. Halla la medida del ángulo.

¿Cuál fracción de un círculo corta el ángulo? _____

$\frac{1}{9} = \frac{40}{360}$

Entonces, la medida del ángulo es __40°__ .

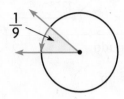

$\frac{1}{9}$

Indica la medida del ángulo en grados.

2.

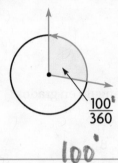

$\frac{100}{360}$

_____100°_____

3.

$\frac{1}{3}$

$3\overline{)360}$ → 120

120°

Resolución de problemas En el mundo

4. A las 6:10 p. m., Elena salió de su casa para ir a casa de Claire. Llegó a las 6:25 p. m. Durante ese tiempo, ¿a través de cuál fracción de un círculo giró el minutero?

$\frac{1}{4}$

5. ¿Cuántos grados giró el minutero cuando se movió de 2 a 5?

6. Supongamos que Elena toma la ruta que dura 15 minutos más. ¿Cómo cambiarían tus respuestas para los problemas 4 y 5? **Explica tu respuesta.**

_____

_____

_____

Rellena el círculo completamente para mostrar tu respuesta.

7. ¿Qué tipo de ángulo se muestra?

135°

(A) agudo

(B) llano

(C) obtuso

(D) recto

8. ¿Cuál es la medida del ángulo en grados?

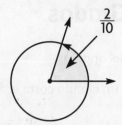

$\frac{2}{10}$

(A) 45°

(B) 72°

(C) 2°

(D) 90°

9. ¿Cuántos grados hay en un ángulo que corta $\frac{2}{5}$ de un círculo?

(A) 144°

(B) 30°

(C) 180°

(D) 50°

10. ¿Cuál es la medida del ángulo en grados?

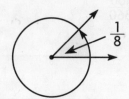

$\frac{1}{8}$

(A) 80°

(B) 90°

(C) 35°

(D) 45°

11. Múltiples pasos Alex cortó una pizza en 8 pedazos iguales. Sacó 3 pedazos de pizza. ¿Cuál es la medida del ángulo hecho por los pedazos faltantes de pizza?

(A) 45°

(B) 20°

(C) 90°

(D) 80°

12. Múltiples pasos Julia se levantó a las 7:05 a. m. Se fue a la escuela a las 7:25 a. m. ¿Cuántos grados giró el minutero del reloj desde que Julia se levantó hasta que se fue a la escuela?

(A) 120°

(B) 60°

(C) 180°

(D) 90°

Nombre _____

14.3 Medir y dibujar ángulos

? Pregunta esencial

¿Cómo puedes usar un transportador para medir y dibujar ángulos?

🔍 Soluciona el problema *En el mundo*

Emma quiere hacer una escultura en arcilla de su hija como aparece en la fotografía de su recital de danza. ¿Cómo puede medir ∠*DCE* o el ángulo formado por los brazos de su hija?

Un **transportador** es una herramienta para medir el tamaño de un ángulo.

🔑 Actividad Mide ∠*DCE* usando un transportador.

Materiales ■ transportador

PASO 1 Coloca el punto central del transportador en el vértice C del ángulo.

120°

Alinea el punto central y el vértice.

PASO 2 Alinea la marca de 0° en la escala del transportador con el rayo *CE*.

120°

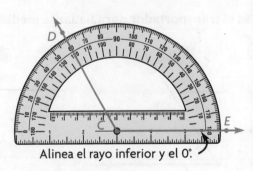

Alinea el rayo inferior y el 0°.

PASO 3 Halla donde el rayo *CD* interseca la misma escala. Lee la medida del ángulo en esa escala. Extiende el rayo si lo necesitas.

El m∠*DCE* = ___120___.

Lee el m∠*DCE* como "la medida del ángulo *DCE*".

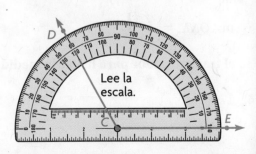

Lee la escala.

Entonces, el ángulo formado por los brazos de la hija de

Emma es de _____.

Dibuja ángulos También puedes usar un transportador para dibujar ángulos de una medida dada.

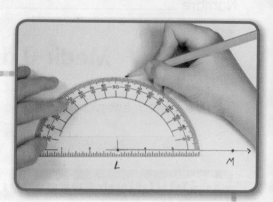

🔓 Actividad Dibuja ∠KLM con una medida de 82°.

Materiales ■ transportador

PASO 1 Usa la escuadra del transportador para dibujar y rotular el rayo *LM*.

PASO 2 Coloca el punto central del transportador en el punto *L*. Alinea el rayo *LM* con la marca de 0° del transportador.

PASO 3 Usando la misma escala, marca el punto en 82°. Rotula el punto *K*.

PASO 4 Usa la escuadra del transportador para dibujar el rayo *LK*.

Comparte y muestra

MATH BOARD

1. Mide ∠ABC.

   Coloca el centro del transportador en el punto _____.

   Alinea el rayo *BC* con _____.

   Lee donde interseca _____ con la misma escala.

   Entonces, m∠ABC es _____.

$$\begin{array}{r} 65 \\ -0 \\ \hline 65 \end{array}$$

Usa el transportador para hallar la medida del ángulo.

2.

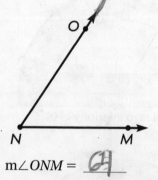

m∠*ONM* = _____

✓ 3.

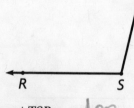

m∠*TSR* = _____

> ⚠ **Para evitar errores**
> Asegúrate de usar la escala correcta del transportador. Pregúntate: ¿Es razonable la medida?

Usa el transportador para hallar la medida del ángulo.

4. 170°

✓ 5. 78°

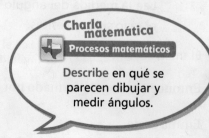

Charla matemática
Procesos matemáticos

Describe en qué se parecen dibujar y medir ángulos.

Resolución de problemas En el mundo

6. **Representaciones** La Sra. Murphy está haciendo una rampa para una silla de ruedas en la parte exterior de su negocio. El ángulo de la rampa debe ser de 5°. Haz un dibujo en el espacio que está a la derecha para mostrar un modelo de la rampa.

7. **H.O.T.** **Escribe** ▶ Dibuja un ángulo con una medida de 0°. **Describe** tu dibujo.

_____

_____

_____

8. **H.O.T.** **¿Cuál es el error?** Tracy midió un ángulo como 50° que en realidad medía 130°. **Explica** su error.

_____

_____

_____

Usa los diagramas y un transportador para los problemas 9 a 11.

Hemisferio norte

9. **Usa herramientas** En el hemisferio norte, el eje de la Tierra está inclinado más lejos del Sol en el primer día del invierno, lo que por lo regular concuerda con el 21 de diciembre. ¿Cuál es la medida del ángulo marcado el primer día del invierno, el día más corto del año?

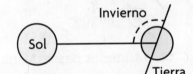

_____

10. **Usa diagramas** El eje de la Tierra no está inclinado alejado de o hacia el Sol en los primeros días de la primavera y el otoño, que por lo regular son el 20 de marzo y el 22 de septiembre. ¿Cuál es la medida del ángulo marcado en el primer día de la primavera y del otoño?

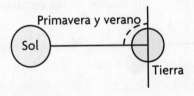

_____

11. En el hemisferio norte, el eje de la Tierra está inclinado hacia el Sol el primer día del verano, que con frecuencia es el 21 de junio. ¿Cuál es la medida del ángulo marcado el primer día del verano, el día más largo del año?

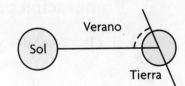

_____

Rellena el círculo completamente para mostrar tu respuesta.

12. Katalina lanza una piedra en el agua en un torneo de lanzamiento de piedras. Forma un ángulo de 20° con el agua y salta muchas veces. ¿Cuál ángulo mide 20°?

Ⓐ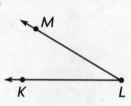

Ⓒ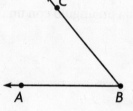

Ⓑ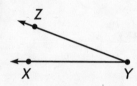

Ⓓ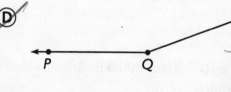

13. Kyle sube mobiliario por una rampa para meterlo en un camión. ¿Cuál es la medida del ángulo formado por la rampa?

Ⓐ 150°   Ⓒ 30°

Ⓑ 80°   Ⓓ 60°

14. **Múltiples pasos** María construye dos conjuntos de escaleras en su casa de muñecas. Mide los ángulos de la ilustración que está a la derecha. ¿Cuál es la diferencia entre las mediciones de los ángulos formados en las escaleras?

Ⓐ 1°   Ⓒ 40°

Ⓑ 30°   Ⓓ 10°

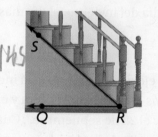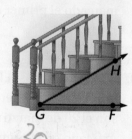

⭐ **Preparación para la prueba de TEXAS**

15. ¿Cuál es la medida de ∠QRS?

Ⓐ 35°   Ⓒ 135°

Ⓑ 45°   Ⓓ 155°

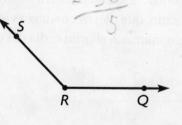

502

Tarea y práctica

Nombre _____

14.3 Medir y dibujar ángulos

Usa un transportador para hallar la medida del ángulo.

1.

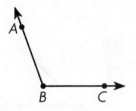

m ∠ABC = _____

2.

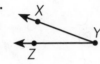

m ∠XYZ = _____

Usa un transportador para dibujar el ángulo.

3. 125°

4. 86°

5. 35°

6. 180°

Resolución de problemas

7. George inclinó una escalera contra la pared de su casa. El ángulo de la escalera con el piso midió 65°. Haz un dibujo para mostrar un modelo del ángulo.

8. Gabriel construyó una rampa para patineta. El ángulo de la rampa es de 14°. Haz un dibujo para mostrar el modelo de la rampa.

Rellena el círculo completamente para mostrar tu respuesta.

9. ¿Cuál es la medida de ∠*LMN*?

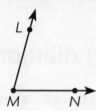

Ⓐ 110° Ⓒ 105°

Ⓑ 70° Ⓓ 75°

10. Wanda dibujó estos ángulos. ¿Cuál de los ángulos mide 130°?

Ⓐ 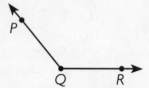 Ⓑ   Ⓒ 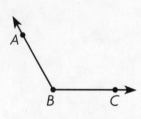 Ⓓ

11. Un artista está cortando triángulos de vidrio para hacer una ventana de emplomados con forma de estrella. ¿Cuál es la medida de cada uno de los ángulos formados en las puntas de la estrella?

Ⓐ 140° Ⓒ 40°

Ⓑ 30° Ⓓ 110°

12. **Múltiples pasos** Elizabeth está haciendo una colcha con retazos de tela. Mide los ángulos de la siguiente ilustración. ¿Cuál es la diferencia que hay entre las medidas de los ángulos de cada retazo de tela?

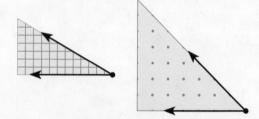

Ⓐ 25° Ⓒ 165°

Ⓑ 15° Ⓓ 75°

13. Héctor dibujó un mapa de la esquina de su calle. Usa un transportador para hallar *x*, que es la medida de un ángulo formado donde la calle Jefferson interseca con la calle Washington.

Ⓐ 130° Ⓒ 45°

Ⓑ 135° Ⓓ 42°

14. **Múltiples pasos** Después de comer en un restaurante, a Fabiola le quedó un cuarto de pizza para llevar a casa. La llevó a casa y la cortó en tres pedazos iguales. ¿Cuál es la medida de cada uno de los pedazos de pizza?

Ⓐ 60° Ⓒ 90°

Ⓑ 40° Ⓓ 30°

TEKS Geometría y medición: 4.7.C, 4.7.E
PROCESOS MATEMÁTICOS
4.1.B, 4.1.C, 4.1.F, 4.1.G

14.4 Unir y separar ángulos

Pregunta esencial

¿Cómo puedes determinar la medida de un ángulo separado en partes?

Investiga

Materiales ■ cartulina ■ tijeras ■ transportador

A. Usa cartulina. Dibuja un ángulo que mida exactamente 70°. Rotúlalo como ∠ABC.

B. Recorta ∠ABC.

C. Al recortar ∠ABC en dos partes, forma dos ángulos. Comienza a recortar en el vértice y corta entre los rayos.

¿Qué figuras formaste? _____

D. Usa un transportador para medir los dos ángulos que formaste.

Anota las medidas. _____

E. Halla la suma de los ángulos que formaste.

_____ + _____ = _____
parte + parte = entero

F. Une los dos ángulos. Compara m∠ABC con la suma de las medidas de sus partes. **Explica** cómo se comparan.

_____

_____

_____

_____

> ### Idea matemática
> Puedes pensar en ∠ABC como un entero y en los dos ángulos que formaste como partes de un entero.

Materiales ▪ transportador

Puedes escribir la medida de los ángulos que están en un círculo como una suma.

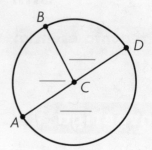

PASO 1 Usa un transportador para hallar la medida de cada ángulo.

_____

PASO 2 Rotula cada ángulo con su medida.

_____

PASO 3 Escribe la suma de las medidas de los ángulos como una ecuación.

$$\underline{} + \underline{} + \underline{} = \underline{}$$
parte + parte + parte = entero

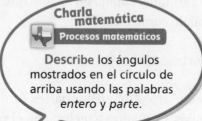

Charla matemática

Procesos matemáticos

Describe los ángulos mostrados en el círculo de arriba usando las palabras *entero* y *parte*.

Comparte y muestra

Suma para hallar la medida de un ángulo. Escribe una ecuación para anotar tu trabajo.

1.

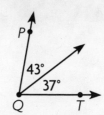

_____

m∠*PQT* = _____

2.

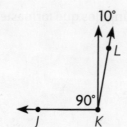

_____

m∠*JKL* = _____

3.

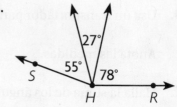

_____

m∠*RHS* = _____

Usa un transportador para hallar la medida de cada ángulo. Rotula cada ángulo con su medida. Escribe la suma de las medidas de los ángulos como una ecuación.

4.

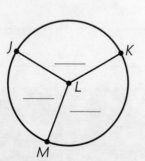

_____

5.

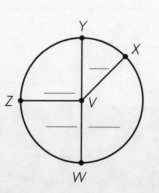

_____

506

? Soluciona el problema

6. **H.O.T.** **Múltiples pasos** Stefanie, Kay y Shane se comieron un pedazo de pizza cada una. La medida del ángulo de cada pedazo era de 45°. Cuando los pedazos estaban juntos, ¿cuál fue la medida del ángulo que formaron?

Ⓐ 90°   Ⓑ 135°   Ⓒ 180°   Ⓓ 225°

a. ¿Qué necesitas hallar? _____

_____

b. ¿Qué información necesitas usar? _____

_____

_____

c. **Justifica** Indica cómo puedes usar la suma para resolver el problema. _____

_____

_____

_____

d. Rellena el círculo para mostrar la respuesta correcta entre las anteriores.

---

7. **H.O.T.** **Múltiples pasos** Razona ∠DRQ es un ángulo llano. La m∠DRB es dos veces la m∠QRT. ¿Cuál es la m∠DRB?

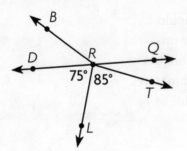

Ⓐ 40°   Ⓒ 160°

Ⓑ 150°   Ⓓ 220°

8. ¿Cuál de las siguientes ecuaciones puedes usar para hallar la m∠XZW?

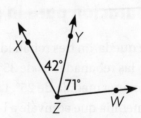

Ⓐ $71° - 42° = $ ■

Ⓑ $71° + 42° = $ ■

Ⓒ $71° \times 42° = $ ■

Ⓓ $180° - 113° = $ ■

Tarea diaria de evaluación

Rellena el círculo completamente para mostrar tu respuesta.

9. **Usa diagramas** Una tortuga marina forma ∠*ABC* al caminar. ¿Cuál es la medida del ángulo formado por el camino que recorrió la tortuga?

Ⓐ 51°

Ⓑ 12°

Ⓒ 90°

Ⓓ 89°

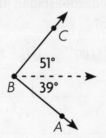

10. **Usa diagramas** ¿Cuál es la m∠*DEF*?

Ⓐ 90°

Ⓑ 73°

Ⓒ 105°

Ⓓ 98°

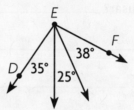

11. **Múltiples pasos** Mike usó un transportador para medir cada ángulo del siguiente círculo. ¿Cuál es la m∠*JLK*?

Ⓐ 360°

Ⓑ 130°

Ⓒ 230°

Ⓓ 120°

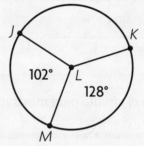

 ## Preparación para la prueba de **TEXAS**

12. A Larry le quedaron tres rebanadas de pan. La medida del ángulo de una de las rebanadas es de 35°. La segunda rebanada tiene un ángulo con una medida de 25°. La tercera rebanada tiene un ángulo con una medida que equivale a la mitad de las medidas combinadas de las otras dos rebanadas. ¿Cuál es la medida total del ángulo formado por las tres rebanadas?

Ⓐ 60°   Ⓒ 120°

Ⓑ 90°   Ⓓ 180°

Nombre _____

14.4 Unir y separar ángulos

Suma para hallar la medida de un ángulo. Escribe una ecuación para anotar tu trabajo.

1.

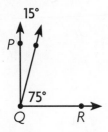

_____

m ∠PQR = _____

2.

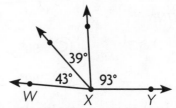

_____

m ∠WXY = _____

Usa un transportador para hallar la medida de cada ángulo. Rotula cada ángulo con su medida. Escribe la suma de las medidas de los ángulos como una ecuación.

3.

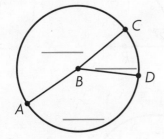

4.

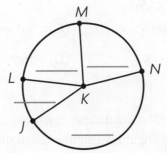

_____

_____

Resolución de problemas

5. Kenny dibujó y recortó un ángulo que medía 85°. Comenzando por el vértice, recortó el ángulo en dos ángulos. Uno de los nuevos ángulos mide 20°. ¿Cuánto mide el otro ángulo nuevo?

_____

6. Liam y Marcy se comieron un pedazo de pizza cada uno. La medida del ángulo del pedazo de Liam es de 40°. La medida del ángulo del pedazo de Marcy es 35°. Cuando los pedazos están juntos, ¿cuál es la medida del ángulo que forman?

_____

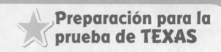
Rellena el círculo completamente para mostrar tu respuesta.

7. ¿Cuál de las siguientes ecuaciones puedes usar para hallar la m ∠*DEG*?

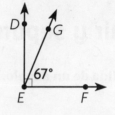

Ⓐ $67° + 90° = \blacksquare$

Ⓒ $180° - 90° = \blacksquare$

Ⓑ $67° \times 2 = \blacksquare$

Ⓓ $90° - 67° = \blacksquare$

8. ¿Cuál es la m ∠*KJN*?

Ⓐ 100°

Ⓒ 90°

Ⓑ 77°

Ⓓ 80°

9. Ángela cortó una tarta en tres partes iguales. ¿Cuál es la medida del ángulo de cada parte de la tarta?

Ⓐ 30°

Ⓑ 90°

Ⓒ 100°

Ⓓ 120°

10. ¿Cuál de las siguientes ecuaciones puedes usar para hallar la m ∠*PQR*?

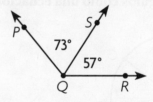

Ⓐ $73° - 57° = \blacksquare$

Ⓒ $73° + 57° = \blacksquare$

Ⓑ $130° + 90° = \blacksquare$

Ⓓ $180° - 130° = \blacksquare$

11. Múltiples pasos Melissa usó un transportador para hallar la medida de cada ángulo del siguiente círculo. ¿Cuál es la m ∠*WZY*?

Ⓐ 218°

Ⓑ 142°

Ⓒ 120°

Ⓓ 238°

12. Múltiples pasos El ángulo *BAE* es un ángulo llano. La m ∠*FAE* es la mitad de la m ∠*BAC*. ¿Cuál es la m ∠*FAE*?

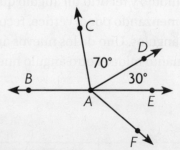

Ⓐ 40°

Ⓒ 100°

Ⓑ 80°

Ⓓ 30°

510

14.5 RESOLUCIÓN DE PROBLEMAS •
Medidas desconocidas de ángulos

TEKS Geometría y
medición: 4.7.E

PROCESOS MATEMÁTICOS
4.1.A, 4.1.B, 4.1.E

? Pregunta esencial

 ¿Cómo puedes usar la estrategia *hacer un diagrama* para resolver problemas de medición de ángulos?

🕵 Soluciona el problema (En el mundo)

El Sr. Trave está cortando un pedazo de la baldosa de la cocina como se muestra en la imagen de la derecha. Necesita baldosas con 45° para hacer un diseño. Después del corte, ¿cuál es la medida del ángulo de la parte que quedó? ¿Puede el Sr. Trave usar ambas piezas para su diseño?

Usa el siguiente organizador gráfico para resolver el problema.

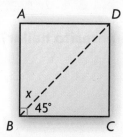

Lee

¿Qué necesito hallar?

Necesito hallar

_____

_____

¿Qué información se me ha dado?

Puedo usar las medidas de los ángulos que conozco.

_____

_____

Planea

¿Cuál es mi plan o estrategia?

Puedo dibujar un diagrama de tiras y usar la información para

_____

_____

Resuelve

Puedo hacer un diagrama de tiras para representar el problema. Luego puedo escribir una ecuación para resolver el problema.

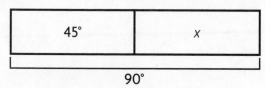

90°

$m\angle ABD + m\angle CBD = m\angle ABC$

$x +$ _____ $=$ _____

$x =$ _____

La $m\angle ABD =$ _____.

Ya que ambas baldosas miden _____, el Sr. Trave puede usar ambas piezas en el diseño.

Charla matemática
Procesos matemáticos

¿Qué otra ecuación puedes escribir para resolver el problema? Explica tu respuesta.

Haz otro problema

Marisol está haciendo el marco para una caja de arena, pero las tablas que tiene son demasiado cortas. Debe unir dos tablas para construir uno de los lados como se indica. ¿A qué ángulo cortó la primera tabla?

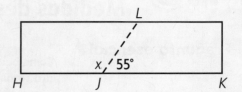

<table>
<tr><td colspan="2" align="center">**Lee**</td><td align="center">**Planea**</td></tr>
<tr><td>**¿Qué necesito hallar?**</td><td>**¿Qué información se me ha dado?**</td><td>**¿Cuál es mi plan o estrategia?**</td></tr>
</table>

Resuelve

• **Explica** cómo puedes comprobar la respuesta a un problema.

_____

_____

512

Comparte y muestra

1. Laura corta un cuadrado de papel como se muestra.
¿Cuál es la medida del ángulo de la pieza que queda?

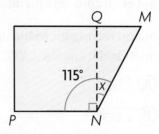

Primero, haz un diagrama de tiras para representar el problema.

Luego, escribe la ecuación que necesitas resolver.

_____

_____

Por último, halla la medida del ángulo de la pieza que queda.

La m∠MNQ = _____.

Entonces, la medida del ángulo de la pieza que queda es _____.

2. Aplica Jackie recortó una pieza rectangular de metal tal y
como se indica. ¿Cuál es la medida del ángulo desconocido
en la pieza que cortó?

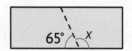

_____

Resolución de problemas En el mundo

3. **H.O.T.** ¿Y si en el Problema 1 Laura recortase un cuadrado
más pequeño tal y como se indica? ¿Sería la m∠MNQ diferente?
Explica tu respuesta.

_____

_____

4. **H.O.T.** **Múltiples pasos** El mapa muestra la ruta de reparto
de periódicos de Marco. Marco da vuelta a la derecha en la calle
Center desde la calle Main. ¿Qué es x, la medida del ángulo formado
por la calle Main y la calle Center?

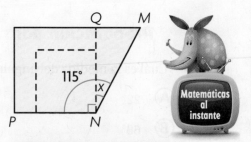

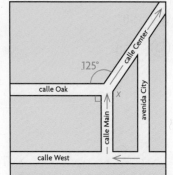

_____

Tarea diaria de evaluación

Rellena el círculo completamente para mostrar tu respuesta.

5. Austin recorta un triángulo de madera tal y como se indica. Se da la medida del ángulo $\angle XYZ$. ¿Cuál es la medida del ángulo de $\angle XYW$?

Ⓐ 180°

Ⓑ 125°

Ⓒ 45°

Ⓓ 135°

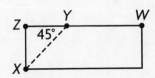

6. Shamika quiere cortar un triángulo de la pieza de tela que se muestra. ¿Cuál es x, la medida del ángulo de la pieza de tela que queda?

Ⓐ 90°

Ⓑ 22°

Ⓒ 112°

Ⓓ 68°

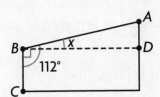

7. **Múltiples pasos** **Halla** Tres ángulos forman un ángulo llano. Un ángulo mide 90°. Otro ángulo mide 26°. ¿Cuál es la medida del tercer ángulo?

Ⓐ 90°   Ⓒ 64°

Ⓑ 26°   Ⓓ 154°

 Preparación para la prueba de TEXAS

8. ¿Cuál es la medida del ángulo desconocido de la figura?

Ⓐ 22°

Ⓑ 68°

Ⓒ 90°

Ⓓ 158°

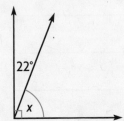

Tarea
y práctica

Nombre _____

14.5 RESOLUCIÓN DE PROBLEMAS • Medidas desconocidas de ángulos

Elige un método. Luego halla el producto.

1. Anna corta un cuadrado para hacer un parche. ¿Cuál es la medida del ángulo del pedazo que queda?

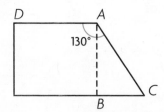

m ∠BAC = _____

2. Pablo cortó una baldosa en el ángulo que se muestra. ¿En qué ángulo se cortó la primera pieza?

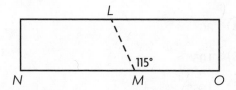

m ∠LMN = _____

3. Cassie está recortando letras de restos de papel rectangular. ¿Qué es x, la medida del ángulo del pedazo que recortó?

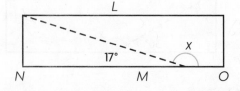

_____

4. Walter combinó dos piezas de baldosa para que cupieran en la esquina de su habitación. ¿Cuál es la medida del ángulo ∠ECD?

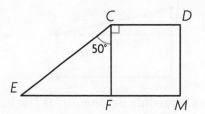

m ∠ECD = _____

Resolución de problemas

5. Janice cortó un pedazo cuadrado de un retazo de tela. ¿Cuál es la medida del ángulo ∠MKJ?

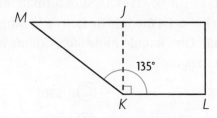

_____

6. Marcos cortó un pedazo rectangular de madera en el ángulo que se muestra. ¿Cuál es la medida de ∠SQP en el primer pedazo que cortó?

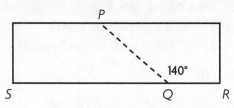

_____

Repaso de la lección

Rellena el círculo completamente para mostrar tu respuesta.

7. ¿Cuál es la medida del ángulo desconocido *ABD*? El ángulo *ABC* es un ángulo recto.

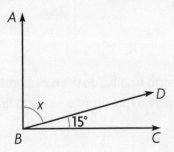

Ⓐ 80°

Ⓑ 105°

Ⓒ 165°

Ⓓ 75°

8. Carol cortó un triángulo de una baldosa rectangular para hacer un mosaico.

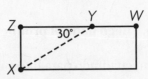

¿Cuál es la medida del ángulo *XYW* de la pieza que quedó?

Ⓐ 180°

Ⓑ 45°

Ⓒ 150°

Ⓓ 60°

9. Jason quiere poner una cerca en su jardín para que tenga la forma de un rectángulo.

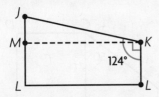

¿Cuál es la medida del ángulo *MKJ* de la porción del jardín que queda fuera de la cerca?

Ⓐ 34°

Ⓑ 146°

Ⓒ 56°

Ⓓ 90°

10. ¿Cuál es la medida del ángulo desconocido de la figura?

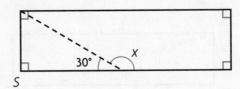

Ⓐ 90°

Ⓑ 150°

Ⓒ 60°

Ⓓ 180°

11. Múltiples pasos Dos ángulos forman un ángulo recto. La medida de uno de los ángulos es de 64°. ¿Cuánto mide el otro ángulo?

Ⓐ 116°　　Ⓒ 90°

Ⓑ 26°　　Ⓓ 36°

12. Múltiples pasos Tres ángulos forman un ángulo llano. La medida de uno de los ángulos es de 45°. Otro ángulo mide 50°. ¿Cuánto mide el tercer ángulo?

Ⓐ 85°　　Ⓒ 130°

Ⓑ 95°　　Ⓓ 100°

Evaluación del Módulo 14

Vocabulario

Elige el término correcto del recuadro.

1. La unidad que se usa para medir un ángulo se llama

   _____. (pág. 493)

2. El _____ es lo contrario
   de la dirección en la que se mueven las manecillas del reloj. (pág. 487)

3. Un _____ es una herramienta para medir
   el tamaño de un ángulo. (pág. 499)

Conceptos y destrezas

**Observa la parte sombreada del círculo. Indica qué fracción del círculo
representa el ángulo.** 🔸 TEKS 4.7.A

4.

5.

6.

_____   _____   _____

Indica la medida del ángulo en grados. 🔸 TEKS 4.7.A, 4.7.B

7.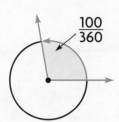

$\frac{100}{360}$

8.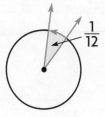

$\frac{1}{12}$

_____   _____

Usa un transportador para dibujar el ángulo. 🔸 TEKS 4.7.D

9. 75°

10. 127°

Rellena el círculo completamente para mostrar tu respuesta.

11. ¿Cuál es la medida del ángulo desconocido de la figura? 🔽 TEKS 4.7.E

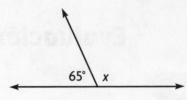

Ⓐ 25°

Ⓑ 115°

Ⓒ 125°

Ⓓ 180°

12. ¿Cuál de las siguientes ecuaciones puedes usar para hallar la m∠*WRT*? 🔽 TEKS 4.7.E

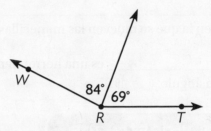

Ⓐ $84° + 69° = ▦$

Ⓑ $84° - 69° = ▦$

Ⓒ $84° \times 69° = ▦$

Ⓓ $180° - 153° = ▦$

13. ¿Cuál de las siguientes opciones describe mejor la m∠*CBT*? Usa un transportador para ayudarte. 🔽 TEKS 4.7.C

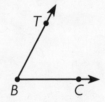

Ⓐ agudo; 30°   Ⓒ obtuso; 118°

Ⓑ agudo; 60°   Ⓓ obtuso; 80°

14. ¿Cuántos grados hay en un ángulo que corta $\frac{1}{360}$ de un círculo? 🔽 TEKS 4.7.A, 4.7.B

Ⓐ 0°

Ⓑ 90°

Ⓒ 1°

Ⓓ 45°

Nombre _____

15.1 Medidas de puntos de referencia

? Pregunta esencial

¿Cómo puedes usar los puntos de referencia para comprender los tamaños relativos de las unidades de medida?

🖐 Soluciona el problema En el mundo

Jake dice que la longitud de su bicicleta es aproximadamente cuatro yardas. Usa las unidades de referencia de abajo para determinar si la afirmación de Jake es razonable.

Unidades de longitud del sistema inglés (usual)

1 pulg	1 pie	1 yd	1 milla en
aproximadamente 1 pulgada	aproximadamente 1 pie	aproximadamente 1 yd	aproximadamente 20 minutos

Una **milla** es una unidad del sistema inglés (usual) para medir longitud o distancia. El punto de referencia muestra la distancia que puedes caminar en aproximadamente 20 minutos.

Un bate de béisbol mide aproximadamente una yarda de largo. Ya que la bicicleta de Jake es más corta que cuatro veces la longitud de un bate de béisbol, su bicicleta es más corta que cuatro yardas de largo.

Entonces, la afirmación de Jake _____ razonable.

La bicicleta de Jake es aproximadamente _____ de la longitud del bate de béisbol.

🔒 Ejemplo 1 Usa los puntos de referencia para las unidades del sistema inglés (usual).

Unidades de volumen de un líquido del sistema inglés (usual)

1 taza = 8 onzas fluidas	1 pinta	1 cuarto	medio galón	1 galón

- Aproximadamente, ¿cuánto líquido hay en un tazón de chocolate? _____

Unidades de peso del sistema inglés (usual)

aproximadamente 1 onza	aproximadamente 1 libra	aproximadamente 1 tonelada

Charla matemática
Procesos matemáticos

Ordena las unidades de peso de más pesado a más liviano. Usa puntos de referencia para **explicar** tu respuesta.

- Aproximadamente, ¿cuánto pesa una toronja? _____

Puntos de referencia para unidades métricas El sistema métrico está basado en el valor de posición. Cada unidad es 10 veces más grande que la siguiente unidad más pequeña. Algunos puntos de referencia comunes del sistema métrico se muestran abajo.

Ejemplo 2 Usa puntos de referencia para las unidades del sistema métrico.

Unidades de longitud del sistema métrico

| aproximadamente 1 milímetro | aproximadamente 1 centímetro | aproximadamente 1 decímetro | aproximadamente 1 metro | 1 kilómetro en aproximadamente 10 minutos |

Un **kilómetro** es una unidad del sistema métrico para medir longitud o distancia. El punto de referencia muestra la distancia que puedes caminar en aproximadamente 10 minutos.

• ¿Es la longitud de tu salón de clases mayor o menor que un kilómetro?

_____

Unidades de volumen de un líquido del sistema métrico	

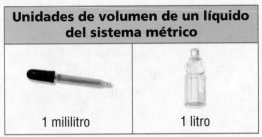

| 1 mililitro | 1 litro |

• Aproximadamente, ¿cuánto medicamento contiene una botella de medicina?

aproximadamente _____ mililitros

Unidades de masa del sistema métrico	

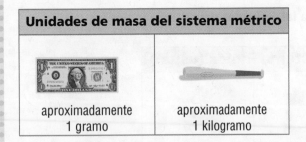

| aproximadamente 1 gramo | aproximadamente 1 kilogramo |

• Aproximadamente, ¿cuál es la masa de un clip?

_____

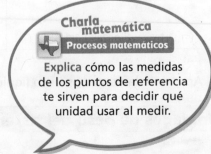

Charla matemática

Procesos matemáticos

Explica cómo las medidas de los puntos de referencia te sirven para decidir qué unidad usar al medir.

Nombre _____

Usa los puntos de referencia para elegir la unidad del
sistema inglés (usual) o la unidad del sistema métrico
que usarías para medir cada una.

Unidades del sistema métrico	Unidades del sistema inglés (usual)
centímetro	pulgada
metro	pie
kilómetro	yarda
gramo	onza
kilogramo	libra
mililitro	taza
litro	galón

1. longitud de una cancha de
   fútbol americano

2. longitud de un teléfono
   celular

_____   _____

Encierra en un círculo la mejor estimación.

3. ancho del escritorio del
   maestro

   10 metros o 1 metro

4. la cantidad de líquido que contiene
   un tanque de peces

   10 tazas o 10 galones

5. distancia entre Seattle y
   San Francisco

   6 millas o 680 millas

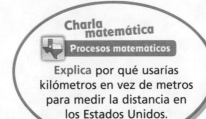

Charla matemática
Procesos matemáticos
Explica por qué usarías
kilómetros en vez de metros
para medir la distancia en
los Estados Unidos.

Resolución de problemas *En el mundo*

Resuelve. En los problemas 6 y 7, usa los puntos de referencia para explicar tu respuesta.

6. **H.O.T.** Aplica Cristina está
   preparando macarrones con queso
   para su familia. ¿Usaría Cristina
   1 libra de macarrones o 1 onza
   de macarrones?

Matemáticas al instante

7. **H.O.T.** **Escribe** ▶ Dalton usó
   puntos de referencia para estimar si había más
   tazas que cuartos en un galón. ¿Es razonable la
   estimación de Dalton? **Explica tu respuesta.**

_____

_____

_____

_____

_____

_____

Tarea diaria de evaluación

Rellena el círculo completamente para mostrar tu respuesta.

8. Un mini camaleón mide aproximadamente 1 pulgada de largo. Pasa la mayor parte del tiempo en el suelo oculto debajo de las hojas. ¿Cuál es la mejor estimación para la longitud de una hoja donde se ocultaría un mini camaleón?

Ⓐ 4 pulgadas

Ⓑ 4 onzas

Ⓒ 4 millas

Ⓓ 4 libras

9. La Sra. Parker pinta la biblioteca de la escuela. ¿Cuál es la mejor estimación para la cantidad de pintura que usa?

Ⓐ 18 metros

Ⓑ 18 milímetros

Ⓒ 18 litros

Ⓓ 18 mililitros

10. Roger lleva a su canario mascota al veterinario. ¿Cuál es la mejor estimación del peso del canario?

Ⓐ 20 libras

Ⓑ 20 onzas

Ⓒ 20 pies

Ⓓ 20 pulgadas

 Preparación para la prueba de TEXAS

11. ¿Cuál es la mejor estimación para una dosis de medicamento?

Ⓐ 2 mililitros

Ⓑ 2 litros

Ⓒ 2 milímetros

Ⓓ 2 metros

Tarea y práctica

Nombre _____

15.1 Medidas de puntos de referencia

Encierra con un círculo la mejor estimación.

1. ancho de un ratón de computadora
   2 pulgadas o 2 pies

2. peso de una bolsa de uvas
   3 onzas o 3 libras

3. altura de una señal de Alto
   3 metros o 3 kilómetros

4. masa de un ratón
   30 gramos o 30 kilogramos

Resolución de problemas

Resuelve. En los problemas 5 a 8, usa los puntos de referencia para explicar tu respuesta.

5. ¿Cuál es la mejor estimación de la altura de un aro de básquetbol: 10 pies o 10 yardas?

   _____

   _____

6. ¿Cuál es la mejor estimación de la masa de un reloj pulsera: 50 gramos o 50 kilogramos?

   _____

   _____

7. ¿Cuál es la mejor estimación de la cantidad de agua que contiene un globo: 1 litro o 1 mililitro?

   _____

   _____

8. ¿Cuál es la mejor estimación del peso de un casco de fútbol americano: 3 libras o 3 onzas?

   _____

   _____

9. Sandy usó puntos de referencia para estimar si había más pulgadas que pies en una yarda. ¿Es razonable la estimación de Sandy? **Explica tu respuesta.**

   _____

   _____

   _____

10. Josué cree que él monta su bicicleta aproximadamente unos 4 metros desde su casa a la escuela todos los días. ¿Es razonable la estimación de Josué? **Explica tu respuesta.**

    _____

    _____

    _____

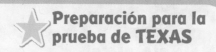
Rellena el círculo completamente para mostrar tu respuesta.

11. Victoria está construyendo una caja para sus CD. ¿Cuál es la mejor estimación para el ancho de un CD?

(A) 5 millas

(B) 5 pies

(C) 5 yardas

(D) 5 pulgadas

12. Darius está llenando una botella con agua para su excursión. ¿Cuál es la mejor estimación de la cantidad de agua que contiene la botella?

(A) 4 galones

(B) 4 tazas

(C) 4 libras

(D) 4 onzas

13. La escuela York tiene un nuevo juego para trepar y un nuevo conjunto de columpios en su patio de juego. ¿Cuál es la mejor estimación de la altura del nuevo juego para trepar?

(A) 3 kilogramos

(B) 3 metros

(C) 3 kilómetros

(D) 3 gramos

14. Anna está conduciendo desde Dallas hasta Austin. ¿Cuál es la mejor estimación de la distancia que conducirá?

(A) 320 kilogramos

(B) 320 metros

(C) 320 litros

(D) 320 kilómetros

15. **Múltiples pasos** Samuel quiere saber el peso de su hámster y su longitud. ¿Cuáles son las dos unidades que debería usar?

(A) onzas y pulgadas

(B) libras y pies

(C) libras y millas

(D) onzas y pies

16. **Múltiples pasos** Jordan quiere pesar a su perro y medir su altura. ¿Cuáles son las dos unidades que debería usar?

(A) libras y pulgadas

(B) onzas y yardas

(C) kilogramos y kilómetros

(D) gramos y milímetros

15.2 Unidades de longitud del sistema inglés (usual)

TEKS Geometría y medición: 4.8.A, 4.8.B
También 4.8.C
PROCESOS MATEMÁTICOS
4.1.F, 4.1.G

 Pregunta esencial

¿Cómo puedes convertir unidades de longitud en el sistema inglés (usual)?

Soluciona el problema

Tú puedes usar una regla para medir la longitud. Una regla que mide 1 pie de largo muestra 12 pulgadas en 1 pie. Una regla que mide 3 pies de largo se llama regla de 1 yarda. Hay 3 pies en 1 yarda.

¿De qué manera se compara un pie con el tamaño de una pulgada?

Actividad

Materiales ■ papel cuadriculado de 1 pulgada ■ tijeras ■ cinta adhesiva

PASO 1 Recorta el papel en fichas de 1 pulgada. Rotula cada ficha 1 pulgada.

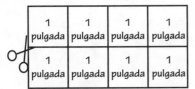

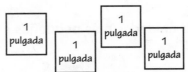

PASO 2 Coloca 12 fichas extremo con extremo para armar 1 pie. Usa la cinta adhesiva para unir las fichas.

1 pie

1 pulgada	1 pulgada	1 pulgada	1 pulgada	1 pulgada	1 pulgada	1 pulgada	1 pulgada	1 pulgada	1 pulgada	1 pulgada	1 pulgada

PASO 3 Compara el tamaño de 1 pie con el tamaño de 1 pulgada.

1 pie

1 pulgada	1 pulgada	1 pulgada	1 pulgada	1 pulgada	1 pulgada	1 pulgada	1 pulgada	1 pulgada	1 pulgada	1 pulgada	1 pulgada

1 pulgada

1 pulgada

Piensa: Necesitas 12 pulgadas para formar 1 pie.

Charla matemática

Procesos matemáticos

¿Cuántas pulgadas necesitarías para formar una yarda? Explica tu respuesta.

Entonces, 1 pie es _____ veces 1 pulgada.

🔒 Ejemplo 1 Convertir unidades más grandes en unidades más pequeñas.

Emma tiene 4 pies de hilo para hacer brazaletes. ¿Cuántas pulgadas de hilo tiene Emma?

Ya que 1 pie es 12 veces 1 pulgada, puedes escribir pies como pulgadas multiplicando el número de pies por 12.

Haz una tabla para relacionar pies y pulgadas.

Pies	Pulgadas
1	12
2	
3	
4	
5	

Piensa:

1 pie × 12 = 12 pulgadas

2 pies × 12 = _____

3 pies × _____ = _____

4 pies × _____ = _____

5 pies × _____ = _____

Entonces, Emma tiene _____ pulgadas de hilo.

🔒 Ejemplo 2 Convertir unidades más pequeñas en unidades más grandes.

Jason corrió 300 pies durante el recreo. ¿Cuántas yardas corrió Jason?

Haz una tabla para relacionar pies y pulgadas.

Pies	Yardas
120	
150	
210	
240	
300	

120 pies ÷ 3 =

150 pies ÷ 3 =

210 pies ÷ _____ = _____

240 pies ÷ _____ = _____

300 pies ÷ _____ = _____

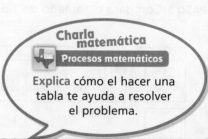

Charla matemática

Procesos matemáticos

Explica cómo el hacer una tabla te ayuda a resolver el problema.

Entonces, Jason corrió _____ yardas durante el recreo.

- ¿Y si Emma tuviera 5 pies de hilo? ¿Tendría hilo suficiente para hacer los brazaletes? **Explica tu respuesta.**

Nombre _____

1. Compara el tamaño de una yarda con el tamaño de un pie.
Usa el modelo como ayuda.

Unidades de longitud del sistema inglés (usual)
1 pie (ft) = 12 pulgadas (pulg) 1 yarda (yd) = 3 pies 1 yarda (yd) = 36 pulgadas

1 yarda

1 yarda es _____ veces _____ pie.

Completa.

 2. 2 pies = _____ pulgadas

3. 3 yardas = _____ pies

 4. 12 pies = _____ yardas

5. 7 yardas = _____ pies

6. 144 pulgadas = _____ pies

7. 72 pies = _____ yardas

Resolución de problemas · En el mundo

Si midieras la longitud de tu salón de clases en yardas y luego en pies, ¿cuál unidad tendría el mayor número de unidades? **Explica tu respuesta.**

8. **H.O.T.** **Múltiples pasos** Joanna tiene 3 yardas de tela. Necesita 100 pulgadas de tela para hacer cortinas. ¿Tiene suficiente tela para hacer cortinas? **Explica tu respuesta.** Haz una tabla como ayuda.

_____

_____

_____

Matemáticas al instante

Yardas	Pulgadas
1	
2	
3	

9. **H.O.T.** **Justifica** La habitación de Hannah mide 14 pies de ancho. Ella dice que su habitación tiene 160 pulgadas de ancho. ¿Está en lo correcto? **Explica tu respuesta.**

_____

_____

_____

_____

Escribe ▶ **Muestra tu trabajo**

Tarea diaria de evaluación

Procesos matemáticos
Representar • Razonar • Comunicar

Rellena el círculo completamente para mostrar tu respuesta.

10. Un carrete de hilo contiene 6 yardas de hilo. ¿Cuántos pies de hilo hay en el carrete?

Ⓐ 6 pies

Ⓑ 9 pies

Ⓒ 18 pies

Ⓓ 2 pies

Yardas	Pies
1	3
2	
3	
4	
5	
6	

11. ¿Cuál enunciado acerca de 8 yardas y 25 pies es verdadero?

Ⓐ 25 pies = 8 yardas

Ⓑ 25 pies < 8 yardas

Ⓒ 8 yardas > 25 pies

Ⓓ 8 yardas < 25 pies

12. **Múltiples pasos** Carla tiene 3 pies de cinta. Necesita 38 pulgadas de cinta para envolver un regalo. ¿Cuántas pulgadas más de cinta necesita Carla?

Ⓐ 2 pulgadas

Ⓑ 35 pulgadas

Ⓒ 29 pulgadas

Ⓓ 3 pulgadas

 Preparación para la prueba de TEXAS

13. Jim instala alfombrado en su sótano que mide 12 yardas de largo. ¿De cuántos pies es la longitud del sótano?

Ⓐ 4 pies

Ⓑ 15 pies

Ⓒ 36 pies

Ⓓ 432 pies

528

Nombre _____

15.2 Unidades de longitud del sistema inglés (usual)

Completa.

1. 3 pies = _____ pulgadas

Unidades de longitud del sistema inglés (usual)
1 pie (ft) = 12 pulgadas (pulg)
1 yarda (yd) = 3 pies
1 yarda (yd) = 36 pulgadas

2. 5 yardas = _____ pulgadas

3. 4 yardas = _____ pies

5. 9 pies = _____ yardas

4. 72 pulgadas = _____ yardas

6. 60 pulgadas = _____ pies

Resolución de problemas

7. Conor tiene un rollo de cerca que mide 25 pies de largo. Necesita 8 yardas de cerca para rodear el jardín. ¿Tiene cerca suficiente para rodear el jardín? **Explica tu respuesta.** Haz una tabla para ayudarte.

Yardas	Pies
1	
2	
3	
4	

_____

_____

8. Si midieras el ancho de una ventana en pulgadas y luego en pies, ¿qué medida tendría la mayor cantidad de unidades? **Explica tu respuesta.**

_____

_____

9. La casa de Gina mide 20 yardas de largo. Ella dice que la casa mide 720 pies de largo. ¿Está en lo correcto Gina? **Explica tu respuesta.**

_____

_____

Rellena el círculo completamente para mostrar tu respuesta.

10. ¿Cuál enunciado es verdadero?

Ⓐ 15 pies = 3 yardas

Ⓑ 15 yardas = 3 pies

Ⓒ 15 pies = 5 yardas

Ⓓ 15 yardas = 5 pies

11. El enunciado que escribió Evan para comparar 60 pulgadas y 6 pies es verdadero. ¿Cuál es el enunciado que escribió?

Ⓐ 60 pulgadas = 6 pies

Ⓑ 60 pulgadas > 6 pies

Ⓒ 6 pies < 60 pulgadas

Ⓓ 6 pies > 60 pulgadas

12. Helena tiene un cordón de 5 pies de largo. Quiere saber su longitud en pulgadas. ¿Cuántas pulgadas de largo tiene el cordón?

Ⓐ 60 pulgadas

Ⓑ 180 pulgadas

Ⓒ 15 pulgadas

Ⓓ 48 pulgadas

13. La entrada para el auto de Alex mide 27 yardas de largo por 10 yardas de ancho. ¿Cuántos pies de largo mide la entrada para el auto?

Ⓐ 9 pies

Ⓑ 81 pies

Ⓒ 972 pies

Ⓓ 324 pies

14. Múltiples pasos Un rollo de cinta adhesiva mide 50 yardas de largo. ¿Cuántos trozos de cinta de 2 pulgadas se pueden cortar de la cinta adhesiva?

Ⓐ 150

Ⓑ 9,000

Ⓒ 900

Ⓓ 300

15. Múltiples pasos Vicky tiene un rollo de cinta de 50 pulgadas. Usa 3 pies de cinta para envolver un regalo. ¿Cuántas pulgadas de cinta le quedan?

Ⓐ 4 pulgadas

Ⓑ 41 pulgadas

Ⓒ 14 pulgadas

Ⓓ 24 pulgadas

15.3 Unidades de peso del sistema inglés (usual)

TEKS Geometría y medición: 4.8.A, 4.8.B
También 4.8.C
PROCESOS MATEMÁTICOS
4.1.D, 4.1.F, 4.1.G

? Pregunta esencial

¿Cómo puedes convertir unidades de peso en el sistema inglés (usual)?

Soluciona el problema En el mundo

Las **onzas** y **libras** son unidades de peso del sistema inglés (usual).
¿Cómo se compara el tamaño de una libra con el tamaño de una onza?

🔑 Actividad

Materiales ■ lápices de colores

La recta numérica de abajo muestra la relación entre libras y onzas.

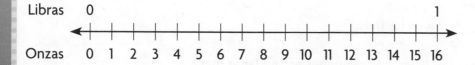

Libras   0   1

Onzas   0 1 2 3 4 5 6 7 8 9 10 11 12 13 14 15 16

PASO 1 Usa un lápiz de color para sombrear 1 libra en la recta numérica.
_____

PASO 2 Usa otro lápiz de color para sombrear 1 onza en la recta numérica.
_____

PASO 3 Compara el tamaño de 1 libra con el tamaño de 1 onza.

Necesitas _____ onzas para formar _____ libra.

Entonces, 1 libra es _____ veces más pesada que 1 onza.

▲ Puedes usar una balanza de resortes para medir peso.

Charla matemática
Procesos matemáticos
¿Cuál es mayor: 9 libras o 9 onzas? Explica tu respuesta.

• **Explica** de qué manera la recta numérica te ayuda a comparar los tamaños de las unidades.

_____

_____

_____

_____

🔑 Ejemplo 1 Convertir unidades grandes en unidades más pequeñas.

Nancy necesita 5 libras de harina para hornear tartas para un festival. ¿Cuántas onzas de harina necesita Nancy para hornear las tartas?

PASO 1 Haz una tabla que relacione libras y onzas.

Libras	Onzas
1	16
2	
3	
4	
5	

Piensa:

1 libra × 16 = 16 onzas

2 libras × 16 = _____

3 libras × _____ = _____

4 libras × _____ = _____

5 libras × _____ = _____

Entonces, Nancy necesita _____ onzas de harina.

🔑 Ejemplo 2 Convertir unidades más pequeñas en unidades más grandes.

Marcel compra 144 onzas de azúcar en el almacén. ¿Cuántas libras de azúcar compró Marcel?

Onzas	Libras
80	5
96	
112	
128	
144	

80 onzas ÷ 16 = 5 libras

96 onzas ÷ 16 = _____

112 onzas ÷ 16 = _____

128 onzas ÷ _____ = _____

144 onzas ÷ _____ = _____

Entonces, Marcel compró _____ libras de azúcar.

¡Inténtalo! Hay 2,000 libras en 1 **tonelada**.
Haz una tabla para relacionar toneladas y libras.

Toneladas	Libras
1	2,000
2	
3	

1 tonelada es _____ veces el peso de 1 libra.

532

Nombre _____

1. 4 toneladas = _____ libras

   Piensa: 4 toneladas × _____ = _____

Unidades de peso del sistema inglés (usual)
1 libra (lb) = 16 onzas (oz)
1 tonelada (t) = 2,000 libras

Completa.

2. 5 toneladas = _____ libras

3. 6 libras = _____ onzas

4. 48 onzas = _____ libras

5. 128 onzas = _____ libras

Resolución de problemas

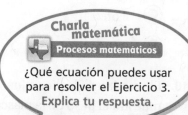

Charla matemática
Procesos matemáticos

¿Qué ecuación puedes usar para resolver el Ejercicio 3. Explica tu respuesta.

6. Una constructora de paisajismo ordenó 8 toneladas de gravilla. La gravilla se vende en bolsas de 50 libras. ¿Cuántas libras de gravilla ordenó la constructora?

_____

7. **H.O.T.** **Comunica** Podrías dibujar una recta numérica para mostrar la relación entre toneladas y libras, ¿cómo se vería? **Explica tu respuesta.**

_____

_____

_____

Matemáticas al instante

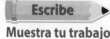

Escribe

Muestra tu trabajo

8. **H.O.T.** **Múltiples pasos** Ken compró 4 churrascos en la tienda. Un churrasco pesó 14 onzas, otro pesó 12 onzas, otro pesó 8 onzas y el último churrasco pesó 14 onzas. ¿Cuántas libras de churrasco compró Ken en la tienda? **Explica tu respuesta.**

_____

_____

_____

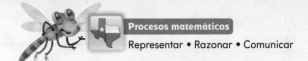

Procesos matemáticos
Representar • Razonar • Comunicar

Tarea diaria de evaluación

Rellena el círculo completamente para mostrar tu respuesta.

9. Jill necesita 4 libras de mantequilla de cacahuate para hacer emparedados de mantequilla de cacahuate y mermelada para una fiesta. Compra mantequilla de cacahuate en frascos. El peso de la mantequilla de cacahuate en frascos viene en onzas. ¿Cuántas onzas de mantequilla de cacahuate necesita Jill para hacer los emparedados?

(A) 4 onzas

(B) 16 onzas

(C) 8 onzas

(D) 64 onzas

10. El veterinario le dice a Juán que su mascota pesa 5 libras. La balanza muestra el peso de la mascota en onzas. ¿Qué peso muestra la balanza?

(A) 5 onzas   (C) 16 onzas

(B) 80 onzas   (D) 60 onzas

11. **Múltiples pasos** Un camión transporta 4 autos nuevos a la tienda. Cada auto pesa 2 toneladas. El peso límite del camión para pasar por puentes está dado en libras. ¿Cuál es el peso de los autos en libras?

(A) 16 libras   (C) 16,000 libras

(B) 8,000 libras   (D) 24,000 libras

 ## Preparación para la prueba de TEXAS

12. Mike anota cada semana el peso de su hermanita en libras y en onzas. Esta semana ella pesa 10 libras. ¿Cuántas onzas pesa?

(A) 160 onzas

(B) 10 onzas

(C) 20 onzas

(D) 16 onzas

534

Tarea y práctica

Nombre _____

15.3 Unidades de peso del sistema inglés (usual)

Completa.

1. 48 onzas = _____ libras

Unidades de peso del sistema inglés (usual)
1 libra (lb) = 16 onzas (oz)
1 tonelada (t) = 2,000 libras

2. 3 toneladas = _____ libras

3. 7 libras = _____ onzas

4. 10,000 libras = _____ toneladas

5. 7 toneladas = _____ libras

6. 96 onzas = _____ libras

7. 64 onzas = _____ libras

8. 8 libras = _____ onzas

Resolución de problemas

9. Nathan tiene un camión que puede transportar 2 toneladas. ¿Cuántas libras puede transportar el camión?

_____

10. Julia compró 40 bolsas de tierra vegetal. Cada bolsa pesa 50 libras. ¿Cuántas toneladas de tierra vegetal compró?

_____

11. Paul compró 3 paquetes de queso. Los paquetes pesaron 11 onzas, 13 onzas y 8 onzas. ¿Cuántas libras de queso compró Paul? **Explica tu respuesta.**

_____

_____

12. Carole necesita 4 libras de frutas secas para su barra de cereal. Tiene 26 onzas de nueces y 28 onzas de castañas. ¿Cuántas libras de cacahuate debería comprar para obtener 4 libras de frutas secas? **Explica tu respuesta.**

_____

_____

_____

Rellena el círculo completamente para mostrar tu respuesta.

13. ¿Cuántas onzas de papas hay en una bolsa de 20 libras?

- Ⓐ 40,000 onzas
- Ⓑ 3,200 onzas
- Ⓒ 320 onzas
- Ⓓ 2,000 onzas

14. Una constructora ordena 12 toneladas de piedrecillas. ¿Cuántas libras de piedrecillas ordenan?

- Ⓐ 6,000 libras
- Ⓑ 24,000 libras
- Ⓒ 192 libras
- Ⓓ 32,000 libras

15. En el mercado, un racimo de plátanos pesa 96 onzas. El precio por plátano se basa en el número de libras. ¿Cuántas libras pesa el racimo de plátanos?

- Ⓐ 6 libras
- Ⓑ 12 libras
- Ⓒ 1,536 libras
- Ⓓ 96 libras

16. ¿Cuál enunciado acerca de 36 onzas y 2 libras es verdadero?

- Ⓐ 36 onzas > 2 libras
- Ⓑ 2 libras = 36 onzas
- Ⓒ 36 onzas < 2 libras
- Ⓓ 2 libras > 36 onzas

17. Múltiples pasos Elizabeth tiene 4 frascos de aceitunas. Cada frasco contiene 12 onzas de aceitunas. ¿Cuántas libras de aceitunas tiene Elizabeth?

- Ⓐ 48 libras
- Ⓑ 4 libras
- Ⓒ 3 libras
- Ⓓ 12 libras

18. Múltiples pasos Kevin cosechó 10 libras de fresas. Quiere congelarlas en paquetes de 8 onzas. ¿Cuántos paquetes de 8 onzas puede empaquetar Kevin?

- Ⓐ 16
- Ⓑ 32
- Ⓒ 80
- Ⓓ 20

15.4 Unidades de volumen de un líquido del sistema inglés (usual)

TEKS Geometría y medición: 4.8.A, 4.8.B
También 4.8.C
PROCESOS MATEMÁTICOS
4.1.D, 4.1.F, 4.1.G

? Pregunta esencial

¿Cómo puedes convertir unidades de volumen de un líquido en el sistema inglés (usual)?

Soluciona el problema En el mundo

El **volumen de un líquido** es la medida del espacio que ocupa un líquido. Algunas de las medidas básicas para medir el volumen de un líquido son **galones**, **medios galones**, **cuartos**, **pintas** y **tazas**.

El modelo de barras de abajo muestra la relación entre algunas de las unidades de volumen de un líquido. Las unidades más grandes son galones. Las unidades más pequeñas son **onzas fluidas**.

1 taza = 8 onzas fluidas

1 pinta = 2 tazas

1 cuarto = 4 tazas

1 galón

1 galón															
medio galón								medio galón							
1 cuarto				1 cuarto				1 cuarto				1 cuarto			
1 pinta		1 pinta		1 pinta		1 pinta		1 pinta		1 pinta		1 pinta		1 pinta	
1 taza	1 taza	1 taza	1 taza	1 taza	1 taza	1 taza	1 taza	1 taza	1 taza	1 taza	1 taza	1 taza	1 taza	1 taza	1 taza
8 onzas fluidas	8 onzas fluidas	8 onzas fluidas	8 onzas fluidas	8 onzas fluidas	8 onzas fluidas	8 onzas fluidas	8 onzas fluidas	8 onzas fluidas	8 onzas fluidas	8 onzas fluidas	8 onzas fluidas	8 onzas fluidas	8 onzas fluidas	8 onzas fluidas	8 onzas fluidas

Ejemplo ¿Cómo se compara el tamaño de un galón con el tamaño de un cuarto?

PASO 1 Dibuja dos barras que representen esta relación. Una barra debería mostrar galones y la otra debería mostrar cuartos.

Charla matemática
Procesos matemáticos
Describe el patrón de las unidades de volumen de un líquido.

PASO 2 Sombrea 1 galón en una barra y sombrea 1 cuarto en la otra barra.

PASO 3 Compara el tamaño de 1 galón con el tamaño de 1 cuarto.

Entonces, 1 galón es _____ veces el tamaño de 1 cuarto.

🔑 Ejemplo 1 Convierte unidades grandes en unidades más pequeñas.

Serena está preparando 3 galones de limonada para vender con su amiga. Su amiga quiere saber cuántas onzas fluidas de limonada prepara Serena. ¿Cuántas onzas fluidas de limonada prepara Serena?

PASO 1 Usa el modelo de la página 537. Halla la relación entre galones y onzas fluidas.

1 galón = _____ tazas

1 taza = _____ onzas fluidas

1 galón = _____ tazas × _____ onzas fluidas

1 galón = _____ onzas fluidas

PASO 2 Haz una tabla para relacionar galones y onzas fluidas.

Galones	Onzas fluidas
1	128
2	
3	

Piensa:

1 galón = 128 onzas fluidas

2 galones × 128 = _____ onzas fluidas

3 galones × 128 = _____ onzas fluidas

Entonces, Serena prepara _____ onzas fluidas de limonada.

🔑 Ejemplo 2 Convierte unidades más pequeñas en unidades más grandes.

Allison necesita preparar 36 tazas de ponche de frutas para una fiesta. La receta que tiene usa cuartos en vez de tazas. ¿Cuántos cuartos de ponche de frutas necesita preparar Allison para la fiesta?

Tazas	Cuartos
16	4
24	
32	
36	

Piensa:

16 tazas ÷ 4 = 4 cuartos

24 tazas ÷ 4 = _____

32 tazas ÷ _____ = _____

36 tazas ÷ _____ = _____

Entonces, Allison prepara _____ cuartos de ponche de frutas.

Nombre _____

1. Compara el tamaño de un cuarto con el tamaño de una pinta. Usa un modelo como ayuda.

1 cuarto

_____	_____

Unidades de volumen de un líquido del sistema inglés (usual)
1 taza (tz) = 8 onzas fluidas (oz fl)
1 pinta (pt) = 2 tazas
1 cuarto (ct) = 2 pintas
1 cuarto (ct) = 4 tazas
1 galón (gal) = 4 cuartos
1 galón (gal) = 8 pintas
1 galón (gal) = 16 tazas

1 cuarto es _____ veces _____ pinta.

Completa.

2. 4 tazas = _____ pintas

3. 12 cuartos = _____ galones

4. 6 cuartos = _____ tazas

5. 20 tazas = _____ cuartos

6. 3 galones = _____ pintas

7. 16 pintas = _____ tazas

Charla matemática

Procesos matemáticos

Explica qué relación hay entre la tabla de conversión de arriba y el modelo del Ejercicio 1.

Resolución de problemas En el mundo

8. **H.O.T.** Usa representaciones **Múltiples pasos** Un equipo de fútbol tiene 25 jugadores. El termo del equipo contiene 4 galones de agua. Si el termo está lleno, ¿hay suficiente agua para que cada jugador reciba 2 tazas? **Explica tu respuesta.** Haz una tabla como ayuda.

Galones	Tazas
1	
2	
3	
4	

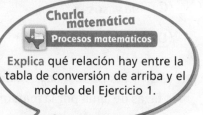

Matemáticas al instante

_____

_____

_____

9. **H.O.T.** Penélope bebió 64 onzas fluidas de agua todos los días durante 7 días. ¿Cuántas tazas de agua bebió durante esos 7 días? **Explica tu respuesta.**

_____

_____

_____

Tarea diaria de evaluación

Rellena el círculo completamente para mostrar tu respuesta.

10. Una planta de maíz consume aproximadamente 9 galones de agua al mes durante la temporada de crecimiento. ¿Cuántas pintas de agua consume una planta de maíz al mes?

    Ⓐ 144 pintas

    Ⓑ 36 pintas

    Ⓒ 72 pintas

    Ⓓ 18 pintas

11. Ken prepara 6 cuartos de jugo de frutas. Sirve el jugo en vasos que contienen 1 taza. ¿Cuántos vasos de jugo de frutas sirve Ken?

    Ⓐ 12 vasos

    Ⓑ 24 vasos

    Ⓒ 96 vasos

    Ⓓ 48 vasos

12. **Múltiples pasos** La jarra de Marty contiene 64 onzas de agua. Ella bebe 4 tazas de agua por la mañana y 2 tazas por la tarde. ¿Cuánta agua queda en su jarra?

    Ⓐ 40 onzas   Ⓒ 32 onzas

    Ⓑ 52 onzas   Ⓓ 16 onzas

 Preparación para la prueba de TEXAS

13. Una jarra contiene 5 cuartos de agua. ¿Cuántas tazas de agua contiene la jarra?

    Ⓐ 4 tazas

    Ⓑ 10 tazas

    Ⓒ 20 tazas

    Ⓓ 40 tazas

Tarea
y práctica

Nombre _____

15.4 Unidades de volumen de un líquido del sistema inglés (usual)

Completa.

1. 5 galones = _____ pintas

2. 20 tazas = _____ cuartos

3. 3 tazas = _____ onzas fluidas

4. 6 pintas = _____ cuartos

5. 16 cuartos = _____ galones

6. 40 onzas fluidas = _____ tazas

Unidades de volumen de un líquido del sistema inglés (usual)
1 taza (tz) = 8 onzas fluidas (oz fl)
1 pinta (pt) = 2 tazas
1 cuarto (ct) = 2 pintas
1 cuarto (ct) = 4 tazas
1 galón (gal) = 4 cuartos
1 galón (gal) = 8 pintas
1 galón (gal) = 16 tazas

Resolución de problemas

7. El tazón de Marina contiene 12 onzas fluidas de líquido. Ella bebe 6 tazones de líquido al día. ¿Cuántas tazas de líquido bebe? **Explica tu respuesta.** Haz una tabla para ayudarte.

_____

_____

_____

Tazas	Onzas fluidas
1	
2	
3	
4	

8. Joshua prepara 5 galones de sirope. ¿Cuántos frascos de 1 pinta necesita para guardar el sirope? **Explica tu respuesta.**

_____

_____

9. La etiqueta de una botella de jugo de manzana dice que contiene 128 onzas fluidas. ¿Cuántos cuartos de jugo hay en la botella? **Explica tu respuesta.**

_____

_____

Repaso de la lección

Rellena el círculo completamente para mostrar tu respuesta.

10. Michael tiene una cubeta que contiene 5 galones de agua. ¿Cuántos cuartos de agua contiene la cubeta?

(A) 40 cuartos

(B) 20 cuartos

(C) 10 cuartos

(D) 15 cuartos

11. Emily necesita 12 tazas de jugo de frutas para una receta de ponche. El jugo se vende en botellas de un cuarto. ¿Cuántas botellas de jugo debería comprar Emily?

(A) 6

(B) 4

(C) 2

(D) 3

12. **Múltiples pasos** El termo de Marsha contiene 3 pintas de té. Ella bebe 2 tazas de té en su descanso y 1 taza de té en el almuerzo. ¿Cuántas tazas de té quedan en su termo?

(A) 3 tazas

(B) 2 tazas

(C) 6 tazas

(D) 4 tazas

13. **Múltiples pasos** Cada grupo de panqueques que prepara Arlo necesita 2 tazas de leche. ¿Cuántos grupos de panqueques puede preparar Arlo con 2 cuartos de leche?

(A) 8

(B) 4

(C) 2

(D) 16

14. **Múltiples pasos** Antonia prepara 64 onzas fluidas de mermelada. ¿Cuántos frascos de 1 pinta puede llenar Antonia con mermelada?

(A) 6

(B) 2

(C) 4

(D) 8

15. **Múltiples pasos** Cada uno de los vasos de Pedro contiene 8 onzas fluidas. ¿Cuántos vasos de jugo puede llenar Pedro con una botella que contiene 2 cuartos?

(A) 8

(B) 4

(C) 16

(D) 12

15.5 Medidas mixtas

Pregunta esencial

¿Cómo puedes resolver problemas que incluyen medidas mixtas?

Soluciona el problema

Hernán está fabricando una mesa de pícnic para un nuevo campamento. La mesa de pícnic mide 5 pies 10 pulgadas de largo. ¿Cuánto mide de largo la mesa en pulgadas?

🔒 **Cambia a medida mixta.**

Piensa en 5 pies 10 pulgadas como 5 pies + 10 pulgadas.

Escribe los pies como pulgadas.

$$5 \text{ pies}$$
$$+ 10 \text{ pulgadas}$$

Piensa: 5 pies × 12 = 60 pulgadas ⟶

☐ pulgadas
+ ☐ pulgadas
_____
☐ pulgadas

- ¿Es la medida mixta mayor o menor que 6 pies?

_____

- ¿Cuántas pulgadas hay en 1 pie?

_____

Entonces, la mesa de pícnic mide _____ pulgadas de largo.

🔒 Ejemplo 1 Suma medidas mixtas.

Hernán construye una terraza en la parte posterior de su casa en 2 días. El primer día que trabajó hizo una terraza de 12 pies 6 pulgadas de ancho. El segundo día que trabajó hizo la terraza 8 pies 4 pulgadas más ancha. ¿De qué ancho es la terraza que construyó Hernán?

PASO 1 Suma las pulgadas.

$$12 \text{ pies } 6 \text{ pulg}$$
$$+ 8 \text{ pies } 4 \text{ pulg}$$
$$\rule{2cm}{0.4pt} \text{ pulg}$$

PASO 2 Suma los pies.

$$12 \text{ pies } 6 \text{ pulg}$$
$$+ 8 \text{ pies } 4 \text{ pulg}$$
$$\rule{2cm}{0.4pt} 10 \text{ pulg}$$

Charla matemática
Procesos matemáticos

¿En qué se parecen el sumar medidas mixtas y sumar decenas y unidades? ¿En qué se diferencian? Explica tu respuesta.

Entonces, la terraza que construyó Hernán mide _____ de ancho.

- ¿Y si Hernán agregara 2 pulgadas más al ancho de la terraza? ¿De qué ancho sería entonces la terraza? Explica tu respuesta.

_____

_____

🔑 Ejemplo 2 Resta medidas mixtas.

Alicia está construyendo una cerca alrededor del área de pícnic. Tiene un palo que mide 6 pies 6 pulgadas de largo. Recorta 1 pie 7 pulgadas de uno de los extremos. ¿Cuál es el largo del palo ahora?

PASO 1 Resta las pulgadas.

Piensa: 7 pulgadas es más grande que 6 pulgadas. Debes reagrupar para restar.

6 pies 6 pulg = 5 pies 6 pulg + 12 pulg

= 5 pies _____ pulg

$$
\begin{array}{r}
\overset{5}{\cancel{6}} \text{ pies } \overset{18}{\cancel{6}} \text{ pulg} \\
- \; 1 \text{ pie } \;\; 7 \text{ pulg} \\
\hline
\quad\quad\quad \text{ pulg}
\end{array}
$$

Para evitar errores

Asegúrate de comprobar que estás reagrupando de manera correcta. Hay 12 pulgadas en 1 pie.

PASO 2 Resta los pies.

$$
\begin{array}{r}
\overset{5}{\cancel{6}} \text{ pies } \overset{18}{\cancel{6}} \text{ pulg} \\
- \; 1 \text{ pie } \;\; 7 \text{ pulg} \\
\hline
\quad \text{ pies } 11 \text{ pulg}
\end{array}
$$

Entonces, el palo mide ahora _____ de largo.

¡Inténtalo! Resta.

3 libras 5 onzas − 1 libra 2 onzas

4 galones 7 tazas − 1 galón 12 tazas

Comparte y muestra MATH BOARD

1. Un camión transporta 2 toneladas 500 libras de acero. ¿Cuántas libras de acero está transportando el camión?

Piensa en 2 toneladas 500 libras como 2 toneladas + 500 libras. Escribe toneladas como libras.

$$
\begin{array}{l}
\text{2 toneladas} \\
+ \; \text{500 libras}
\end{array}
$$

Piensa: 2 toneladas × 2,000 = ⟶

_____ libras

$$
\begin{array}{r}
\quad\quad\quad \text{libras} \\
+ \quad\quad\quad \text{libras} \\
\hline
\quad\quad\quad \text{libras}
\end{array}
$$

Entonces, el camión está transportando _____ libras de acero.

544

Nombre _____

Vuelve a escribir cada medida en la unidad dada.

2. 1 yarda 2 pies

_____ pies

3. 3 pintas 1 taza

_____ tazas

4. 3 semanas 1 día

_____ días

Suma o resta.

5.   2 lb 4 oz
   + 1 lb 6 oz

6.   3 gal 4 ct
    − 1 gal 5 ct

7.   4 pies 6 pulg
    − 2 pies 8 pulg

Charla matemática

Procesos matemáticos

¿Cómo sabes que debes reagrupar para restar? Explica tu respuesta.

Resolución de problemas En el mundo

8. **H.O.T.** **Justifica** Jackson tiene una cuerda de 1 pie 8 pulgadas de largo. Corta la cuerda en 4 trozos iguales. ¿De cuántas pulgadas de largo es cada trozo?

_____

_____

_____

9. **H.O.T.** **¿Tiene sentido o no?** Sam y David resuelven el problema de la derecha de manera individual. Sam dice que la suma es 4 pies 18 pulgadas. David dice que la suma es 5 pies 6 pulgadas. ¿Cuál respuesta tiene sentido? ¿Cuál no tiene sentido? **Explica tu respuesta.**

    2 pies 10 pulg
  + 2 pies 8 pulg

_____

_____

10. **H.O.T.** **Múltiples pasos** Domingo tiene 5 piezas de cañerías. Cada pieza mide 3 pies 6 pulgadas de largo. Si Domingo une las piezas extremo con extremo para hacer una cañería larga, ¿de qué largo será la cañería? **Explica tu respuesta.**

_____

_____

_____

Tarea diaria de evaluación

Rellena el círculo completamente para mostrar tu respuesta.

11. El perro de Marc pesaba 21 libras 8 onzas. El perro bajó 1 libra 14 onzas. ¿Cuánto pesa el perro ahora?

   Ⓐ 20 libras 4 onzas

   Ⓑ 20 libras 10 onzas

   Ⓒ 19 libras 10 onzas

   Ⓓ 19 libras 4 onzas

12. Linda está confeccionando un disfraz. Necesita 3 pies 9 pulgadas de tela morada y 4 pies 7 pulgadas de tela anaranjada. ¿Cuánta tela más necesita Linda para confeccionar el disfraz?

   Ⓐ 8 pies 16 pulgadas

   Ⓑ 7 pies 4 pulgadas

   Ⓒ 8 pies 4 pulgadas

   Ⓓ 1 pie 4 pulgadas

13. **Múltiples pasos** Tara prepara batidos de naranja para una fiesta. Ella combina 2 galones 3 cuartos de leche con 1 galón 2 cuartos de jugo de naranja. Los invitados a la fiesta beben 2 galones 3 cuartos de batidos. ¿Cuánto batido de naranja queda?

   Ⓐ 4 galones 1 cuarto   Ⓒ 2 galones 2 cuartos

   Ⓑ 1 galón 2 cuartos   Ⓓ 1 galón 1 cuarto

 Preparación para la prueba de TEXAS

14. El gato de Maya pesaba 7 libras 2 onzas el año pasado. El gato subió 1 libra 8 onzas este año. ¿Cuánto pesa el gato de Maya ahora?

   Ⓐ 5 libras 10 onzas

   Ⓑ 8 libras 2 onzas

   Ⓒ 8 libras 10 onzas

   Ⓓ 9 libras

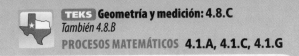
Tarea y práctica

Nombre _____

15.5 Medidas mixtas

Vuelve a escribir cada medida en la unidad dada.

1. 1 libra 8 onzas

_____ onzas

2. 3 pies 1 pulgada

_____ pulgadas

3. 2 galones 3 cuartos

_____ cuartos

Vuelve a escribir cada medida en la unidad dada.

4.   4 yd 2 pies
    + 1 yd 3 pies
    _____

5.   5 gal 1 ct
    − 2 gal 3 ct
    _____

6.   2 lb 10 oz
    + 3 lb 12 oz
    _____

Resolución de problemas

7. Clayton llenó 5 recipientes con agua. Cada recipiente contiene 2 galones y 2 cuartos. ¿Cuántos cuartos de agua tiene Clayton? **Explica tu respuesta.**

_____

_____

_____

8. Michael compró 2 libras 12 onzas de castañas y 3 libras 6 onzas de almendras. ¿Cuántas onzas de almendras más compró Michael? **Explica tu respuesta.**

_____

_____

_____

_____

Rellena el círculo completamente para mostrar tu respuesta.

9. Múltiples pasos Una serpiente mide 2 pies 4 pulgadas de largo. ¿Cuántas pulgadas de largo mide la serpiente?

Ⓐ 28 pulgadas

Ⓑ 76 pulgadas

Ⓒ 24 pulgadas

Ⓓ 42 pulgadas

10. Mike tiene una tabla que mide 38 pulgadas de largo. ¿Cuánto mide la tabla en pies y pulgadas?

Ⓐ 1 pie 11 pulgadas

Ⓑ 2 pies 8 pulgadas

Ⓒ 3 pies 1 pulgada

Ⓓ 3 pies 2 pulgadas

11. Múltiples pasos Debbie despachó 2 paquetes. Uno pesaba 2 libras 10 onzas. El otro paquete pesaba 4 libras 12 onzas. ¿Cuál es el peso total de los dos paquetes?

Ⓐ 88 onzas

Ⓑ 130 onzas

Ⓒ 94 onzas

Ⓓ 118 onzas

12. Múltiples pasos Ted mide 6 pies 4 pulgadas de alto. Lisa mide 5 pies 7 pulgadas de alto. ¿Cuánto más alto es Ted?

Ⓐ 7 pulgadas

Ⓑ 11 pulgadas

Ⓒ 9 pulgadas

Ⓓ 8 pulgadas

13. Múltiples pasos Charlie combinó 4 cuartos de agua gasificada con 2 galones 1 cuarto de jugo de manzana. ¿Cuál opción te dice la cantidad de bebida que hizo?

Ⓐ 9 cuartos

Ⓑ 7 cuartos

Ⓒ 13 cuartos

Ⓓ 21 cuartos

14. Múltiples pasos Cindy tiene 7 pies de estambre. Necesita 4 pulgadas para hacer un brazalete. ¿Cuántos brazaletes puede hacer con el estambre que tiene?

Ⓐ 18

Ⓑ 21

Ⓒ 27

Ⓓ 29

15.6 Unidades de longitud del sistema métrico

TEKS Geometría y medición: 4.8.A, 4.8.B
También 4.8.C
PROCESOS MATEMÁTICOS
4.1.C, 4.1.D, 4.1.F

? Pregunta esencial

¿Cómo puedes convertir unidades de longitud en el sistema métrico?

Investiga

Materiales ■ regla (metro) ■ tijeras ■ cinta adhesiva

Los metros (m), **decímetros** (dm), centímetros (cm) y **milímetros** (mm) son todas unidades de longitud del sistema métrico.

Construye una regla de 1 metro para mostrar de qué manera se relacionan estas unidades.

A. Recorta tiras de la regla de 1 metro.

B. Coloca las tiras extremo con extremo para formar 1 metro. Une las tiras con cinta adhesiva.

C. Observa tu tira de 1 metro. ¿Qué patrones notas en el tamaño de las unidades?

1 metro es _____ veces el largo de 1 decímetro.

1 decímetro es _____ veces el largo de 1 centímetro.

1 centímetro es _____ veces el largo de 1 milímetro.

Describe el patrón que observas.

_____

_____

Idea matemática

Si alineas 1,000 reglas de 1 metro extremo con extremo, la longitud de las reglas de 1 metro sería de 1 kilómetro.

H.O.T. **Aplica** ¿Qué operación usarías para hallar cuántos centímetros hay en 3 metros? **Explica tu respuesta.**

_____

_____

_____

Conecta

Puedes usar diferentes unidades métricas para describir la misma longitud métrica. Por ejemplo, puedes medir la longitud de un libro como 3 decímetros o como 30 centímetros. Ya que el sistema métrico está basado en el número 10, se pueden usar decimales o fracciones para describir longitudes métricas como unidades equivalentes.

Piensa en 1 metro como un entero. Usa tu regla de 1 metro para escribir unidades equivalentes como fracciones y decimales.

1 metro = 10 decímetros

Cada decímetro es

_____ ó _____ de un metro.

1 metro = 100 centímetros

Cada centímetro es

_____ ó _____ de un metro.

Completa la oración.

- Una longitud de 51 centímetros es _____ ó _____ de un metro.

- Una longitud de 8 decímetros es _____ ó _____ de un metro.

- Una longitud de 82 centímetros es _____ ó _____ de un metro.

Charla matemática

Procesos matemáticos

Explica cómo puedes ubicar y escribir decímetros y centímetros como partes de un metro en una regla de 1 metro.

Comparte y muestra

MATH BOARD

Completa.

Unidades de longitud del sistema métrico
1 centímetro (cm) = 10 milímetros (mm)
1 decímetro (dm) = 10 centímetros
1 metro (m) = 10 decímetros
1 metro (m) = 100 centímetros
1 metro (m) = 1,000 milímetros

1. 2 metros = _____ centímetros

2. 3 centímetros = _____ milímetros

3. 5 decímetros = _____ centímetros

Describe la longitud en metros. Escribe tu respuesta como fracción y como decimal.

4. 65 centímetros = _____ ó _____ metros

5. 47 centímetros = _____ ó _____ metros

6. 9 decímetros = _____ ó _____ metros

7. 2 decímetros = _____ ó _____ metros

550

Nombre _____

Matemáticas al instante

8. **H.O.T.** **¿Cuál es el error?** El escritorio de Julianne mide 75 centímetros de largo. Ella dice que su escritorio mide 7.5 metros de largo. **Describe** el error.

_____

_____

9. **H.O.T.** **¿Cuál es el error?** **Múltiples pasos** Alexis está tejiendo una manta de 2 metros de largo. Cada 2 decímetros, cambia de color de estambre para hacer franjas. ¿Cuántas franjas tendrá la manta? **Explica tu respuesta.**

_____

_____

_____

Árbol de pacana

Medidas promedio	
Longitud de la nuez	3 cm a 5 cm
Altura	21 m a 30 m
Ancho del tronco	10 dm
Ancho de la hoja	10 cm a 20 cm

H.O.T. **Plantea un problema**

10. **Múltiples pasos** Aruna estaba escribiendo un informe sobre el árbol de pacana. Hizo la tabla de información de la derecha.

   Escribe un problema que puedas resolver usando los datos.

Plantea un problema.

Resuelve el problema.

- **Describe** cómo podrías cambiar el problema modificando una unidad del problema. Luego, resuelve el problema.

_____

Tarea diaria de evaluación

Rellena el círculo completamente para mostrar tu respuesta.

11. ¿Qué parte de un centímetro es la longitud de un milímetro?

(A) $\frac{1}{10}$

(B) $\frac{1}{1,000}$

(C) $\frac{1}{100}$

(D) $\frac{1}{10,000}$

12. Alejandro compra un carrete de hilo que contiene 40 metros de hilo. ¿Cuántos decímetros de hilo hay en el carrete?

(A) 4,000 decímetros

(B) 4 decímetros

(C) 40,000 decímetros

(D) 400 decímetros

13. **Múltiples pasos** Milly planta flores en una hilera a lo largo del borde de su jardín. El borde mide 4 metros de largo. Ella planta una flor en uno de los extremos y luego planta una flor cada 10 centímetros. ¿Cuántas flores planta Milly?

(A) 9

(C) 4

(B) 41

(D) 40

Preparación para la prueba de TEXAS

14. Lucile corre la carrera de 50 metros planos en la competencia de atletismo. ¿De cuántos milímetros de largo es la carrera?

(A) 500 milímetros

(B) 50,000 milímetros

(C) 5,000 milímetros

(D) 500,000 milímetros

Tarea y práctica

Nombre _____

15.6 Unidades de longitud del sistema métrico

Completa.

1. 3 metros = _____ centímetros

2. 4 centímetros = _____ milímetros

3. 2 decímetros = _____ centímetros

4. 5 metros = _____ decímetros

5. 600 centímetros = _____ metros

Unidades de longitud del sistema métrico
1 centímetro (cm) = 10 milímetros (mm)
1 decímetro (dm) = 10 centímetros
1 metro (m) = 10 decímetros
1 metro (m) = 100 centímetros
1 metro (m) = 1,000 milímetros

Describe la longitud en metros. Escribe tu respuesta como fracción y como decimal.

6. 38 centímetros = _____ ó _____ metros

7. 91 centímetros = _____ ó _____ metros

Resolución de problemas

8. La revista que está leyendo Bárbara mide 25 centímetros de largo. Ella dice que eso es 0.25 decímetros de largo. ¿Está en lo correcto? **Explica tu respuesta.**

   _____

9. Will está construyendo una cerca que mide 3 metros de largo. Está usando tablones que miden 2 decímetros de ancho. ¿Cuántos tablones necesita? **Explica tu respuesta.**

   _____

10. Susan está recortando cuadrados para hacer una colcha. Cada cuadrado mide 20 centímetros por lado. ¿Cuántos cuadrados de 20 centímetros puede hacer con una tira de 20 centímetros de ancho por 5 metros de largo? **Explica tu respuesta.**

    _____

    _____

Rellena el círculo completamente para mostrar tu respuesta.

11. ¿Qué fracción de un metro es 1 centímetro?

- (A) $\dfrac{1}{1,000}$
- (B) $\dfrac{1}{10}$
- (C) $\dfrac{1}{10,000}$
- (D) $\dfrac{1}{100}$

12. Un sello de la colección de Sam mide 3 centímetros de ancho. ¿Cuántos milímetros de ancho mide el sello?

- (A) 0.3
- (B) 30
- (C) 3,000
- (D) 300

13. El perro de Pedro mide 58 centímetros de alto. ¿Cuál es la altura del perro en metros?

- (A) 5.8 metros
- (B) 0.58 metros
- (C) 50.8 metros
- (D) 580 metros

14. Un gusano mide 130 milímetros de largo. ¿Cuántos centímetros de largo mide el gusano?

- (A) 13
- (B) 13,000
- (C) 130
- (D) 0.13

15. **Múltiples pasos** ¿Cuántas piezas de 50 centímetros de cinta puede Casey recortar de un rollo de cinta de 60 metros de largo?

- (A) 120
- (B) 12
- (C) 300
- (D) 30

16. **Múltiples pasos** Una vereda mide 40 metros de largo. Cada sección de la vereda mide 8 decímetros de largo. ¿Cuántas secciones de vereda hay?

- (A) 5
- (B) 500
- (C) 50
- (D) 0.5

15.7 Medidas de masa y de volumen de un líquido del sistema métrico

TEKS Geometría y medición: 4.8.B, 4.8.C
También 4.8.A
PROCESOS MATEMÁTICOS
4.1.A, 4.1.D, 4.1.F

? Pregunta esencial | ¿Cómo puedes convertir unidades de masa y de volumen de un líquido en el sistema métrico?

Soluciona el problema

La masa es la cantidad de materia de un objeto. Las unidades métricas de masa incluyen kilogramos (kg) y gramos (g).
Las unidades métricas de volumen de un líquido son litros (L) y **mililitros** (ml).

Las tablas muestran la relación entre estas unidades.

Unidades de masa del sistema métrico
1 kilogramo (kg) = 1,000 gramos (g)

Unidades de volumen de un líquido del sistema métrico
1 litro (L) = 1,000 mililitros (ml)

🔒 Ejemplo 1 Convierte unidades grandes en unidades pequeñas.

Becky plantó un jardín lleno de acianos de Texas. Ella usó 9 kilogramos de tierra. ¿Cuántos gramos de tierra es eso?

número de kilogramos		gramos en 1 kilogramo		total de gramos
9	×	1,000	=	_____

Entonces, Becky usó _____ gramos de tierra para plantar sus acianos.

- ¿Son los kilogramos más grandes o más pequeños que los gramos?

    _____

- ¿Será mayor o menor el número de gramos que el número de kilogramos?

    _____

- ¿Qué operación usarás para resolver el problema?

    _____

🔒 Ejemplo 2 Convierte unidades más pequeñas en unidades más grandes.

Becky usó 5,000 mililitros de agua para regar los acianos de Texas de su jardín. ¿Cuántos litros es eso?

número de mililitros		mililitros en 1 litro		total de litros
5,000	÷	1,000	=	_____

Entonces, Becky usó _____ litros de agua.

Charla matemática
Procesos matemáticos

Compara el tamaño de un kilogramo con el tamaño de un gramo. Luego, compara el tamaño de un litro con el tamaño de un mililitro.

1. Hay 3 litros de agua en una jarra. ¿Cuántos mililitros de agua hay en la jarra?

   Hay _____ mililitros en 1 litro. Ya que puedo convertir de una

   unidad más grande a una unidad más pequeña, puedo _____
   3 por 1,000 para hallar el número de mililitros en 3 litros.

   Entonces, hay _____ mililitros de agua en la jarra.

Completa.

2. 4 litros = _____ mililitros

3. 6 kilogramos = _____ gramos

4. 8,000 gramos = _____ kilogramos

5. 7 litros = _____ mililitros

Charla matemática

Procesos matemáticos

Explica cómo hallaste el número de gramos en 6 kilogramos en el Ejercicio 3.

Resolución de problemas · En el mundo

6. Frank quiere llenar una pecera con 8 litros de agua. ¿Cuántos mililitros es eso?

   _____

7. Kim tiene 3 botellas de agua. Llena cada botella con 1,000 mililitros de agua. ¿Cuántos litros de agua tiene?

   _____

8. **H.O.T.** **Múltiples pasos** Una bolsa de *granola* de 500 gramos cuesta $4 y una bolsa de *granola* de 2 kilos cuesta $15. ¿Cuál es la forma más económica de comprar 2,000 gramos de granola? **Explica tu respuesta.**

   _____

   _____

   _____

9. **¿Tiene sentido o no?** La manzana más grande del mundo tenía una masa de 1,849 gramos. Sue dice que la masa era más de 2 kilogramos. ¿Tiene sentido la afirmación de Sue? **Explica tu respuesta.**

_____

_____

_____

_____

Soluciona el problema En el mundo

10. **H.O.T.** **Aplica Múltiples pasos** Lori compró 600 gramos de pimienta roja y 2 kilogramos de pimienta negra. ¿Cuántos gramos de pimienta compró?

Matemáticas al instante

a. ¿Qué me piden que halle?

_____

b. ¿Qué información usaré?

_____

c. Explica cómo resolverías el problema.

_____

_____

_____

d. Muestra cómo resolviste el problema.

_____

_____

_____

_____

e. Completa las oraciones.

Lori compró _____ gramos de pimienta roja.

Ella compró _____ gramos de pimienta negra.

_____ + _____ = _____ gramos

Entonces, Lori compró _____ gramos de pimienta en total.

Tarea diaria de evaluación

Rellena el círculo completamente para mostrar tu respuesta.

11. La perla natural más grande del mundo tiene una masa de aproximadamente 6,000 gramos. ¿Cuál es la masa de la perla en kilogramos?

(A) 600 kilogramos

(B) 6 kilogramos

(C) 60,000 kilogramos

(D) 60 kilogramos

12. Jenn puso 10 litros de agua en su acuario. ¿Cuántos mililitros de agua puso en el acuario?

(A) 100,000 mililitros

(B) 1,000 mililitros

(C) 100 mililitros

(D) 10,000 mililitros

13. **Múltiples pasos** Terry compra 3 kilogramos de cacahuates para un juego de béisbol. Pone los cacahuates en bolsas de 200 gramos cada una. ¿Cuántas bolsas de cacahuates tiene?

(A) 3,000 bolsas   (C) 15 bolsas

(B) 150 bolsas   (D) 50 bolsas

Preparación para la prueba de TEXAS

14. Caroline compró una bolsa de cebollas rotulada 5 kilogramos. Necesita saber cuántos gramos es eso para una receta. ¿Cuántos gramos hay en 5 kilogramos?

(A) 5,000 gramos

(B) 50 gramos

(C) 50,000 gramos

(D) 500 gramos

Tarea y práctica

Nombre _____

15.7 Medidas de masa y de volumen de un líquido del sistema métrico

Completa.

1. 5,000 gramos = _____ kilogramos

2. 3 litros = _____ mililitros

3. 9 kilogramos = _____ gramos

4. 6,000 mililitros = _____ litros

Medidas de masa del sistema métrico
1 kilogramo (kg) = 1,000 gramos (g)

Medidas de volumen de un líquido del sistema métrico
1 litro (L) = 1,000 mililitros (ml)

Resolución de problemas

5. Una cubeta contiene 10 litros de agua. ¿Cuántos mililitros de agua contiene?

_____

6. El gato de Jessie tiene una masa de 5 kilogramos. ¿Cuántos gramos es eso?

_____

7. Austin compró 2,500 gramos de manzanas rojas y 3,500 gramos de manzanas verdes. ¿Cuántos kilogramos de manzanas compró Austin?

_____

8. Kendal tiene una botella de 5 litros de jugo de naranja y una botella de 3 litros de jugo de toronja. ¿Cuántos mililitros más de jugo de toronja tiene?

_____

9. La mochila de Kent tiene una masa de 6 kilogramos. La mochila de Brent tiene una masa de 8 kilogramos. ¿Cuántos gramos más pesada es la mochila de Brent?

_____

10. Una botella puede contener 2 litros de agua. La botella tiene 500 mililitros de agua ¿Cuántos mililitros más puede contener la botella?

_____

11. La cantidad máxima que puede soportar un gancho para cuadros es de 5 kilogramos. ¿Puede Jamie colgar un cuadro con una masa de 4,600 gramos? **Explica tu respuesta**.

_____

_____

Repaso de la lección

Preparación para la prueba de TEXAS

Rellena el círculo completamente para mostrar tu respuesta.

12. Una ponchera contiene 16 litros. ¿Cuántos mililitros contiene la ponchera?

Ⓐ 1,600 mililitros

Ⓑ 160 mililitros

Ⓒ 16,000 mililitros

Ⓓ 160,000 mililitros

13. Tomás compró un trozo de queso rotulado 4 kilogramos. Quiere cortar el queso en trozos que pesen 200 gramos. ¿Cuántos trozos de queso puede cortar Tomás?

Ⓐ 20

Ⓑ 80

Ⓒ 8

Ⓓ 200

14. Alison compró un calabacín de 3 kilogramos y un calabacín de 2 kilogramos. ¿Cuántos gramos de calabacín compró Alison en total?

Ⓐ 50,000 gramos

Ⓑ 500 gramos

Ⓒ 50 gramos

Ⓓ 5,000 gramos

15. ¿Cuántas porciones de alimento para plantas de 25 mililitros puede obtener Tito de una botella de alimento para plantas de 1 litro?

Ⓐ 40

Ⓑ 4

Ⓒ 400

Ⓓ 4,000

16. **Múltiples pasos** María tiene un botella de 2 litros de jugo. Sirve dos vasos de 300 mililitros de jugo. ¿Cuánto jugo le queda en la botella?

Ⓐ 1,940 mililitros

Ⓑ 1,400 mililitros

Ⓒ 800 mililitros

Ⓓ 1,700 mililitros

17. **Múltiples pasos** Hannah compra una bolsa de peras con una masa de 5 kilogramos. Usa 1,600 gramos de peras en una receta. ¿Cuál es la masa de las peras que le quedan a ella?

Ⓐ 3,400 gramos

Ⓑ 34 kilogramos

Ⓒ 3,400 kilogramos

Ⓓ 340 gramos

Nombre _____

 # Evaluación del Módulo 15

Elige el término correcto del recuadro.

Vocabulario
libra
mililitro
milímetro
pinta
yarda

1. Una _____ es una medida del sistema inglés (usual) que se usa para medir peso. (pág. 531)

2. Una taza y una _____ son medidas del sistema inglés (usual) para medir el volumen de un líquido. (pág. 537)

3. Un _____ es una unidad métrica para medir longitud o distancia. (pág. 549)

4. Un _____ es una unidad métrica para medir el volumen de un líquido. (pág. 555)

Conceptos y destrezas

Encierra en un círculo la mejor estimación. ➥ TEKS 4.8.A

5. peso del autobús escolar 11 toneladas o 1 tonelada

6. distancia entre El Paso y Fort Worth 60 millas o 605 millas

7. altura de tu escritorio 1 metro o 3 metros

8. la cantidad de líquido de una taza de café 800 onzas fluidas u 8 onzas fluidas

Completa la oración. Escribe *más* o *menos*. ➥ TEKS 4.8.A

9. Un gato pesa _____ que una onza.

10. Un zapato de Serena mide _____ que una yarda de largo.

Completa. ➥ TEKS 4.8.A, 4.8.B, 4.8.C

11. 5 pies = _____ pulgadas

12. 4 toneladas = _____ libras

13. 4 tazas = _____ pintas

14. 4,000 libras = _____ toneladas

15. 2 cuartos = _____ tazas

16. 36 pulgadas = _____ pies

17. 3 metros = _____ decímetros

18. 40 centímetros = _____ decímetros

19. 7 kilogramos = _____ gramos

Suma o resta. ➥ TEKS 4.8.B, 4.8.C

20.   8 pies 4 pulg
  − 3 pies 11 pulg

21.   7 tz 4 oz fl
  + 4 tz 3 oz fl

22.   9 yd 1 pie
  − 5 yd 2 pies

23. Una jarra contiene 8 cuartos de agua. ¿Cuántos galones de agua contiene la jarra? TEKS 4.8.B

  Ⓐ 4 galones

  Ⓑ 2 galones

  Ⓒ 3 galones

  Ⓓ 1 galón

24. Serena compró 4 libras de masa para hacer pizza. La receta da la cantidad de masa que se necesita para una pizza en onzas. ¿Cuántas onzas de masa compró? TEKS 4.8.B

  Ⓐ 8 onzas

  Ⓑ 96 onzas

  Ⓒ 64 onzas

  Ⓓ 16 onzas

25. Kainoa compró un bloque de plastilina rotulado 2 kilogramos. Necesita separar la plastilina en pelotas con medidas en gramos. ¿Cuántos gramos tiene? TEKS 4.8.B

  Ⓐ 20,000 gramos

  Ⓑ 200 gramos

  Ⓒ 2,000 gramos

  Ⓓ 20 gramos

26. Lewis llena su termo con 2 litros de agua. Garret llena su termo con 1 litro de agua. ¿Cuántos mililitros más de agua tiene Lewis que Garret? TEKS 4.8.B, 4.8.C

  Ⓐ 1 mililitro más

  Ⓑ 2,000 mililitros más

  Ⓒ 1,000 mililitros más

  Ⓓ 100 mililitros más

16.1 Unidades de tiempo

TEKS Geometría y
medición: 4.8.C
También 4.8.B
PROCESOS MATEMÁTICOS
4.1.A, 4.1.C

? Pregunta esencial

¿Cómo puedes usar modelos para comparar unidades de tiempo?

Soluciona el problema

El reloj analógico de abajo tiene un horario, un minutero y un **segundero** para medir el tiempo. La hora es 4:30:12.

Lee

Lee 4:30:12 como 4:30
12 segundos, o 30 minutos
12 segundos después de las 4.

• ¿Hay más minutos o segundos en una hora?
_____

Hay 60 segundos en un minuto y 60 minutos en una hora. Los relojes de abajo muestran la longitud de un segundo, de un minuto y de una hora.

Hora inicial: 3:00:00

1 segundo transcurrido

La hora es ahora 3:00:01.

1 minuto o 60 segundos transcurridos; el segundero ha recorrido una vuelta completa en el sentido de las manecillas del reloj.

Ahora la hora es 3:01:00.

1 hora o 60 minutos transcurridos; el minutero ha recorrido una vuelta completa en el sentido de las manecillas del reloj.

Ahora la hora es 4:00:00.

Ejemplo 1 ¿Cómo se compara el tamaño de una hora con el tamaño de un segundo?

Hay _____ minutos en una hora.

Hay _____ segundos en un minuto.

60 minutos × _____ = _____ segundos

Hay _____ segundos en una hora.

Entonces, 1 hora es _____ veces la duración de 1 segundo.

Piensa: Multiplica el número de minutos en una hora por el número de segundos en un minuto.

Charla matemática

Procesos matemáticos

¿Cuántas vueltas completas en el sentido de las manecillas del reloj da un minutero en 3 horas? Explica tu respuesta.

🔑 Ejemplo 2 Compara las medidas.

Materiales ■ lápices de colores

La recta numérica de abajo muestra la relación entre días y semanas.

PASO 1 Usa un lápiz de color para sombrear 1 semana en la recta numérica.

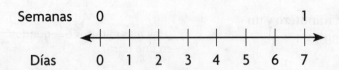

Semanas   0   1

Días   0   1   2   3   4   5   6   7

_____

PASO 2 Usa otro lápiz de color para sombrear 1 día en la recta numérica.

_____

PASO 3 Compara el tamaño de 1 semana con el tamaño de 1 día.

Hay _____ días en _____ semana.

Entonces, 1 semana es _____ veces la duración de 1 día.

Comparte y muestra

MATH BOARD

1. Compara la duración de un año con la duración de un mes. Usa el modelo para ayudarte.

Años   0   1

Meses   0   1   2   3   4   5   6   7   8   9   10   11   12

1 año es _____ veces la duración de _____ mes.

Unidades de tiempo

1 minuto (min) = 60 segundos (s)
1 hora (hr) = 60 minutos
1 día (d) = 24 horas
1 semana = 7 días
1 año = 12 meses
1 año = 52 semanas

Charla matemática

Procesos matemáticos

Explica cómo la recta numérica te ayudó a comparar la duración de un año con la duración de un mes.

Completa.

✓ **2.** 2 minutos = _____ segundos

✓ **3.** 4 años = _____ meses

Álgebra Compara usando <, > o =.

4. 3 años ◯ 35 meses

5. 2 días ◯ 40 horas

564

Nombre _____

6. Damién ha vivido en un edificio de departamentos durante 5 años. Ken ha vivido allí durante 250 semanas. ¿Quién ha vivido en el edificio por más tiempo? **Explica tu respuesta.** Haz una tabla para ayudarte.

Años	Semanas
1	
2	
3	
4	
5	

_____

_____

_____

7. **H.O.T.** **Múltiples pasos** ¿Cuántas horas hay en una semana? **Explica tu respuesta.**

Matemáticas al instante

_____

_____

8. **Escribe** ▶ **Explica** cómo sabes que 9 minutos es menos que 600 segundos.

_____

_____

9. **H.O.T.** **Aplica** La práctica del fútbol americano dura 3 horas. El entrenador quiere destinar un número igual de minutos en cada uno de 4 juegos diferentes. ¿Cuántos minutos destinará el equipo a cada a juego?

_____

10. El hermano de Martín acaba de cumplir 2 años. ¿Cuál es la edad de su hermano en meses?

_____

11. **Múltiples pasos** El Sr. Perry condujo 2 horas. La Sra. Martín condujo 135 minutos. La Srta. Lamar condujo 25 minutos más que la Sra. Martín. ¿Cuánto más tiempo condujo la Srta. Lamar que el Sr. Perry?

_____

12. **H.O.T.** La hermanita pequeña de Shannon tiene 7 meses. Ella es exactamente 3 años y 3 días mayor que su hermanita. ¿Cuál es la edad de Shannon en días? Asume que un año tiene 365 días.

Tarea diaria de evaluación

Rellena el círculo completamente para mostrar tu respuesta.

13. El gato mascota de Kate tiene 3 años. ¿Cuántos meses de edad tiene su gato?

Ⓐ 12 meses

Ⓑ 180 meses

Ⓒ 13 meses

Ⓓ 36 meses

14. **Calcula** Derrick ha visitado a sus abuelos todos los veranos por 5 semanas durante 6 años. ¿Cuántos días ha visitado a sus abuelos?

Ⓐ 210 días

Ⓑ 42 días

Ⓒ 1,820 días

Ⓓ 420 días

15. **Múltiples pasos** Damián quiere estudiar durante 2 horas. Quiere destinar una cantidad igual de minutos para estudiar cada una de 3 asignaturas diferentes. ¿Cuántos minutos dedicará a estudiar cada asignatura?

Ⓐ 120 minutos

Ⓑ 30 minutos

Ⓒ 40 minutos

Ⓓ 180 minutos

⭐ Preparación para la prueba de TEXAS

16. Michael estará volando hacia Houston en 7 días, 4 horas y 35 minutos. ¿Cuántos minutos es eso?

Ⓐ 172 minutos

Ⓑ 10,355 minutos

Ⓒ 207 minutos

Ⓓ 2,760 minutos

Tarea y práctica

Nombre _____

16.1 Unidades de tiempo

Completa.

1. 9 semanas = _____ días

2. 4 años = _____ meses

3. 5 minutos = _____ segundos

4. _____ horas = 3 días

Unidades de tiempo
1 minuto (min) = 60 segundos (s)
1 hora (h) = 60 minutos
1 día (d) = 24 horas
1 semana = 7 días
1 año = 12 meses
1 año = 52 semanas

Compara usando <, > o =.

5. 50 horas ◯ 2 días

6. 40 días ◯ 5 semanas

7. 3 minutos ◯ 200 segundos

8. 8 horas ◯ 480 minutos

Resolución de problemas

9. **Múltiples pasos** Emily se demora 40 minutos en conducir al juego de fútbol americano. Mark se demora 1 hora 15 minutos más que ella. ¿Cuántos minutos se demora Mark en conducir al juego de fútbol americano? **Explica tu respuesta.**

_____

_____

10. Brandon fue de vacaciones durante 2 semanas y un día. Pasó la misma cantidad de tiempo con cada uno de sus 3 hermanos. ¿Cuántos días pasó con cada hermano? **Explica tu respuesta.**

_____

_____

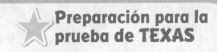
Rellena el círculo completamente para mostrar tu respuesta.

11. Los paneles solares de Alison tienen una garantía de 10 años. ¿Cuántos meses cubre la garantía?

Ⓐ 60 meses

Ⓑ 120 meses

Ⓒ 600 meses

Ⓓ 520 meses

12. El circo se quedó en Bloomington durante 3 semanas. ¿Cuántos días se quedó el circo en el pueblo?

Ⓐ 21 días

Ⓑ 90 días

Ⓒ 36 días

Ⓓ 72 días

13. Múltiples pasos Carmen toma una respiración cada 4 segundos. ¿Cuántas respiraciones tomará en 1 minuto?

Ⓐ 40

Ⓑ 28

Ⓒ 15

Ⓓ 20

14. Múltiples pasos Alden se demora 20 minutos en caminar 1 milla. ¿Cuántas millas puede caminar Alden en 2 horas?

Ⓐ 3 millas

Ⓑ 12 millas

Ⓒ 8 millas

Ⓓ 6 millas

15. Múltiples pasos Greg pasó 3 horas practicando guitarra. Él pasó la misma cantidad de tiempo practicando cada una de las 4 canciones. ¿Cuántos minutos pasó Greg practicando cada canción?

Ⓐ 45 minutos

Ⓑ 30 minutos

Ⓒ 55 minutos

Ⓓ 10 minutos

16. Múltiples pasos Este verano, Nora visitó 8 días a su tía y visitó 2 semanas a su abuela. En total, ¿cuántos días estuvo de visita?

Ⓐ 10 días

Ⓑ 22 días

Ⓒ 32 días

Ⓓ 14 días

16.2 RESOLUCIÓN DE PROBLEMAS
• Tiempo transcurrido

TEKS Geometría y medición: 4.8.C
PROCESOS MATEMÁTICOS
4.1.A, 4.1.B, 4.1.C

? **Pregunta esencial**

¿Cómo puedes usar la estrategia *hacer un diagrama* para resolver problemas de tiempo transcurrido?

Soluciona el problema

Dora y su hermano Kyle pasan 1 hora 35 minutos trabajando en el patio. Luego, se detienen para almorzar a la 1:20 p. m. ¿A qué hora comenzaron a trabajar en el patio?

Usa el organizador gráfico para ayudarte a resolver el problema.

Lee

¿Qué necesito hallar?	¿Qué información tengo?
Necesito hallar la hora en que Dora y Kyle _____ .	Me dan el _____ y la hora en que _____ .

Planea

¿Cuál es mi plan o estrategia?

Puedo dibujar una línea cronológica que me ayude a contar hacia atrás y hallar _____ .

Resuelve

Trazo una línea cronológica que muestre la hora final 1:20 p. m. En seguida, cuento hacia atrás 1 hora, y luego de 5 en 5 minutos hasta tener 35 minutos.

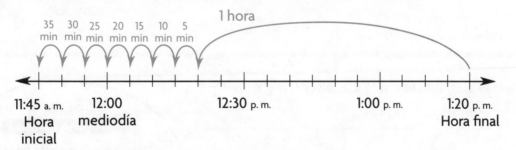

Entonces, Dora y Kyle comenzaron a trabajar en el patio a las _____

1. **¿Y si** Dora y Kyle hubieran pasado 50 minutos trabajando en el patio y se hubieran detenido a las 12:30 p. m. ¿A qué hora habrían comenzado a trabajar en el patio?

_____

Benito comenzó su paseo en bicicleta a las 10:05 a. m. Se detuvo 23 minutos más tarde cuando su amigo Robbie le pidió que jugaran *kickball*. ¿A qué hora detuvo Benito su paseo en bicicleta?

Lee

¿Qué necesito hallar?

¿Qué información tengo?

Planea

¿Cuál es mi plan o estrategia?

Resuelve

|←———|———|———|———|———|———|———|———|———|———|———|———→|

10:05 a. m.   10:10 a. m.   10:15 a. m.   10:20 a. m.   10:25 a. m.   10:30 a. m.

2. ¿De qué manera el diagrama te ayudó a resolver el problema?

_____

_____

_____

Charla matemática

Procesos matemáticos

Describe otra manera en la que puedas hallar la hora inicial o final de una actividad dados el tiempo transcurrido y la hora inicial o la hora final.

Nombre _____

Comparte y muestra

Soluciona el problema Pistas

✓ Usa el tablero de matemáticas de Resolución de problemas.

✓ Elige una estrategia que ya conozcas.

✓ Subraya las operaciones importantes.

1. Evelyn tiene clases de danza todos los sábados. Cada clase dura 1 hora 15 minutos y termina a las 12:45 p. m. ¿A qué hora comienza la clase de danza de Evelyn?

   Haz una línea cronológica para mostrar la hora final y el tiempo transcurrido.

11:00 a. m.   12:00   1:00 p. m.
                              mediodía

   Por último, halla la hora inicial.

   La clase de danza de Evelyn comienza a las _____

2. **H.O.T.** ¿Y si la clase de danza de Evelyn comenzara a las 11:00 a. m. y durara 1 hora 25 minutos? ¿A qué hora terminaría su clase? **Describe** en qué se diferencia este problema del Problema 1.

   _____

   _____

   _____

Resolución de problemas

3. **Aplica** Beth subió al autobús a las 8:06 a. m. Treinta y cinco minutos después llegó a la escuela. ¿A qué hora llegó Beth a la escuela?

   _____

4. **H.O.T.** **Múltiples pasos** Bethany terminó su tarea de matemáticas a las 4:20 p. m. Hizo 25 problemas de multiplicación en total. Si en cada problema se demoró 3 minutos, ¿a qué hora comenzó Bethany su tarea de matemáticas?

   _____

Matemáticas al instante

Tarea diaria de evaluación

Rellena el círculo completamente para mostrar tu respuesta.

5. Leonidas graba el recital de piano de su hermana. El recital comienza a la 1:15 p. m. y dura 1 hora 22 minutos. ¿A qué hora termina el recital?

Ⓐ 1:37 p. m.

Ⓑ 2:22 p. m.

Ⓒ 2:37 p. m.

Ⓓ 1:22 p. m.

6. Jaime toma el tren desde Center City a Lakeside. El recorrido en tren dura 18 minutos. El tren llega a la estación de Lakeside a las 9:12 a. m. ¿Cuál es la hora de salida del tren?

Ⓐ 9:02 a. m.

Ⓑ 8:54 a. m.

Ⓒ 8:30 a. m.

Ⓓ 8:44 a. m.

7. **H.O.T.** **Múltiples pasos** Cleo comienza a jugar béisbol a las 10:18 a. m. Juega durante 1 hora 35 minutos y se detiene a la hora del almuerzo. Su almuerzo dura 25 minutos. ¿A qué hora termina el almuerzo de Cleo?

Ⓐ 11:53 a. m.

Ⓑ 12:18 a. m.

Ⓒ 11:43 a. m.

Ⓓ 12:18 p. m.

 Preparación para la prueba de TEXAS

8. Vicente comienza sus deberes semanales el sábado por la mañana a las 11:20. Trabaja durante 1 hora 15 minutos con 10 minutos de descanso. ¿A qué hora termina sus deberes?

Ⓐ 12:45 a. m.

Ⓑ 10:15 a. m.

Ⓒ 12:45 p. m.

Ⓓ 1:15 p. m.

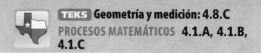
16.2 RESOLUCIÓN DE PROBLEMAS
• Tiempo transcurrido

1. Elizabeth va a la práctica de coro después de la escuela. La práctica dura 1 hora 20 minutos y termina a las 4:40 p. m. ¿A qué hora comienza la práctica de coro?

Dibuja una línea cronológica para mostrar la hora final y el tiempo transcurrido.

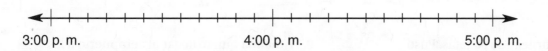

3:00 p. m.   4:00 p. m.   5:00 p. m.

La práctica de coro comienza a las _____.

2. ¿Y si la práctica de coro comenzara a las 3:10 p. m. y terminara a las 4:25 p. m.? ¿Cuánto duraría la práctica de coro? Describe en qué se diferencia este problema del Problema 1.

_____

_____

_____

Resolución de problemas

3. Jason sale de su casa a las 9:58 a. m. Llega al campo de béisbol 16 minutos más tarde. ¿A qué hora llega Jason al campo de béisbol?

_____

4. Amanda preparó 5 canastas de flores. Terminó a las 4:10 p. m. Si se demoró 20 minutos en preparar cada canasta de flores, ¿a qué hora comenzó Amanda?

_____

5. El ensayo de la obra comenzó a las 8:12 p. m. y terminó a las 10:25 p. m. ¿Cuánto duró el ensayo de la obra?

_____

Rellena el círculo completamente para mostrar tu respuesta.

6. Karen durmió 8 horas 10 minutos. Se levantó a las 7:40 a. m. ¿A qué hora se fue a dormir Karen?

Ⓐ 11:30 p. m.

Ⓑ 3:50 a. m.

Ⓒ 11:30 a. m.

Ⓓ 3:50 p. m.

7. Greg arrendó una película que dura 2 horas 18 minutos. Él comenzó a ver la película a las 7:12 p. m. ¿A qué hora terminará la película?

Ⓐ 9:06 p. m.

Ⓑ 10:30 p. m.

Ⓒ 9:30 p. m.

Ⓓ 4:54 p. m.

8. Donald está horneando galletas. Puso una bandeja de galletas en el horno a las 10:15 a. m. Las galletas se deben hornear durante 12 minutos. ¿A qué hora estarán listas las galletas?

Ⓐ 10:02 a. m.

Ⓑ 11:12 a. m.

Ⓒ 10:38 a. m.

Ⓓ 11:02 a. m.

9. Amanda quiere llegar al aeropuerto a las 3:30 p. m. Se demora 1 hora 40 minutos en llegar al aeropuerto. ¿A qué hora debería salir de su casa Amanda?

Ⓐ 5:50 p. m.

Ⓑ 5:10 p. m.

Ⓒ 1:40 p. m.

Ⓓ 1:50 p. m.

10. **Múltiples pasos** Cora llegó a la escuela a las 7:55 a. m. Ella sale de la escuela durante 1 hora para ir al médico. Salió de la escuela a las 3:15 p. m. ¿Cuánto tiempo estuvo Cora en la escuela?

Ⓐ 7 horas y 20 minutos

Ⓑ 6 horas y 20 minutos

Ⓒ 7 horas y 15 minutos

Ⓓ 8 horas y 20 minutos

11. **Múltiples pasos** Mike comienza su carrera a las 11:30 a. m. y corre cuatro millas a 12 minutos por milla. ¿A qué hora terminará de correr?

Ⓐ 12:08 a. m.

Ⓑ 12:18 p. m.

Ⓒ 12:42 p. m.

Ⓓ 12:18 a. m.

Nombre _____

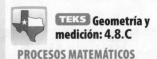
16.3 Sumar y restar dinero

 Pregunta esencial

¿Cómo puedes usar la suma y la resta en problemas relacionados con dinero?

Soluciona el problema

El saldo de la cuenta de ahorros de Marsha es de $423.54. Ella realiza un depósito de $58.95. ¿Cuál es el saldo de su cuenta de ahorros ahora?

La cantidad de dinero que queda en una cuenta luego de realizar un depósito o retiro se llama **saldo**. Un **depósito** es cuando se agrega dinero al saldo de una cuenta. Un **retiro** es cuando se saca dinero del saldo de una cuenta.

> **Idea matemática**
>
> Puedes sumar y restar decimales de la misma manera en que sumas y restas números enteros si alineas primero los puntos decimales.

 Usa la suma para hallar el saldo después de un depósito.

PASO 1

Alinea los puntos decimales. Suma los centésimos.

$$\begin{array}{r} \$423.54 \\ +\ \$\ 58.95 \\ \hline \end{array}$$

PASO 2

Suma los décimos. Reagrupa si es necesario.

$$\begin{array}{r} {}^{1} \\ \$423.54 \\ +\ \$\ 58.95 \\ \hline 9 \end{array}$$

PASO 3

Suma las unidades, decenas y centenas. Coloca el punto decimal en la suma.

$$\begin{array}{r} {}^{11} \\ \$\ 423.54 \quad \text{saldo inicial} \\ +\ \$\ 58.95 \quad \text{depósito} \\ \hline \$\ \quad 49 \quad \text{nuevo saldo} \end{array}$$

Entonces, después del depósito queda el saldo de _____ en la cuenta de ahorros de Marsha.

 Usa la resta para hallar el saldo después de un retiro.

Dos semanas después, Marsha retira $75.34. ¿Cuál es el saldo ahora?

PASO 1

Resta los centésimos.

$$\begin{array}{r} \$482.49 \\ -\ \$\ 75.34 \\ \hline \end{array}$$

PASO 2

Resta los décimos.

$$\begin{array}{r} \$482.49 \\ -\ \$\ 75.34 \\ \hline 5 \end{array}$$

PASO 3

Resta las unidades, decenas y centenas. Coloca el punto decimal en la diferencia.

$$\begin{array}{r} {}^{712} \\ \$482.49 \quad \text{saldo inicial} \\ -\ \$\ 75.34 \quad \text{retiro} \\ \hline \$\ \quad 15 \quad \text{nuevo saldo} \end{array}$$

Entonces, después del retiro queda el saldo de _____ en la cuenta de ahorros de Marsha.

1. La Sra. Fernández tiene una cuenta bancaria con un saldo de $442.37. Ella escribe un cheque por $63.92. Luego, deposita $350.00. ¿Cuál es el saldo final de su cuenta bancaria después de escribir el cheque y de realizar el depósito?

Primero, usa la resta para hallar el saldo después de escribir el cheque.

Saldo inicial: **$442.37**

Cantidad del cheque: $-$ _____

Saldo después de escribir el cheque: _____

Luego, usa la suma para hallar el saldo final después de realizar el depósito.

Saldo después de escribir el cheque: _____

Cantidad del depósito: $+$ _____

Saldo final después de realizar el depósito: _____

Entonces, el saldo final de la Sra. Fernández es de _____.

2. Jeremy tiene una cuenta para compras escolares con un saldo de $16.82. Gasta $2.75 en la compra de un nuevo marcador. ¿Cuál es el saldo de la cuenta de Jeremy?

3. Sarah tiene $789.59 en su cuenta bancaria. Ella deposita $65.32. Luego, escribe un cheque por $105.00. ¿Cuál es el saldo de su cuenta bancaria después de escribir el cheque?

Resolución de problemas

4. **H.O.T.** **Analiza** La cuenta bancaria de Lana tenía un saldo de $589.33 a comienzos de mes. Ella no realizó depósitos ese mes y el banco no le aplicó cargos por servicio. Al final del mes, su saldo era de $472.58. ¿Por cuánto dinero escribió cheques ese mes? **Explica tu respuesta**.

_____

_____

_____

5. **H.O.T.** **Múltiples pasos** Ponce fue a comprar con $20. Compró una camiseta por $7.89 en una tienda y un DVD por $11.79 en otra tienda. ¿Cuánto dinero le quedó después de comprar la camiseta y el DVD?

_____

© Houghton Mifflin Harcourt Publishing Company

Resolución de problemas

6. **H.O.T.** **Múltiples pasos** Miguel comenzó el mes con $733.12 en su cuenta de ahorros. Depositó sus ingresos de $24.00 por cuidar niños y $31.00 por hacer trabajos de casa. Ese mismo mes, retiró $331.76. ¿Cuánto dinero quedó en su cuenta a fines de mes?

_____

7. **H.O.T.** **Múltiples pasos** Max tiene $720.67. Gastó $435.22 en un televisor de alta definición y $102.65 en un reproductor de DVD. ¿Cuánto dinero tiene Max ahora?

Escribe ▶ **Muestra tu trabajo**

_____

8. **H.O.T.** **Múltiples pasos** Paul quiere conocer el saldo que tenía a comienzos del mes. Sabe que su saldo fue de $978.45 a fines de mes. Durante el mes, retiró $332.70 y depositó $500.00. ¿Cuál era su saldo inicial? **Explica** cómo hallaste la respuesta.

_____

_____

_____

_____

9. **H.O.T.** **Múltiples pasos** Nick quiere comenzar un negocio de cortar el césped. Pagará a sus trabajadores $15.25 por cortar un césped. El costo de combustible para una segadora es de $4.77. Si Nick cobra a sus clientes $32.00 por cortar el césped, ¿cuánto dinero le queda después de pagar a su trabajador y pagar el combustible?

_____

Tarea diaria de evaluación

Rellena el círculo completamente para mostrar tu respuesta.

10. **Múltiples pasos** A fines de marzo, Vicki tenía un saldo en su cuenta de $185.78. Desde entonces, escribió dos cheques, uno por $25.50 y otro por $18.34. ¿Cuánto dinero tiene en su cuenta ahora?

    (A) $160.28

    (B) $141.94

    (C) $178.62

    (D) $167.44

11. La Sra. Jackson compró almuerzo para ella y dos amigas. Los almuerzos costaron $8.25, $6.00 y $10.50. ¿Cuál es el costo total de los tres almuerzos?

    (A) $24.00

    (B) $11.25

    (C) $38.25

    (D) $24.75

12. **Múltiples pasos** Denis compró un par de tenis por $47.82 y una camiseta por $11.36. Si Denis tenía $100 antes de comprar, ¿cuánto dinero le queda ahora?

    (A) $38.18

    (B) $59.18

    (C) $40.82

    (D) $35.82

Preparación para la prueba de TEXAS

13. La Sra. Prados trabaja en una empresa que le da $300 para un viaje. Gastó $114.59 en una habitación de hotel, $15.97 en un almuerzo y $25.83 en una cena. ¿Cuánto dinero le queda a ella al final del viaje?

    (A) $227.21

    (B) $156.39

    (C) $143.61

    (D) $372.79

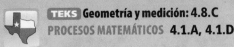
Tarea y práctica

Nombre _____

16.3 Sumar y restar dinero

1. Kim tenía $472.15 en su cuenta bancaria. Depositó $188.50 y escribió un cheque por $263.89. ¿Cuánto tiene Kim en su cuenta bancaria ahora?

   _____

2. Julia vendió su bicicleta por $88.50. Vendió el casco de su bicicleta por $8.75. Ella compró una pelota de básquetbol por $35.82. ¿Cuánto dinero tiene Julia ahora?

   _____

3. El almuerzo de Nick cuesta $14.75. El impuesto fue de $1.03 y dejó una propina de $2.50. ¿Cuánto pagó Nick por su almuerzo?

   _____

4. Mario compra una camiseta por $28.95 y un par de calcetines por $4.29. Pagó al empleado de la tienda con un billete de $20. ¿Cuánto cambio recibiría Mario?

   _____

Resolución de problemas

5. Susan compró un sombrero y pagó al empleado de la tienda con un billete de $50. Recibió $13.72 de cambio. ¿Cuánto pagó Susan por el sombrero? **Explica** cómo hallaste la respuesta.

   _____

   _____

6. A comienzos de mes, Javier tenía $671.90 en su cuenta bancaria. A fines de mes, tenía $422.15. Sabe que escribió dos cheques. Uno de los cheques fue por la cantidad de $118.42. ¿Por cuánto fue la cantidad del otro cheque? **Explica** cómo hallaste la respuesta.

   _____

   _____

   _____

Rellena el círculo completamente para mostrar tu respuesta.

7. Brad tenía $515.97 en su cuenta de ahorros a comienzos de mes. A fines de mes, la cantidad que tenía en su cuenta era $648.47. Si Brad no retiró en ese mes, ¿cuánto dinero depositó en su cuenta de ahorros ese mes?

Ⓐ $133.50

Ⓑ $1,164.44

Ⓒ $1,153.34

Ⓓ $132.50

8. Leslie compró una revista por $5.98. Pagó con un billete de $10.00. ¿Cuánto cambio recibió Leslie?

Ⓐ $5.02

Ⓑ $4.12

Ⓒ $4.02

Ⓓ $5.12

9. Múltiples pasos Carina tenía $283.20 en su cuenta bancaria. Escribió un cheque por $28.50 y otro por $35.67. ¿Cuánto queda en la cuenta bancaria de Carina?

Ⓐ $219.03

Ⓑ $262.13

Ⓒ $230.03

Ⓓ $219.13

10. Múltiples pasos Allen quiere comprar un televisor por $789.98. Tiene $512.16 en ahorros. Él puede ahorrar otros $123.62 esta semana. ¿Cuánto dinero necesita para comprar el televisor?

Ⓐ $143.20

Ⓑ $401.44

Ⓒ $154.20

Ⓓ $635.78

11. Múltiples pasos Lucy gastó $16.08 en un collar para perros y $43.57 en una cama para perros. Le quedaron $25.45. ¿Cuánto dinero tenía Lucy antes de ir de compras?

Ⓐ $85.10

Ⓑ $7.06

Ⓒ $74.90

Ⓓ $75.12

12. Múltiples pasos Barry tenía $68.17 en su bolsillo. Su amigo Jack le devolvió $20.00 que Barry le había prestado. Luego, Barry gastó $32.91 en alimentos. ¿Cuánto dinero tiene Barry ahora?

Ⓐ $17.26

Ⓑ $55.26

Ⓒ $56.26

Ⓓ $56.06

Nombre_____

16.4

Multiplicar y dividir dinero

TEKS Geometría y
medición: 4.8.C
PROCESOS MATEMÁTICOS
4.1.A, 4.1.C, 4.1.G

? **Pregunta esencial**

¿Cómo puedes usar la multiplicación y la división en problemas relacionados con dinero?

Soluciona el problema

🔑 Ejemplo 1 La Sra. Cleary quiere comprar libros para su librería. La nueva novela que ella quiere viene en una caja que contiene 48 libros. Cada libro le cuesta $15. ¿Cuánto le costaría una caja de libros?

Idea matemática

Multiplicar y dividir dinero es lo mismo que multiplicar y dividir números enteros.

Usa el valor de posición y reagrupa. Multiplica. 48 × $15

PASO 1

Piensa en 48 como 4 decenas y 8 unidades. Multiplica $15 por 8 unidades u 8.

$$
\begin{array}{r}
4 \\
\$15 \\
\times\ 48 \\
\hline
\boxed{} \leftarrow 8 \times 15
\end{array}
$$

PASO 2

Multiplica 15 por 4 unidades o 40.

$$
\begin{array}{r}
2 \\
\cancel{4} \\
\$15 \\
\times\ 48 \\
\hline
120 \\
\boxed{} \leftarrow 40 \times 15
\end{array}
$$

PASO 3

Suma los productos parciales. Coloca el signo de dólar en el producto final.

$$
\begin{array}{r}
2 \\
\cancel{4} \\
\$15 \\
\times\ 48 \\
\hline
120 \\
+\ 600 \\
\hline
\end{array}
$$

Entonces, la Sra. Cleary pagará _____ por 1 caja de libros.

🔑 Ejemplo 2 La Sra. Cleary pagó $584 por 8 cajas de una revista popular. ¿Cuánto pagó por cada caja de revistas?

Divide. $584 ÷ 8

PASO 1

Divide las decenas.

$$
\begin{array}{r}
7 \\
8\overline{)\$584} \\
-
\end{array}
$$

Divide: 58 decenas ÷ 8

Multiplica: 8 × 7 decenas

Resta: 58 decenas − 56 decenas

PASO 2

Divide las unidades. Reagrupa 2 decenas como 20 unidades.

$$
\begin{array}{r}
\$\ 73 \\
8\overline{)\$584} \\
-56\downarrow \\
\hline
24 \\
-
\end{array}
$$

Divide: _____ unidades ÷ _____

Multiplica: _____ × _____ unidades

Resta: _____ unidades − _____ unidades

Coloca el signo de dólar en el cociente.

Entonces, la Sra. Cleary pagó _____ por cada caja de revistas.

1. Ray compró 18 gorras de béisbol para su equipo. Cada gorra cuesta $29. ¿Cuánto dinero gastó Ray en las gorras?

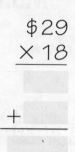

$$\begin{array}{r} \$29 \\ \times\ 18 \\ \hline \\ + \\ \hline \\ \end{array}$$

Entonces, Ray gastó _____ en gorras.

2. Samanta vendió 9 ositos de peluche que ella fabricó. Le pagaron $126 por todos los ositos. Si todos los ositos valían el mismo precio, ¿cuál era el precio de uno?

3. Haydé está planeando una cena especial para el club de debate. Hay 21 miembros en el club. Si la cena de cada miembro cuesta $16, ¿cuál será el costo total de la comida?

Resolución de problemas

Práctica: Copia y resuelve

4. 24 × $42

5. $453 ÷ 3

6. 68 × $92

7. $875 ÷ 7

8. $6,295 ÷ 5

9. 7 × $1,372

10. **H.O.T.** Patricio compró un carro por $1,284 usando dinero de su cuenta de ahorros. Quiere recuperar sus ahorros en los próximos 6 meses. Si él ahorra la misma cantidad cada mes, ¿cuánto necesitará ahorrar cada mes?

11. **H.O.T.** Múltiples pasos Laura compró un carro. Pagó al vendedor $2,200 y luego terminó de pagar su carro con pagos iguales de $352. ¿Cuál fue el costo total de su carro?

Nombre_____

12. **H.O.T.** **Múltiples pasos** Darío compra una camiseta por $24.85. Su amigo Daryl gasta $3.15 más por su camiseta. Sergio paga el mismo precio que Daryl para su camiseta, pero compra 2. ¿Cuánto dinero gasta Sergio por sus 2 camisetas?

13. **H.O.T.** **Múltiples pasos** Sandra compró 3 CD en un paquete por $29.75. Ahorró $6.25 al comprar el conjunto en vez de comprar los CD de manera separada. Si cada CD cuesta la misma cantidad, ¿cuánto cuesta cada uno de los 3 CD al comprarlos de manera separada?

Escribe ▶ Muestra tu trabajo

14. **H.O.T.** **Múltiples pasos** Julie ahorró $60. Jeff ahorró 29 veces la misma cantidad que Julie. Jeff ahorró 3 veces la cantidad que ahorró Marco. ¿Cuánto dinero ahorró Marco? **Explica** cómo hallaste la respuesta.

_____

_____

_____

_____

15. **H.O.T.** **Múltiples pasos** La tienda de abarrotes tiene una liquidación de sopas. Una lata cuesta $2.59, pero puedes comprar 8 latas por un total de $16.00. ¿Cuánto ahorras por lata si compras 8 al precio de liquidación?

_____

16. **Aplica** Billy planea ahorrar $55 cada mes durante 5 años. ¿Cuánto tendrá al final de los 5 años?

_____

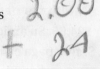

Rellena el círculo completamente para mostrar tu respuesta.

17. Jen descargó 7 aplicaciones por un total de $24. Dos de las aplicaciones cuestan $2.00 cada una. Si las demás aplicaciones cuestan la misma cantidad, ¿cuánto cuesta cada aplicación?

    (A) $3.43

    (C) $4

    (B) $3.70

    (D) $4.25

$$2.00$$
$$+ 24$$
$$\overline{2.24}$$
$$+ 7$$
$$\overline{2.31}$$

18. **Múltiples pasos** Jeremías gasta $51.25 en el centro comercial. Compra un juego por $24.25 y 3 DVD. Si cada DVD tiene el mismo precio, ¿cuánto cuesta 1 DVD?

    (A) $15

    (C) $25

    (B) $8

    (D) $9

$$51.25$$
$$- 24.25$$
$$\overline{36.00}$$

19. **Múltiples pasos** Delilah compra una hogaza de pan, 3 libras de pavo y 2 libras de queso. El pavo cuesta $3.00 la libra y el queso cuesta $2.00 la libra. Un hogaza de pan cuesta $3.49. ¿Cuánto gasta Delilah en total?

    (A) $13.75

    (B) $16.49

    (C) $8.49

    (D) $17.49

C

⭐ Preparación para la prueba de TEXAS

20. Mientras trabaja en la tienda de la escuela, Juán vendió una chaqueta por $40.50 y algunos cuadernos por $2.00 cada uno. Si recolectó un total de $92.50, ¿cuántos cuadernos vendió?

    (A) 25

    (B) 66

    (C) 26

    (D) 104

$$48.50$$
$$- 2.00$$
$$\overline{48.00}$$

Nombre _____

16.4 Multiplicar y dividir dinero

Resuelve.

1. 26 × $44

2. $318 ÷ 6

3. 35 × $73

$$\begin{array}{r} 73 \\ \times\, 35 \\ \hline 935 \end{array}$$

4. $572 ÷ 4

5. $7,640 ÷ 5

6. 6 × $1,336

6,886

Resolución de problemas En el mundo

7. Múltiples pasos Margie compró 3 suéteres iguales por un total de $114. Ahorró $18 por cada uno de los suéteres en liquidación respecto del precio regular. ¿Cuál es el precio regular de cada uno de los suéteres? **Explica** cómo hallaste la respuesta.

Sume 114 con 114 y me do 342 la respuesta y sume 114 y reste 342 y sigui restando danto mi respuesta "0".

8. Múltiples pasos Keira rentó un carro durante 3 días. Pagó $118 de alquiler diario. También compró un seguro para los tres días por un total de $35. ¿Cuánto pagó en total Keira? **Explica** cómo hallaste la respuesta.

Reste 118 con 35 y reste 193 con 35 y reste 168 con 35 y medio "133".

Rellena el círculo completamente para mostrar tu respuesta.

9. Una caja de 5 carros de carrera de juguete cuestan $115. ¿Cuánto cuesta cada uno de los carros?

- Ⓐ $23
- Ⓑ $25
- Ⓒ $13
- Ⓓ $15

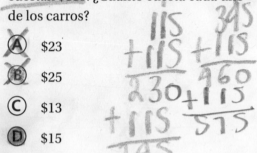

10. Jonathan compró 3 boletos de avión por $478 cada uno. ¿Cuánto pagó por los tres boletos?

- Ⓐ $1,234
- ● $1,434
- Ⓒ $1,414
- Ⓓ $1,214

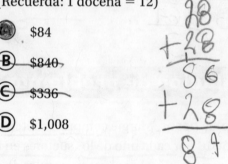

11. **Múltiples pasos** La familia Wallance ahorra la misma cantidad de dinero cada mes para sus vacaciones. Desde el 1 de enero al 30 de septiembre ahorraron $1,314. ¿Cuánto ahorró cada mes la familia Wallance para sus vacaciones?

- ● $156
- Ⓑ $131
- Ⓒ $146
- Ⓓ $152

12. **Múltiples pasos** Un entrenador compró 3 docenas de pelotas de fútbol. Cada pelota cuesta $28. ¿Cuánto pagó el entrenador por todas las pelotas de fútbol? (Recuerda: 1 docena = 12)

- Ⓐ $84
- Ⓑ $840
- Ⓒ $336
- Ⓓ $1,008

13. **Múltiples pasos** Tony gastó $49 en la feria. Molly gastó $14 más que el doble de lo que gastó Tony. ¿Cuánto gastaron los dos en total?

- Ⓐ $112
- Ⓑ $161
- Ⓒ $126
- ● $140

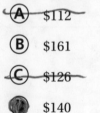

14. **Múltiples pasos** Paula compró 8 pares de calcetines. Ella pagó $104. Dos pares de calcetines costaron $16.00. Los otros pares costaron la misma cantidad. ¿Cuánto costaron cada uno de los otros pares de calcetines?

- Ⓐ $12
- Ⓑ $17
- Ⓒ $13
- Ⓓ $18

Nombre _____

 # Evaluación del Módulo 16

Vocabulario

Vocabulario
~~depósito~~
~~retiro~~
~~saldo~~
segundo

Elige el término correcto del recuadro.

1. Un *Retiro* es una unidad pequeña de tiempo. (pág. 563)

2. Un *Saldo* es la cantidad de dinero que hay en una cuenta después de realizar un depósito o giro. (pág. 575)

3. Cuando se agrega dinero al saldo de una cuenta eso se llama *Deposito* (pág. 575)

4. Cuando se saca dinero al saldo de una cuenta eso se llama *segundo*. (pág. 575)

Conceptos y destrezas

Completa. TEKS 4.4.B, 4.4.C

5. 5 semanas = __7__ días

6. 4 minutos = __60__ segundos

7. __12__ meses = 4 años

8. __60__ horas = 5 días

9. 8 años = __52__ semanas

10. 7 días = __24__ horas

11. 14 días = __52__ semanas

12. 2 años = __12__ semanas

Unidades de tiempo
1 minuto (min) = 60 segundos (s)
1 hora (h) = 60 minutos
1 día (d) = 24 horas
1 semana = 7 días
1 año = 12 meses
1 año = 52 semanas

Usa una línea cronológica para hallar la hora inicial o final. TEKS 4.8.C

13. Hora inicial: 11:38 a. m.
Tiempo transcurrido: 3 horas 10 minutos

Hora final: _____

14. Hora inicial: _____

Tiempo transcurrido: 2 horas 37 minutos
Hora final: 1:12 p. m.

15. Hora inicial: _____

Tiempo transcurrido: 2 horas 14 minutos
Hora final: 5:30 p. m.

16. Hora inicial: 7:41 p. m.
Tiempo transcurrido: 1 hora 9 minutos

Hora final: _____

17. Jerome tiene un saldo de $63.45 en su cuenta bancaria. Retira $38.14 para comprar un juego de computadora. ¿Cuál es el saldo de la cuenta bancaria ahora? ✦ TEKS 4.8.C

Ⓐ $35.31

Ⓑ $25.31

Ⓒ $101.59

Ⓓ $5.31

18. Serena compra 3 camisetas por $12 cada una y 2 pares de sandalias por $24 cada una. ¿Cuánto gasta Serena? ✦ TEKS 4.8.C

Ⓐ $74

Ⓑ $12

Ⓒ $84

Ⓓ $96

19. Ken tenía un saldo de $1,150.00 en su cuenta bancaria. Retiró $85.35 para comprar abarrotes. Una semana después, depositó $250.00 en su cuenta bancaria. ¿Cuál es el saldo de la cuenta bancaria ahora? ✦ TEKS 4.8.C

Ⓐ $1,314.65

Ⓑ $900.00

Ⓒ $335.35

Ⓓ $1,335.35

20. Vince compra 8 libros de tapa dura para leer durante el verano. Gasta $288 por los libros. Si cada libro cuesta la misma cantidad, ¿cuánto le cuesta cada libro? ✦ TEKS 4.8.C

Ⓐ $58

Ⓑ $17

Ⓒ $36

Ⓓ $125

Evaluación de la Unidad 4

Vocabulario

Elige el término correcto del recuadro.

Vocabulario
ángulo agudo
ángulo recto
depósito
mililitro
retiro

1. Un _____ es cuando se saca dinero del saldo de una cuenta. (pág. 575)

2. Un _____ es una unidad métrica de volumen. (pág. 555)

3. Un ángulo que mide menos de 90° se llama

   _____. (pág. 450)

Conceptos y destrezas

Indica si la línea azul es un eje de simetría. TEKS 4.6.B

4.

5.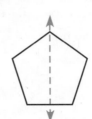

6.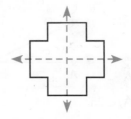

_____

Dibuja todos los ejes de simetría.

7.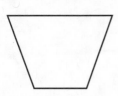

8.

9.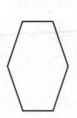

Usa la figura para los ejercicios 10 a 12 . TEKS 4.6.A

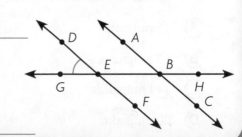

10. Nombra un par de líneas paralelas. _____

11. Nombra un rayo. _____

12. Clasifica el ángulo *DEG*. Escribe *agudo, recto, llano* u *obtuso*.

_____

13. ¿Cuál cuadrilátero tiene solo un par de lados paralelos?

🔹 TEKS 4.6.D

Ⓐ cuadrado

Ⓑ rectángulo

Ⓒ trapecio

Ⓓ rombo

14. ¿Cuál de las siguentes oraciones es verdadera en relación al triángulo acutángulo? 🔹 TEKS 4.6.C

Ⓐ Tiene un ángulo obtuso.

Ⓑ Tiene un ángulo recto.

Ⓒ Tiene solo un ángulo agudo.

Ⓓ Tiene tres ángulos agudos.

15. El ángulo *ABC* es un ángulo llano, ¿cuánto vale *x*, la medida del ángulo *ABD*? 🔹 TEKS 4.7.E

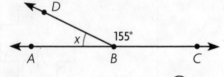

Ⓐ 25°   Ⓒ 35°

Ⓑ 65°   Ⓓ 180°

16. José necesita 4 yardas de plástico para hacer una cometa. Tiene 7 pies ahora. ¿Cuántos pies más de plástico necesita para tener lo suficiente para su cometa? 🔹 TEKS 4.8.C

Ⓐ 3 pies   Ⓒ 28 pies

Ⓑ 5 pies   Ⓓ 17 pies

17. La cómoda de Paula mide 4 pies de alto. La cómoda de su hermano es 8 pulgadas más alta que la cómoda de Paula. ¿Cuántas pulgadas de alto mide la cómoda de su hermano? 🔹 TEKS 4.8.C

Ⓐ 12 pulgadas

Ⓑ 56 pulgadas

Ⓒ 144 pulgadas

Ⓓ 20 pulgadas

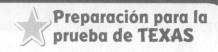
18. El acuario de peces de Maggie tiene 50 galones de agua. Ella saca 10 cuartos. ¿Cuántos cuartos de agua quedan ahora en su acuario?
    TEKS 4.8.B, 4.8.C

    (A) 40 cuartos

    (B) 10 cuartos

    (C) 190 cuartos

    (D) 44 cuartos

19. La gatita de Parker pesó 135 gramos al nacer. Ahora ella pesa 2 kilogramos más que en ese entonces. ¿Cuántos gramos pesa la gatita? TEKS 4.8.B, 4.8.C

    (A) 335 gramos

    (B) 2,135 gramos

    (C) 155 gramos

    (D) 1,370 gramos

20. Baxter tenía 4 kilogramos de harina. Hizo 3 hogazas de pan. Él usó 235 gramos para hacer cada hogaza. ¿Cuántos gramos de harina le quedan? TEKS 4.8.B, 4.8.C

    (A) 1,650 gramos

    (B) 305 gramos

    (C) 165 gramos

    (D) 3,295 gramos

21. Una excursión por una isla comienza a las 10:25 a. m. Dura 4 horas 42 minutos. ¿A qué hora termina la excursión? TEKS 4.8.C

    (A) 4:17 p. m.

    (B) 2:07 p. m.

    (C) 3:07 p. m.

    (D) 5:17 a. m.

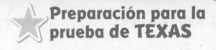

22. Leanne tiene 6 kilogramos de sal. Quiere dividir la sal en porciones de 8 gramos cada una. ¿Cuántas porciones de sal hará? TEKS 4.8.B, 4.8.C

Ⓐ 750

Ⓑ 14

Ⓒ 48

Ⓓ 75

23. El minutero de un reloj se mueve en el sentido de las manecillas desde las 3 a las 8. ¿Cuál es la medida del ángulo que representa el minutero?
 TEKS 4.7.B

Ⓐ 240°

Ⓑ 150°

Ⓒ 75°

Ⓓ 180°

24. Mary ha sido miembro del club de debate durante 9 semanas y 5 días. Jack ha sido miembro del club de debate durante 75 días. ¿Quién ha sido miembro por más tiempo y por cuántos días? TEKS 4.8.C

Ⓐ Jack ha sido miembro durante 12 días más.

Ⓑ Mary ha sido miembro durante 20 días más.

Ⓒ Jack ha sido miembro durante 7 días más.

Ⓓ ninguna de las anteriores

25. Charlotte dividió una pizza completa en 4 porciones. Una porción forma un ángulo llano. Una porción forma un ángulo recto. Dos porciones forman ángulos agudos con la misma medida en grados. Escribe una ecuación que represente la medida en grados de la pizza completa como la suma de las medidas de sus partes. TEKS 4.7.E

_____

Análisis de datos

Muestra lo que sabes ✓

Comprueba si comprendes las destrezas importantes.

Nombre _____

▶ **Hacer tablas de conteo** Dibuja marcas de conteo para mostrar el número de cada tipo de figura.

1.

Número de figuras	
triángulo	
círculo	

2.
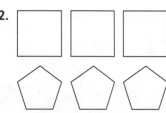

Número de figuras	
cuadrado	
pentágono	

▶ **Usar modelos para sumar fracciones con denominadores semejantes**
Sombrea las tiras fraccionarias para mostrar la suma. Escribe la suma.

3. $\frac{1}{6} + \frac{3}{6}$

1					
$\frac{1}{6}$	$\frac{1}{6}$	$\frac{1}{6}$	$\frac{1}{6}$	$\frac{1}{6}$	$\frac{1}{6}$

4. $\frac{3}{8} + \frac{4}{8}$

1							
$\frac{1}{8}$	$\frac{1}{8}$	$\frac{1}{8}$	$\frac{1}{8}$	$\frac{1}{8}$	$\frac{1}{8}$	$\frac{1}{8}$	$\frac{1}{8}$

▶ **Usar modelos para restar fracciones con denominadores semejantes**
Sombrea las tiras fraccionarias para mostrar la resta. Escribe la diferencia.

5. $\frac{7}{10} - \frac{4}{10}$

1									
$\frac{1}{10}$	$\frac{1}{10}$	$\frac{1}{10}$	$\frac{1}{10}$	$\frac{1}{10}$	$\frac{1}{10}$	$\frac{1}{10}$	$\frac{1}{10}$	$\frac{1}{10}$	$\frac{1}{10}$

6. $\frac{5}{6} - \frac{1}{6}$

1					
$\frac{1}{6}$	$\frac{1}{6}$	$\frac{1}{6}$	$\frac{1}{6}$	$\frac{1}{6}$	$\frac{1}{6}$

LÍNEA Opciones de evaluación:
Soar to Success Math

Desarrollo del vocabulario

▶ **Visualizar** •

Escribe el término junto a su ejemplo.

_____

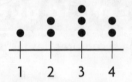

Número de hermanos

_____

Edades de los asistentes

Tallo	Hojas			
1	3	4	9	
2	0	2	7	
3	1	2	2	8
5	3	3	7	9

_____

Asignatura favorita	
Asignatura	**Frecuencia**
Inglés	7
Matemáticas	15
Historia	4
Arte	8

▶ **Comprender el vocabulario** •

Completa las oraciones usando las palabras de repaso y las palabras nuevas.

1. Una _____ usa marcas de conteo para registrar datos.

2. Una gráfica que registra cada dato en una recta numérica se llama

   _____ .

3. Un _____ es una gráfica de datos ordenados según el valor de posición.

4. Una tabla que usa números para llevar un registro acerca de cuántas veces ocurre un

   dato se llama _____ .

• **Libro interactivo del estudiante**
• **Glosario multimedia**

Nombre _____

Vocabulario

En esta unidad harás y resolverás problemas usando **tablas de frecuencia.**

El Sr. Jackson hizo una encuesta a sus estudiantes de cuarto grado. Él preguntó: "¿Cuánto gastan en almuerzo cada día?". La tabla de conteo muestra sus datos.

Almuerzo	
Cantidad	Número de estudiantes
$1.00	卌 卌 II
$1.25	II
$1.50	卌 II
$1.75	卌 III
$2.00	III
$2.25	I
$2.50	II

Usa la información de la tabla de conteo para responder a las preguntas.

1. ¿Cuántos estudiantes gastan $1.75 en almuerzo? _____

2. ¿Cuántos estudiantes más gastan $1.00 en almuerzo que estudiantes que

   gastan $1.25 y $2.00 combinados? _____

Redacción Jessica llegó tarde a su clase. Le dijo al Sr. Jackson que gastaba $2.25 cada día en almuerzo. ¿Cambia esto los datos de la tabla de conteo? Explica tu respuesta.

_____

Lectura Revisa este libro en tu biblioteca. *Tiger Math: Learning to Graph from a Baby Tiger,* escrito por Ann Whitehead Nagda.

Diagrama de puntos de los amigos del ciclismo

Objetivo del juego Representa e interpreta datos en un diagrama de puntos.

Materiales

- 2 cubos numerados del 4 al 9
- rectas numéricas rotuladas del 8 al 18
- lápiz o marcador

Preparación

Cada equipo recibe una recta numérica.

Número de jugadores: equipos de 2 a 3 jugadores

Instrucciones

1 El jugador 1 de cada equipo lanza los dos cubos numerados. La suma de los números lanzados es el número de millas que montan en bicicleta ese día.

2 El jugador marca un punto sobre la recta numérica para el número de millas.

3 El jugador 2 de cada equipo lanza los dos cubos numerados, calcula la suma y también marca los puntos del número de millas en el diagrama de puntos de su equipo.

4 Repiten los pasos hasta que cada jugador haya lanzado los cubos 7 veces.

5 Los equipos analizan sus diagramas de puntos para calcular el total de millas que el equipo monta en bicicleta en una semana.

6 El equipo que monta en bicicleta el mayor número de millas en una semana es el ganador del juego.

Equipo A

Jugador 1

Jugador 2

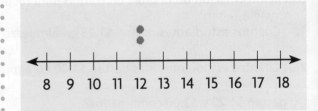

Nombre _____

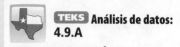

17.1 Tabla de frecuencia

? Pregunta esencial

¿Cómo puedes hacer una tabla de frecuencia con los datos que te dan?

Soluciona el problema

Una **tabla de frecuencia** es una tabla que usa números para anotar datos sobre con cuánta frecuencia ocurre algo. La **frecuencia** es el número de veces en que ocurre el dato.

1 Ejemplo 1

Tony lleva una tabla del número de minutos que lee durante un periodo de 15 días. Él quiere representar estos datos en una tabla de frecuencia. Haz una tabla de frecuencia usando los datos de la tabla.

Tiempo de lectura de Tony (minutos)				
30	60	30	90	30
120	60	60	30	90
120	120	90	60	30

Haz una tabla de frecuencia.

PASO 1

Haz una lista de los minutos de la tabla Tiempo de lectura de Tony en la columna Minutos de la tabla de frecuencia.

_____

PASO 2

Anota la frecuencia del número de minutos de la tabla Tiempo de lectura de Tony en la columna Frecuencia.

Completa la tabla de frecuencia.

Tiempo de lectura de Tony	
Minutos	**Frecuencia**
30	5
60	4
___	___
___	___
___	___

- ¿Cómo cambiaría la tabla de datos de Tony si él anotara el número de minutos que lee durante un periodo de 20 días en vez de un periodo de 15 días?

_____

- Explica cómo cambiaría la tabla si mostrara los nuevos datos que Tony anotara durante un periodo de 20 días.

Charla matemática

Procesos matemáticos

Explica cómo usaste los datos de la tabla de Tony para anotar los números en la columna de frecuencia.

_____

_____

_____

_____

 **Ejemplo 2**

Jasmine sale a caminar todos los días. Ella anotó
la distancia que caminó en una tabla. Usa los datos
de la tabla para hacer una tabla de frecuencia.

Haz un tabla de frecuencia para representar los datos.

Distancia caminada (millas)				
$\frac{1}{2}$	$\frac{1}{4}$	$\frac{3}{4}$	$\frac{3}{4}$	$\frac{1}{2}$
$\frac{3}{4}$	$\frac{1}{2}$	$\frac{3}{4}$	$\frac{1}{2}$	$\frac{1}{4}$

PASO 1

Haz una lista de las distancias que Jasmine caminó en
la columna Distancia de la tabla de frecuencia.

PASO 2

Registra la frecuencia de cada distancia de la tabla Distancia
caminada en la columna Frecuencia. Completa la tabla
de frecuencia.

Distancia caminada (millas)	
Distancia	**Frecuencia**
_____	_____
_____	_____
_____	_____

- **Explica** en qué se parece crear una tabla de frecuencia
  usando datos en fracciones a crear una tabla de frecuencia
  donde los datos son número enteros.

_____

_____

_____

Comparte y muestra

1. Usa los datos de la tabla para completar la tabla
   de frecuencia.

PASO 1: El título de la tabla de frecuencia

   es _____.

   Las dos columnas son _____ y _____.

PASO 2: Haz una lista de los minutos en la columna Minutos.

   _____, _____, _____, _____, _____

PASO 3: Haz una lista de frecuencia de la cantidad de tiempo en
   la columna Frecuencia.

   _____, _____, _____, _____, _____

Tiempo destinado a tareas escolares (minutos)				
15	30	30	45	15
45	15	60	45	15
30	60	90	15	30

2. Haz una tabla de frecuencia usando los datos de la tabla.

Tiempo destinado al estudio (hora)				
$\frac{1}{2}$	$\frac{1}{4}$	$\frac{1}{2}$	$\frac{3}{4}$	$\frac{1}{2}$
$\frac{1}{4}$	$\frac{1}{4}$	$\frac{3}{4}$	$\frac{1}{2}$	1

3. Haz una tabla de frecuencia usando los datos de la tabla.

Distancia recorrida en bicicleta (km)				
4	7	3	9	7
11	3	4	4	9
11	4	7	3	7

Resolución de problemas En el mundo

4. **H.O.T.** **Múltiples pasos** A Gloria le gusta salir a caminar todos los sábados. Ella anota el número de millas que recorre cada día. Usa los datos de la tabla Distancia recorrida para hacer una tabla de frecuencia.

Distancia recorrida (millas)			
7	15	8	12
8	8	7	15
15	15	8	8
12	7	8	12

Matemáticas al instante

5. **H.O.T.** **Explica** cómo usarías los datos de la tabla para hacer una tabla de frecuencia. Luego, representa los datos en una tabla de frecuencia.

_____

_____

_____

_____

Cantidad de pizza que queda			
$\frac{1}{8}$	$\frac{1}{8}$	$\frac{1}{2}$	$\frac{1}{4}$
$\frac{1}{4}$	$\frac{3}{8}$	$\frac{1}{4}$	$\frac{1}{2}$
$\frac{1}{2}$	$\frac{1}{4}$	$\frac{3}{8}$	$\frac{1}{8}$

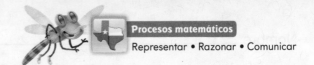
Tarea diaria de evaluación

Rellena el círculo completamente para mostrar tu respuesta.

6. Joe hizo una tabla para mostrar el período de tiempo que caminó.

Si Joe tuviera que crear una tabla de frecuencia a partir de sus datos, ¿qué número debería usar para mostrar el número de veces que caminó 45 minutos?

Ⓐ 2

Ⓒ 3

Ⓑ 4

Ⓓ 5

Tiempo que caminó Joe (minutos)			
45	30	60	45
90	60	45	90
90	60	30	60
45	60	30	45

Usa la tabla de la derecha para los problemas 7 y 8.

Jennie tiene 4 rutas diferentes cuando lleva a pasear a su perro. Ella hizo esta tabla para mostrar cuándo toma cada una de las 4 rutas.

7. Si Jennie tuviera que hacer una tabla de frecuencia a partir de sus datos, ¿qué número escribiría para mostrar el número de veces que tomó la ruta $1\frac{3}{4}$?

Ⓐ 3

Ⓒ 2

Ⓑ 5

Ⓓ 4

Millas que paseó con el perro			
$\frac{1}{2}$	$2\frac{1}{8}$	$1\frac{1}{2}$	$1\frac{1}{2}$
$1\frac{3}{4}$	$1\frac{3}{4}$	$\frac{1}{2}$	$1\frac{1}{2}$
$2\frac{1}{8}$	$2\frac{1}{8}$	$1\frac{3}{4}$	$\frac{1}{2}$

8. ¿Qué número escribiría para la frecuencia de $\frac{1}{2}$?

Ⓐ 2

Ⓒ 4

Ⓑ 3

Ⓓ 5

⭐ Preparación para la prueba de TEXAS

9. Durante un evento de recaudación de fondos, se pidió a varios estudiantes que vendieran soda durante el juego de béisbol. Danny hizo una tabla para registrar el número de sodas vendidas por los estudiantes.

Si Danny tuviera que crear una tabla de frecuencia a partir de sus datos, ¿qué número usaría para mostrar el número de estudiantes que vendieron 10 sodas?

Ⓐ 3

Ⓑ 5

Ⓒ 10

Ⓓ 7

Número de sodas vendidas			
12	10	8	7
7	8	7	10
12	12	10	10
10	10	8	10

600

TEKS **Análisis de datos:** 4.9.A
PROCESOS MATEMÁTICOS 4.1.C, 4.1.D, 4.1.E

Nombre _____

17.1 Tabla de frecuencia

1. Haz una tabla de frecuencia con los datos de la tabla.

Número de vueltas corridas				
3	4	3	5	2
3	5	5	2	1
4	4	3	3	4

2. Haz una tabla de frecuencia con los datos de la tabla.

Libros pedidos en la biblioteca				
2	6	3	5	2
3	2	7	3	6
6	3	5	2	3

Resolución de problemas En el mundo

3. Paul hizo una tabla para mostrar cuántas veces bateó la pelota cada jugador. Usa los datos de la tabla para hacer una tabla de frecuencia.

Número de bateos					
0	1	1	2	3	3
1	1	1	0	2	3
4	2	2	1	4	0

4. Sahara hizo una tabla para mostrar cuántas latas había en el contenedor de reciclaje cada día. Usa los datos de la tabla para hacer una tabla de frecuencia.

Latas en el contenedor de reciclaje				
10	14	12	10	18
12	18	14	18	14
18	13	10	18	10

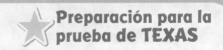
Rellena el círculo completamente para mostrar tu respuesta.

5. Greg hizo una tabla para mostrar el número de canastas que encestó durante 15 prácticas de baloncesto.

Número de canastas que encestó				
12	14	24	18	20
8	17	20	14	14
16	19	20	19	18

Si Greg hiciera una tabla de frecuencia a partir de estos datos, ¿qué número usaría para mostrar el número de veces que encestó 14 canastas?

(A) 5

(B) 0

(C) 3

(D) 4

6. Lacy hizo una tabla para mostrar el número de millas que caminó.

Millas caminadas			
1	$\frac{1}{2}$	$\frac{3}{4}$	$\frac{1}{2}$
$1\frac{1}{2}$	1	$\frac{1}{2}$	$\frac{3}{4}$
1	$\frac{3}{4}$	$1\frac{1}{2}$	1

Si Lacy hiciera una tabla de frecuencia a partir de estos datos, ¿qué número usaría para mostrar el número de veces que caminó $\frac{1}{2}$ milla?

(A) 4

(B) 2

(C) 1

(D) 3

Usa la tabla de la derecha para los problemas 7 y 8.

Ellen está entrenando para correr un maratón. Ella hizo una tabla para mostrar cuántas millas corre cada día que entrena.

Millas corridas cada día				
10	8	12	10	8
9	13	10	9	13
9	12	8	12	12
12	10	13	9	13

7. Múltiples pasos Ellen hizo una tabla de frecuencia a partir de estos datos. ¿Qué millaje tendrá la frecuencia mayor?

(A) 12

(B) 13

(C) 9

(D) 10

8. Múltiples pasos ¿Qué oración sobre la tabla de frecuencia de Ellen NO es verdadera?

(A) Ellen corrió el mismo número de días de 9 y 10 millas diarias.

(B) Ellen corrió más días de 12 millas diarias que días de 10 millas diarias.

(C) Ellen corrió cuatro días de 9, 10 y 13 millas.

(D) Ellen corrió menos días de 9 millas que días de 8 millas.

Nombre _____

17.2 Usar tablas de frecuencia

TEKS Análisis de datos: 4.9.B
PROCESOS MATEMÁTICOS
4.1.A, 4.1.C, 4.1.D, 4.1.E

? **Pregunta esencial**

¿Cómo puedes resolver problemas usando una tabla de frecuencia?

Soluciona el problema

Ejemplo 1

Michael preguntó a sus amigos el peso de sus perros pequeños. Registró la frecuencia de cada peso en la tabla de frecuencia. ¿Cuántos amigos de Michael tienen perros que pesan 9 libras?

Piensa: El número de la columna Frecuencia es el número de amigos que dijeron que sus perros pesaban el peso anotado en la columna Peso.

Michael tiene _____ amigos cuyos perros pesan 9 libras.

Peso de perros (lb)	
Peso	Frecuencia
8	2
9	3
10	1
11	0
12	4
13	2

- ¿Cuántos amigos más tienen perros que pesan 12 y 13 libras que amigos con

  perros que pesan 10 y 11 libras? _____

Ejemplo 2

Como entrenamiento para una competencia a campo traviesa, Dylan y sus compañeros practican corriendo por los bosques. El entrenador de Dylan registró las distancias que ellos corrieron en una tabla de frecuencia. ¿Cuántos compañeros de Dylan corrieron más de 2 millas?

Piensa: Sumo el número de la columna Frecuencia para los estudiantes que corrieron más de 2 millas.

Durante el entrenamiento, _____ compañeros de Dylan corrieron más de 2 millas.

Millas corridas en el entrenamiento	
Millas	Frecuencia
1.1	8
1.4	4
1.8	2
2.2	7
2.6	1

- ¿Cuántos compañeros de Dylan corrieron durante el entrenamiento? _____

- ¿Cuántos compañeros más corrieron 1.1 millas y 2.2 millas que los que corrieron

  1.4, 1.8 y 2.6 millas combinadas? _____

 **Ejemplo 3**

La mamá de Brendan registró la cantidad de tiempo que Brendan practica piano todos los días durante 1 mes. ¿Qué cantidad de tiempo practicó más Brendan?

Piensa: Mira el número más grande en la columna Frecuencia para determinar qué cantidad de tiempo dedica más a practicar piano.

Brendan practicó piano con más frecuencia por un

tiempo de _____ de una hora.

Tiempo que practica piano (hora)	
Tiempo	Frecuencia
$\frac{1}{6}$	2
$\frac{1}{4}$	4
$\frac{1}{2}$	8
$\frac{4}{6}$	9
$\frac{3}{4}$	8

- ¿Dedicó más días a practicar piano más de $\frac{1}{2}$ hora

  o menos de $\frac{1}{2}$ hora? _____

- ¿Cuáles son las dos veces en que Brendan practicó la menor cantidad de

  tiempo? _____

 Comparte y muestra

Usa la tabla de frecuencia para los problemas 1 a 3.

1. Reagan le preguntó a 39 personas a cuántas millas de distancia viven del almacén más cercano. Ella registró sus respuestas en una tabla de frecuencia. ¿Cuántas personas viven a 1.8 millas o 3.7 millas o más del almacén?

   El número de personas que viven a 1.8 millas del

   almacén es _____.

   El número de personas que viven a 3.7 o más millas del

   almacén es _____.

   _____ + _____ = _____; _____ personas viven a 1.8 millas o 3.7 o más millas del almacén.

Distancia al almacén	
Distancia	Frecuencia
1.2	6
1.8	7
2.1	2
2.4	12
3.7	9
4.1	3

2. ¿Cuántas personas viven a menos de 2.4 millas del almacén?

   _____

3. ¿Cuántas personas conducen más de 8 millas al almacén de

   ida y regreso? _____

604

Nombre _____

Usa la tabla de frecuencia para los problemas 4 a 6.

Número de millas caminadas	
Millas	**Frecuencia**
$2\frac{1}{4}$	15
3	7
$3\frac{1}{2}$	11
$4\frac{3}{4}$	3
$5\frac{1}{8}$	5
$5\frac{3}{4}$	1

4. Jamal le preguntó a sus amigos que practican senderismo cuántas millas caminaron durante sus vacaciones. ¿Cuántos amigos de Jamal caminaron por lo menos $2\frac{1}{4}$ millas durante sus vacaciones?

_____

5. **H.O.T.** **Múltiples pasos** ¿Cuántos amigos más caminaron 3 millas o menos que los amigos que caminaron $3\frac{1}{2}$ millas o más? **Explica tu respuesta.**

_____

_____

6. **Usa el lenguaje matemático** **Explica** cómo hallarías el número de amigos de Jamal que caminaron entre $2\frac{1}{4}$ y $4\frac{3}{4}$ millas.

_____

_____

Usa la tabla de frecuencia para los problemas 7 y 8.

Número de camisetas vendidas	
Camisetas	**Frecuencia**
15	7
20	8
25	14
30	21
35	3
40	5

7. **Múltiples pasos** Durante un evento de recaudación de fondos, a los estudiantes se les pidió que vendieran camisetas. La escuela registró el número de estudiantes que vendieron camisetas en una tabla de frecuencia. ¿Cuántos estudiantes vendieron más de 20 camisetas?

_____

8. **H.O.T.** **Aplica** ¿Cuántas camisetas vendió la mayoría de los estudiantes? ¿Cuántas camisetas en total vendieron esos estudiantes? **Explica tu respuesta.**

_____

_____

Tarea diaria de evaluación

Rellena el círculo completamente para mostrar tu respuesta.

9. **Múltiples pasos** Mónica registró la frecuencia del número de estudiantes y el tiempo que demoraron en jugar un juego matemático. ¿Cuántos estudiantes más demoraron $\frac{1}{2}$ hora en jugar el juego que los estudiantes que demoraron $\frac{3}{4}$ de hora y 1 hora combinados?

- (A) 17
- (B) 6
- (C) 20
- (D) 1

Tiempo en completar un juego matemático (en horas)	
Tiempo	Frecuencia
$\frac{1}{4}$	11
$\frac{1}{2}$	18
$\frac{3}{4}$	8
1	9

Usa la tabla de frecuencia Edad de los miembros del coro para los problemas 10 y 11.

10. Los miembros del coro que tienen 12 años de edad son la mitad de los miembros del coro que tienen 14 años. ¿Cuántos miembros con 12 años hay en el coro?

- (A) 2
- (C) 6
- (B) 10
- (D) 8

Edad de los miembros del coro	
Edad	Frecuencia
10	7
11	4
12	
13	10
14	12
15	1

11. **Múltiples pasos** ¿Cuántos niños menos de 13 años de edad hay en el coro que niños de 10 y 14 años de edad combinados?

- (A) 19
- (C) 15
- (B) 9
- (D) 16

 Preparación para la prueba de TEXAS

12. A Daniela y sus amigos les gusta montar en bicicleta. ¿Cuántos amigos de Daniela montan sus bicicletas ya sea menos de 1.1 millas o más de 2.0 millas?

- (A) 23
- (B) 24
- (C) 11
- (D) 12

Distancia en bicicleta (millas)	
Distancia	Frecuencia
0.8	4
1.0	8
1.4	5
1.9	1
2.2	7
2.4	4

606

Tarea y práctica

Nombre _____

17.2 Usar tablas de frecuencia

Usa la tabla de frecuencia para los problemas 1 a 4.

Número de cajas de galletas vendidas	
Cajas	Frecuencia
25	4
30	6
35	7
40	5
45	2
50	1

1. Kayla está encargada de la venta de galletas para su tropa de niñas exploradoras. ¿Cuántos miembros vendieron más de 40 cajas de galletas?

   _____

2. ¿Cuántos miembros vendieron menos de 40 cajas de galletas?

   _____

3. ¿Cuántas cajas de galletas vendió la mayor cantidad de los miembros?

   _____

4. ¿Cuántos miembros están representados en la tabla de frecuencia de Kayla?

   _____

Resolución de problemas En el mundo

Usa la tabla de frecuencia para los problemas 5 a 7.

Número de ausencias	
Ausencias	Frecuencia
0	36
1	10
2	15
3	4
4	2

5. La tabla muestra el número de ausencias de la clase de cuarto grado durante el año escolar. ¿Cuántos estudiantes estuvieron ausentes ya sea 1 ó 2 veces durante el año escolar?

   _____

6. ¿Cuántos estudiantes estuvieron ausentes más de 2 veces durante el año escolar?

   _____

7. **Múltiples pasos** ¿Cuántos estudiantes más estuvieron ausentes 2 días o menos que los estudiantes ausentes 3 días o más? **Explica tu respuesta.**

   _____

   _____

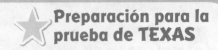
Rellena el círculo completamente para mostrar tu respuesta.

Usa la tabla de frecuencia Grados de los miembros de la banda para los problemas 8 y 9.

8. En la banda, hay la mitad de los estudiantes de grado 11 que los estudiantes que hay de grado 9. ¿Cuántos estudiantes de grado 11 hay en la banda?

   (A) 42

   (B) 84

   (C) 51

   (D) 17

Grados de los miembros de la banda	
Grado	Frecuencia
9	84
10	51
11	
12	34

9. ¿Cuántos estudiantes más de grado 9 hay en la banda que estudiantes de grado 10?

   (A) 50

   (B) 9

   (C) 33

   (D) 51

Usa la tabla de frecuencia Precipitaciones en abril para los problemas 10 y 11.

10. **Múltiples pasos** Olivia registró la frecuencia de la cantidad de lluvia caída cada día del mes de abril. ¿Cuántos días más llovió menos de una pulgada que los que llovió 1 pulgada?

    (A) 4 días

    (B) 10 días

    (C) 26 días

    (D) 22 días

Precipitaciones en abril (en pulgadas)	
Cantidad	Frecuencia
$\frac{1}{4}$	5
$\frac{1}{2}$	11
$\frac{3}{4}$	10
1	4

11. **Múltiples pasos** ¿Cuántos días menos llovió $\frac{1}{4}$ de pulgada que los que llovió $\frac{1}{2}$ y $\frac{3}{4}$ de pulgada combinados?

    (A) 6 días

    (B) 16 días

    (C) 26 días

    (D) 4 días

17.3 Diagrama de puntos

TEKS Análisis de datos:
4.9.A
PROCESOS MATEMÁTICOS
4.1.C, 4.1.D, 4.1.E

? Pregunta esencial

¿Cómo puedes hacer un diagrama de puntos con datos en forma de números enteros y fracciones?

Soluciona el problema

Un **diagrama de puntos** es una gráfica que muestra la frecuencia de datos en una recta numérica.

Ejemplo 1

Samuel está entrenando para correr un medio maratón. Anotó las distancias que corrió en una tabla. Usa los datos de la tabla para hacer un diagrama de puntos.

Distancia corrida por Samuel (millas)				
4	8	8	7	5
9	9	9	7	9
9	5	7	8	4

PASO 1

Ordena los datos de menor a mayor distancia.

4, 4, _____, _____, _____, _____, _____, _____,

_____, _____, _____, _____, _____, _____, _____

Haz una recta numérica. Rotúlala con las distancias. Escribe un título debajo de la recta numérica para describir los datos.

Rotula las distancias sobre la recta numérica desde el valor menor al valor mayor de los datos. Los puntos de los datos para este diagrama de puntos serán

_____, _____, _____, _____ y _____.

_____

PASO 2

Para representar los valores de los datos, coloca dos puntos arriba del 4 en la recta numérica para mostrar cuántas veces Samuel corrió esa distancia.

Completa el diagrama de puntos escribiendo el número correcto de puntos arriba de las distancias de la recta numérica.

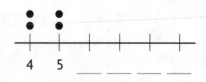

- **Explica** por qué el diagrama de puntos es una manera útil de organizar y presentar datos.

_____

_____

 **Ejemplo 2**

Tiempo que practica el saque (hora)				
$\frac{1}{4}$	$\frac{3}{4}$	$\frac{3}{4}$	$\frac{3}{4}$	$\frac{1}{2}$
$\frac{3}{4}$	$\frac{1}{2}$	$\frac{1}{4}$	$\frac{1}{2}$	$\frac{1}{2}$
$\frac{1}{4}$	$\frac{1}{2}$	$\frac{1}{2}$	$\frac{1}{4}$	$\frac{1}{2}$

Kristen practica su saque de tenis todos los días. Ella anota la cantidad de tiempo que practica en fracciones de una hora. Usa los datos de la tabla para hacer un diagrama de puntos para representar los datos.

PASO 1

Ordena los datos de menor a mayor de las partes fraccionarias de una hora. Haz una recta numérica. Rotúlala con las fracciones. Escribe un título debajo de la recta numérica para describir los datos.

Los puntos de los datos deberían comenzar con la fracción menor y terminar con la fracción mayor. Los puntos de los datos para este

diagrama de puntos serán _____, _____, _____.

_____

PASO 2

Coloca un punto arriba de cada fracción de la recta numérica para mostrar cuántas veces Kristen pasó ese tiempo practicando su saque de tenis.

Tiempo que practica el saque

Comparte y muestra

1. Usa los datos de la tabla Distancia recorrida en bicicleta (km) para completar el diagrama de puntos.

Distancia recorrida en bicicleta (km)				
3	5	12	2	1
8	5	8	6	3
11	8	6	4	10
10	9	6	6	6
5	2	1	2	3

Distancia recorrida en bicicleta

2. Haz un diagrama de puntos para los datos de la tabla.

Número de hermanos				
2	2	1	1	3
4	0	1	1	0
2	2	1	3	4
1	0	0	2	0

610

3. Haz un diagrama de puntos usando los datos de la tabla.

Tamaño de muestras de agua (galones)				
$\frac{1}{4}$	$\frac{1}{2}$	$\frac{1}{4}$	$\frac{3}{4}$	$\frac{1}{2}$
$\frac{1}{2}$	$\frac{3}{4}$	$\frac{3}{4}$	$\frac{1}{4}$	$\frac{1}{2}$
$\frac{1}{4}$	$\frac{1}{2}$	$\frac{1}{2}$	$\frac{3}{4}$	$\frac{1}{4}$

4. Haz un diagrama de puntos usando los datos de la tabla.

Número de autos vendidos por mes				
11	14	12	12	11
14	16	11	10	14
10	10	11	13	10

Resolución de problemas En el mundo

5. **H.O.T.** **Múltiples pasos** Martín quiere construir algunas cajas de herramientas para sus amigos. Él planea usar la madera que ya tiene. Hace una lista de diferentes longitudes de madera que tiene en una tabla. Usa estos datos para crear un diagrama de puntos, de manera que Martín pueda fácilmente visualizar qué longitudes de madera tiene.

Matemáticas al instante

Longitud de pedazos de madera (pies)			
$2\frac{5}{8}$	$2\frac{3}{8}$	$2\frac{1}{8}$	$2\frac{4}{8}$
$2\frac{2}{8}$	$2\frac{6}{8}$	$2\frac{3}{8}$	$2\frac{2}{8}$
$2\frac{6}{8}$	$2\frac{1}{8}$	$2\frac{5}{8}$	$2\frac{1}{8}$

6. **H.O.T.** **Usa gráficas** **Explica** cómo usarías los datos de la tabla para hacer un diagrama de puntos. Luego, representa los datos en un diagrama de puntos.

Número de dueños de CD				
18	23	16	12	15
12	20	14	18	19
14	15	17	12	15

_____

_____

_____

Tarea diaria de evaluación

Rellena el círculo completamente para mostrar tu respuesta.

7. Algunos estudiantes de la clase de José contaron el número de animales que cada uno vio durante el recreo. José quiere hacer un diagrama de puntos para representar los datos. ¿Cuántos puntos colocará arriba del número 5?

Número de animales vistos								
5	3	1	7	2	1	3	5	3

Ⓐ 1   Ⓒ 2

Ⓑ 3   Ⓓ 5

8. Sarah fue a la playa durante una semana. Ella anotó en la tabla de abajo la longitud de los caracoles marinos que halló cada día. Quiere hacer un diagrama de puntos para representar las longitudes que anotó. ¿Cuál opción muestra la manera en que Sarah rotularía las longitudes en fracciones en la recta numérica?

Longitud de caracoles marinos hallados (en pulgadas)								
$\frac{1}{2}$	$\frac{3}{4}$	$\frac{1}{4}$	$\frac{1}{2}$	$\frac{3}{4}$	1	$\frac{1}{4}$	$\frac{1}{4}$	1

Ⓐ $\frac{1}{4}$ $\frac{1}{2}$ $\frac{3}{4}$ 1

Ⓒ 1 $\frac{3}{4}$ $\frac{1}{4}$ $\frac{1}{2}$

Ⓑ 1 $\frac{1}{2}$ $\frac{1}{4}$ $\frac{3}{4}$

Ⓓ $\frac{1}{4}$ $\frac{3}{4}$ $\frac{1}{2}$ 1

Preparación para la prueba de TEXAS

9. Los datos de la tabla muestran las longitudes de algunos pedazos de alfombra que tiene Justín. Quiere hacer un diagrama de puntos para mostrar los datos. ¿Cuántos puntos colocará Justín arriba de $3\frac{1}{2}$?

Ⓐ 0   Ⓒ 3

Ⓑ 1   Ⓓ 4

Longitud de pedazos de alfombra (pies)			
$3\frac{3}{4}$	$2\frac{3}{4}$	$2\frac{1}{2}$	$1\frac{1}{4}$
$2\frac{1}{4}$	$3\frac{1}{2}$	$1\frac{1}{2}$	$2\frac{1}{8}$
$3\frac{1}{4}$	$2\frac{1}{8}$	$1\frac{1}{8}$	$1\frac{1}{8}$

Nombre _____

17.3 Diagrama de puntos

1. Haz un diagrama de puntos usando datos de la tabla.

Número de vocales en el primer nombre			
1	2	2	2
3	4	4	5
1	2	2	2
3	3	1	2
2	2	2	2

2. Haz un diagrama de puntos usando datos de la tabla.

Tiempo de práctica de piano (en horas)			
$\frac{3}{4}$	1	$\frac{1}{2}$	$\frac{3}{4}$
$1\frac{1}{4}$	$\frac{1}{2}$	$\frac{3}{4}$	1
1	$1\frac{1}{4}$	1	$\frac{1}{2}$
1	$\frac{1}{2}$	1	$\frac{1}{2}$

Resolución de problemas

3. Jerome salió a caminar por el vecindario. Anotó el número de árboles que vio en cada patio. Usa los datos de la tabla para hacer un diagrama de puntos para representar los datos.

Número de árboles			
3	0	3	5
4	1	2	0
5	4	4	6
0	5	5	0
1	2	4	2
2	0	1	0

4. Tiffany anotó la cantidad de tiempo que le toma ir caminando a la escuela cada día. Usa los datos de la tabla para hacer un diagrama de puntos para representar los datos.

Tiempo caminando (en minutos)			
20	18	19	16
18	15	20	18
19	20	15	20
16	19	20	19

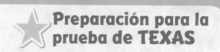
Rellena el círculo completamente para mostrar tu respuesta.

5. La Sra. Torres contó el número de libros que pidieron los estudiantes de su clase en la biblioteca. Quiere hacer un diagrama de puntos para representar los datos. ¿Cuántos datos colocará arriba del número 3?

Número de libros pedidos								
2	5	4	5	2	3	2	3	2

Ⓐ 6

Ⓑ 3

Ⓒ 9

Ⓓ 2

6. Héctor anotó el tiempo que dedica a regar su patio cada día. Quiere hacer un diagrama de puntos para representar el tiempo anotado. ¿Cuál muestra la manera en que Héctor debería rotular el tiempo sobre la recta numérica?

Tiempo dedicado a regar (en minutos)							
16	20	16	18	16	20	19	18

Ⓐ 16 20 18 19

Ⓑ 16 17 18 19 20

Ⓒ 20 19 17 18 16

Ⓓ 16 18 19 20

Usa la tabla de la derecha para los problemas 7 y 8.

7. Múltiples pasos El Sr. Davis registró los puntajes de la prueba de matemáticas de los estudiantes. Él quiere hacer un diagrama de puntos para representar los datos. ¿Cuántos puntos más colocará arriba de 100 que arriba de 70, 75 y 80 combinados?

Ⓐ 2   Ⓒ 3

Ⓑ 6   Ⓓ 4

Puntaje de la prueba de matemáticas			
100	85	90	95
85	95	100	80
100	90	70	100
75	95	100	75
90	100	85	95

8. Múltiples pasos ¿Cuál oración acerca del diagrama de puntos NO es verdadera?

Ⓐ Menos estudiantes obtuvieron 90 que 95 puntos.

Ⓑ Más estudiantes obtuvieron 75 que 80 puntos.

Ⓒ Más estudiantes obtuvieron 95 que 80 y 85 puntos combinados.

Ⓓ La misma cantidad de estudiantes obtuvo 85 y 90 puntos.

 **Usar diagrama de puntos**

TEKS **Análisis de datos:**
4.9.B
PROCESOS MATEMÁTICOS
4.1.C, 4.1.D, 4.1.E

 Pregunta esencial

¿Cómo puedes usar diagramas de puntos para responder preguntas relativas a números enteros, fracciones y decimales?

Soluciona el problema

Tú puedes usar un diagrama de puntos para organizar datos y hacer que estos sean visualmente más fáciles de leer.

Ejemplo 1

El diagrama de puntos muestra las longitudes de los botones de la colección de Jen. Para un proyecto de arte, ella quiere saber cuántos botones de su colección son más largos que $\frac{1}{4}$. ¿Cómo puede usar un diagrama de puntos para hallar la respuesta?

Cada punto representa 1 botón. →

$\frac{1}{4}$ $\frac{1}{2}$ $\frac{3}{4}$ $\frac{4}{4}$ ← Las fracciones muestran la longitud de los botones.

Longitud del botón
(en pulgadas)

Charla matemática
Procesos matemáticos
Explica cómo respondiste la Pregunta 3.

Cuenta el número de puntos arriba de cada longitud del botón del diagrama de puntos. Hay _____ puntos arriba de $\frac{1}{4}$, hay _____ puntos arriba de $\frac{1}{2}$, hay _____ puntos arriba de $\frac{3}{4}$ y _____ puntos arriba de $\frac{4}{4}$.

Ya que estás tratando de hallar el número de botones que tengan una longitud mayor que $\frac{1}{4}$, cuenta el número de puntos arriba de las demás fracciones para hallar la respuesta.

Entonces, hay _____ botones de la colección de Jen que son más largos que $\frac{1}{4}$ de pulgada.

1. ¿Cuántos botones hay en la colección de Jen? _____

2. ¿Cuántos botones tienen una longitud menor que $\frac{3}{4}$ de pulgada? _____

3. ¿Cuál es la diferencia en longitud entre el botón más largo y el botón más corto en la colección de Jen? _____

Ejemplo 2 Resuelve un problema de múltiples pasos.

Algunos estudiantes de la clase de la Srta. Pérez caminan alrededor de la pista durante el recreo. El diagrama de puntos muestra las distancias que los estudiantes caminaron. ¿Cuántos estudiantes más caminaron 1 o más millas que los estudiantes que caminaron menos de una milla?

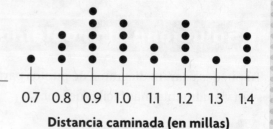

Distancia caminada (en millas)

PASO 1 Cuenta el número de puntos arriba de 0.7, 0.8 y 0.9.

_____ estudiantes caminaron menos de _____ milla.

PASO 2 Cuenta el número de puntos arriba de 1.0, 1.1, 1.2, 1.3 y 1.4.

_____ estudiantes caminaron una milla o más.

PASO 3 _____ – _____ = _____

Entonces, _____ estudiantes caminaron 1 o más millas que los estudiantes que caminaron menos de una milla.

Comparte y muestra

1. El administrador de un restaurante reunió datos acerca del tiempo que esperan los clientes por su comida. Representa los datos reunidos en un diagrama de puntos. ¿Cuántos clientes esperaron durante 15 minutos por su comida?

   Piensa: Cuenta el número de • arriba de 15.

   Hay _____ puntos arriba de 15 en el diagrama de puntos.

   Entonces, _____ personas esperaron durante 15 minutos por su comida.

Tiempo esperado (en minutos)

2. ¿Sobre cuántas personas reunió los datos el administrador del restaurante?

   _____

3. ¿Cuántas personas esperaron durante 17 o menos minutos por su comida?

   _____

4. ¿Cuántas personas más esperaron durante 17 o menos minutos que personas que esperaron durante 19 minutos o más?

   _____

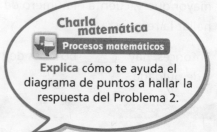

Charla matemática
Procesos matemáticos

Explica cómo te ayuda el diagrama de puntos a hallar la respuesta del Problema 2.

616

Nombre _____

Usa el diagrama de puntos para los problemas 5 y 6.

5. **Usa gráficas** Una escuela recolectó datos acerca de la distancia de la escuela a la que viven varios estudiantes. ¿Cuántos estudiantes viven ya sea a 2.1 ó 2.2 millas de la escuela?

_____

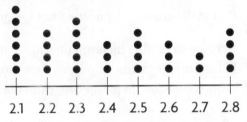

Distancia del hogar a la escuela (en millas)

6. **H.O.T.** **Aplica Múltiples pasos** Martha quiere saber cuántos estudiantes más viven a más de 2.0 millas y a menos de 2.4 millas de la escuela que los estudiantes que viven a más de 2.5 millas y a menos de 2.9 millas de la escuela. **Explica** cómo determinará Martha la respuesta.

_____

_____

Soluciona el problema

7. **H.O.T.** **Múltiples pasos** El diagrama de puntos muestra las distancias en millas que corren algunos del equipo de atletismo para practicar para una próxima competencia. En total, ¿corren los estudiantes más o menos de 5 millas?

a. ¿Qué necesito hallar? _____

_____

b. ¿Qué información necesitas usar? _____

_____

Distancia corrida por el equipo de atletismo (en millas)

c. ¿De qué manera el diagrama de puntos te ayuda a resolver el problema?

_____

d. Muestra los pasos para resolver el problema. _____

e. Completa las oraciones. Los miembros del equipo corren un total de_____ millas.

Ya que _____ millas es _____ que 5 millas, los estudiantes corren _____ de 5 millas.

Tarea diaria de evaluación

Rellena el círculo completamente para mostrar tu respuesta.
Usa el diagrama de puntos para los problemas 8 a 11.

Aarón y su familia hicieron un viaje a un parque nacional.
Él hizo un diagrama de puntos para mostrar el número de
erupciones que un géiser hizo cada día durante 20 días.

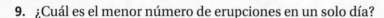

Números de erupciones diarias

8. ¿Cuántas erupciones ocurrieron la mayor cantidad
de días?

Ⓐ 18

Ⓑ 14

Ⓒ 17

Ⓓ 16

9. ¿Cuál es el menor número de erupciones en un solo día?

Ⓐ 18   Ⓒ 13

Ⓑ 15   Ⓓ 12

10. **Múltiples pasos** ¿Cuántas veces más el géiser tiene 17 erupciones
diarias que 15 y 16 erupciones combinadas?

Ⓐ 3

Ⓑ 1

Ⓒ 2

Ⓓ 5

 Preparación para la prueba de TEXAS

11. ¿Cuántas veces Aarón y su familia vieron ya sea 12, 13, 14 ó 15
erupciones?

Ⓐ 8

Ⓑ 9

Ⓒ 7

Ⓓ 12

TEKS Análisis de datos: 4.9.B
PROCESOS MATEMÁTICOS 4.1.C, 4.1.D, 4.1.E

Nombre _____

17.4 Usar diagrama de puntos

1. El Sr. Domínguez recolectó datos de las estaturas de los estudiantes de su clase. Representa los datos que recolectó en un diagrama de puntos. ¿Cuántos estudiantes miden 54.5 pulgadas de alto?

_____

Estatura (en pulgadas)

53.5 54 54.5 55 55.6 56 56.5

2. ¿Sobre cuántos estudiantes recolectó datos el Sr. Domínguez?

_____

3. ¿Cuántos estudiantes miden más de 55 pulgadas de alto?

_____

4. ¿Cuántos estudiantes más miden 56 pulgadas de alto o menos de 54 pulgadas de alto?

_____

5. ¿Cuál es la estatura de la mayoría de los estudiantes de la clase?

_____

6. ¿Cuál es la diferencia entre el número de estudiantes que miden 55 pulgadas o menos y los estudiantes que miden más de 55 pulgadas de alto?

_____

Resolución de problemas

7. Adam preguntó a varias personas cuántas horas dormían cada noche. Representa los datos que recolectó en un diagrama de puntos. ¿Cuántas horas duerme la mayoría de las personas?

_____

8. ¿Cuántas personas duermen menos de $7\frac{1}{2}$ horas cada noche?

Tiempo dedicado a dormir (en horas)

6 $6\frac{1}{2}$ 7 $7\frac{1}{2}$ 8 $8\frac{1}{2}$

9. **Múltiples pasos** ¿Cuántas personas más duermen 8 o más horas que las personas que duermen 7 o menos horas? **Explica tu respuesta.**

_____

_____

_____

_____

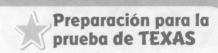
Repaso de la lección

Rellena el círculo completamente para mostrar tu respuesta.
Usa el diagrama de puntos para los problemas 10 a 12.

10. La Sra. Sanders les dio a sus estudiantes un rompecabezas para resolver. Hizo un diagrama de puntos para mostrar el número de minutos que demoraron sus estudiantes en resolver el rompecabezas. ¿Cuántos estudiantes resolvieron el rompecabezas en menos de 15 minutos?

Tiempo para resolver el rompecabezas (en minutos)

Ⓐ 21   Ⓒ 4

Ⓑ 11   Ⓓ 17

11. ¿Qué número representa el tiempo en que la mayoría de los estudiantes resolvió el rompecabezas?

Ⓐ 12   Ⓒ 14

Ⓑ 13   Ⓓ 15

12. **Múltiples pasos** ¿Cuántos estudiantes más resolvieron el rompecabezas en 14 o más minutos que los estudiantes que resolvieron el rompecabezas en 11 o menos minutos?

Ⓐ 10   Ⓒ 8

Ⓑ 7   Ⓓ 3

Usa el diagrama de puntos para los problemas 13 a 15.

13. José viaja varias millas cada día para ir al trabajo. El diagrama de puntos muestra las distancias que viaja durante un mes. ¿Cuántos días viajó José 50, 55 ó 60 millas?

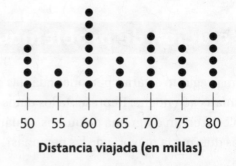

Distancia viajada (en millas)

Ⓐ 4   Ⓒ 7

Ⓑ 2   Ⓓ 13

14. ¿Cuántos días más viajó José 70 millas que 65 millas?

Ⓐ 5   Ⓒ 1

Ⓑ 2   Ⓓ 3

15. **Múltiples pasos** ¿Cuántos días más viajó José 60 o menos millas que 75 o más millas?

Ⓐ 4   Ⓒ 3

Ⓑ 7   Ⓓ 9

17.5 Diagramas de tallo y hojas

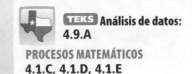

? **Pregunta esencial**

¿Cómo puedes hacer diagramas de tallo y hojas con números enteros?

Soluciona el problema

Henry llevó la cuenta de los puntos de todas sus palabras cuando jugó un juego de palabras con su amigo.

Puntaje del juego de palabras							
13	15	19	31	22	33	27	22

Luego, usó un diagrama de tallo y hojas para mostrar los datos.

Un **diagrama de tallo y hojas** muestra grupos de datos ordenados según el valor de posición.

 Haz un diagrama de tallo y hojas.

PASO 1

Reúne los datos según los dígitos de las decenas.

10: **13, 15,** _____

20: **22,** _____, _____

_____: **31,** _____

PASO 2

Ordena los dígitos de las decenas de menor a mayor. Traza una línea.

1 | Cada dígito de las decenas

2 | se llama tallo.

3 |

PASO 3

Escribe cada dígito de las unidades en orden de menor a mayor a la derecha de los dígitos de las decenas.

1 | 3, _____, _____ Cada dígito de

2 | 2, _____, _____ las unidades se

3 | 1, _____ llama hoja.

PASO 4

Incluye un título, rótulos y una clave.

Puntos anotados en el juego de palabras

Tallo	Hojas
1	3 _____
_____	_____
_____	_____

Clave: 1 | 3 representa 13 puntos

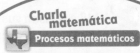

Charla matemática
Procesos matemáticos

Explica de qué manera un diagrama de tallo y hojas usa los valores de posición.

1. Usa los datos de la tabla para hacer un diagrama de tallo y hojas.

   Ordena los datos de la tabla de _____

   a _____.

   Los números _____, _____, _____ son tallos.

   Las hojas del tallo 2 son _____, _____, _____,

   _____, _____.

   Completa el diagrama de tallo y hojas.

Números de pisos de edificios de gran altura							
31	37	48	26	33	34	43	38
38	30	27	32	40	45	38	39
27	29	30	33	28	45	43	43

Números de pisos de edificios de gran altura

Tallo	Hojas

Clave: 2 | 6 representa 26 pisos

2. Usa los datos de la tabla Número de saltos para hacer un diagrama de tallo y hojas.

Número de saltos							
10	22	12	11	20	25	31	26

3. Usa los datos de la tabla Número de cuentas diferentes para hacer un diagrama de tallo y hojas.

Número de cuentas diferentes							
12	33	10	14	24	26	31	37

Resolución de problemas · En el mundo

4. **H.O.T.** Mike registra sus puntajes en el boliche y los escribe en una tabla. Él quiere ver cuántas veces logró un puntaje en la decena de los 90. Hace un diagrama de tallo y hojas con los datos de la tabla. Explica cómo Mike usó el diagrama de tallo y hojas para determinar cuántas veces logró un puntaje en la decena de los 90.

Matemáticas al instante

Puntajes de Mike en el boliche							
76	92	85	73	94	98	61	74
79	73	81	85	92	86	86	75
69	67	82	86	93	89	76	80

_____

_____

5. Usa gráficas Múltiples pasos Naomi realizó un experimento científico donde registró la temperatura máxima de cada día durante 24 días. Escogió un diagrama de tallo y hojas para presentar sus datos. Haz el diagrama de tallo y hojas de Naomi.

Temperatura máxima (°F)		
67	73	62
75	79	76
86	79	72
87	85	72
67	68	65
72	86	83
88	75	89
84	87	86

6. H.O.T. Usa gráficas Múltiples pasos A Jenny le piden que forme equipos según la estatura de los estudiantes de su clase. En una tabla, registró la estatura de los estudiantes en pulgadas. Para ver más claramente las estaturas, hizo un diagrama de tallo y hojas. Haz el diagrama de tallo y hojas de Jenny.

Estatura de los estudiantes (pulg)					
49	52	61	48	55	60
54	50	63	56	62	54
55	57	60	60	58	59

7. H.O.T. Usa el lenguaje matemático Explica los pasos que usarías para hacer un diagrama de tallo y hojas de los datos de la tabla. Luego haz el diagrama de tallo y hojas.

Tiempo destinado a lectura (min)					
32	41	55	24	44	30
26	41	29	35	37	22
55	24	47	36	29	30

_____

_____

_____

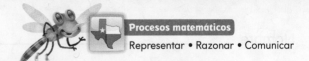

Tarea diaria de evaluación

Rellena el círculo completamente para mostrar tu respuesta.

Usa la tabla siguiente para los problemas 8 a 11.

Los datos muestran el número de *jumping jacks* completados por 15 estudiantes en un minuto. Roberto está haciendo un diagrama de tallo y hojas para presentar la información.

Número de *jumping jacks* completados en un minuto				
55	51	50	50	45
48	52	51	39	53
42	38	55	44	44

8. ¿Cuáles son los tallos para el diagrama de tallo y hojas?

   (A) 3, 5, 6

   (B) 0, 3, 4, 5, 9

   (C) 3, 4, 5

   (D) 0, 1, 2, 3, 5, 8, 9

9. ¿Cuántas hojas hay en el diagrama de tallo y hojas?

   (A) 12

   (B) 10

   (C) 15

   (D) 3

10. ¿Cuál sería una clave para el diagrama de tallo y hojas?

   (A) 4 | 8 representa 84 *jumping jacks*

   (B) 3 | 8 representa 38 *jumping jacks*

   (C) 5 | 0 representa 5 *jumping jacks*

   (D) 4 | 4 representa 4 *jumping jacks*

 Preparación para la prueba de TEXAS

11. En el diagrama de tallo y hojas que está haciendo Roberto, ¿cuál tallo tendría la mayor cantidad de hojas?

   (A) 3

   (B) 4

   (C) 5

   (D) 0

624

TEKS **Análisis de datos:** 4.9.A
PROCESOS MATEMÁTICOS 4.1.C, 4.1.D, 4.1.E

Nombre _____

17.5 Diagramas de tallo y hojas

1. Usa la tabla de Temperaturas diarias para hacer un diagrama de tallo y hojas.

Temperaturas diarias (°F)							
88	91	95	95	84	79	92	96

2. Usa los datos de la tabla de Minutos dedicados a tareas escolares para hacer un diagrama de tallo y hojas.

Minutos dedicados a tareas escolares						
25	14	30	34	13	39	28

Resolución de problemas En el mundo

3. Carlos anotó el número de puntos que su equipo de básquetbol obtuvo en diez partidos y los puso en una tabla. Haz un diagrama de tallo y hojas a partir de los datos.

Puntos anotados en los partidos				
24	34	25	28	28
25	26	30	32	32

4. La bibliotecaria de la escuela anotó el número de libros pedidos cada día durante dos semanas. Puso los datos en una tabla. Haz un diagrama de tallo y hojas a partir de los datos.

Número de libros pedidos				
94	72	75	87	90
83	85	94	74	88

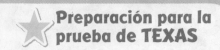
Rellena el círculo completamente para mostrar tu respuesta.

Usa la tabla de la derecha para los problemas 5 a 7.

5. ¿Cuáles son los tallos del diagrama de tallo y hojas?

   Ⓐ 0, 1, 2, 4, 5, 6, 7, 8, 9   Ⓒ 1, 2, 3, 4

   Ⓑ 0, 1, 2, 3, 4   Ⓓ 2, 3, 4

Los datos muestran el número de horas en que 16 estudiantes hacen ejercicio en un mes. Jen está haciendo un diagrama de tallo y hojas para mostrar la información.

Número de horas ejercitadas en un mes			
18	28	22	20
34	30	19	25
42	19	27	41
25	38	26	28

6. ¿Cuál tallo tiene la mayor cantidad de hojas?

   Ⓐ 1   Ⓒ 3

   Ⓑ 2   Ⓓ 4

7. **Múltiples pasos** ¿Cuántas hojas más hay para 2 que las hojas que hay para 3 y 4 combinados?

   Ⓐ 5   Ⓒ 3

   Ⓑ 2   Ⓓ 1

Usa la tabla de la derecha para los problemas 8 a 10.

8. ¿Cuántas hojas hay en el diagrama de tallo y hojas?

   Ⓐ 2   Ⓒ 9

   Ⓑ 12   Ⓓ 10

Los datos muestran la altura de crecimiento de las plantas en el experimento científico de Javier. Javier está haciendo un diagrama de tallo y hojas para mostrar la información.

Altura de las plantas (pulg)			
15	14	14	12
21	18	21	20
12	14	10	22

9. ¿Cuál sería una clave para el diagrama de tallo y hojas?

   Ⓐ 2 | 2 representa 22 pulgadas

   Ⓑ 3 | 2 representa 23 pulgadas

   Ⓒ 2 | 1 representa 12 pulgadas

   Ⓓ 2 | 0 representa 2 pulgadas

10. **Múltiples pasos** ¿Cuántas hojas hay en el diagrama para 12 y 14?

   Ⓐ 3

   Ⓑ 1

   Ⓒ 2

   Ⓓ 5

17.6 **Usar diagramas de tallo y hojas**

TEKS Análisis de datos: 4.9.B

PROCESOS MATEMÁTICOS
4.1.C, 4.1.D, 4.1.E

? **Pregunta esencial**

¿Cómo puedes resolver problemas usando un diagrama de tallo y hojas?

Soluciona el problema

Ejemplo 1

Mientras investiga para un proyecto, Lila hace un diagrama de tallo y hojas con el número de pisos que tienen diferentes edificios de Chicago. ¿Cuántos edificios tienen más de 40 pisos?

Piensa: 41 está representado por 4 | 1 en el diagrama de tallo y hojas.

El número de pisos en los edificios con más de 40 pisos

son: _____.

Entonces, hay _____ edificios con más de 40 pisos.

Número de pisos de edificios de Chicago

Tallo	Hojas
1	2 2 5 7 7 7 7 9
2	5 6 7
3	4 6
4	1 4
5	0 1
6	0 4

Clave: 1 | 2 representa 12 pisos

• ¿Cuántos edificios tienen más de 11 pisos, pero menos de 19 pisos? _____

Ejemplo 2

Cada vez que Glenda practicaba lanzamientos libres, registraba el número de canastas en un diagrama de tallo y hojas. ¿Cuántas veces Glenda hizo más de 20 lanzamientos libres?

El número de veces en que Glenda practicó lanzamientos libres e

hizo más de 20 fue: _____.

Entonces, Glenda hizo _____ veces más de 20 lanzamientos libres.

Número de lanzamientos libres realizados

Tallo	Hojas
0	4 6 9 9
1	1 1 2 4 5 9
2	0 0 4 5 6 8 9
3	0 0 2 2 2 2 7

Clave: 0 | 4 representa 4 lanzamientos libres

• ¿Cuántas veces hizo Glenda ya sea 10 lanzamientos libres o más de 26 lanzamientos libres? **Explica tu respuesta.**

_____

_____

Usa el diagrama de tallo y hojas para los problemas 1 a 3.

Tiempo de lectura (min)

Tallo	Hojas					
1	3	5	5	5		
2	0	0	0	5	8	8
3	0	0	3	3	5	9
4	0	0	2	5	5	5
5	0	2	3	5	5	
6	3					

Clave: 1 | 3 representa 13 minutos

1. Martín llevó un registro del tiempo que dedica a la lectura en un diagrama de tallo y hojas. ¿Cuántas veces Martín leyó durante 40 o más minutos?

   Piensa: Cuenta el número de hojas que están a la derecha de los tallos 4, 5, 6.

   Martín lee _____ veces durante 40 o más minutos.

2. ¿Cuántas veces lee Martín durante menos de 30 minutos?

   _____

3. ¿Cuántas veces más lee Martín durante menos de 39 minutos que durante más de 39 minutos?

   _____

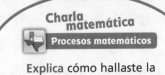

Charla matemática
Procesos matemáticos

Explica cómo hallaste la respuesta para el Problema 3.

Resolución de problemas

Usa el diagrama de tallo y hojas para los problemas 4 a 7.

Minutos dedicados a deberes

Tallo	Hojas			
2	2	2	4	6
3	0	5	5	8
4	0	6		
5	5	8		
6	2			
7	1	4		

Clave: 2 | 2 representa 22 minutos

4. Estefanía preguntó a su clase de 23 compañeros cuánto tiempo dedicaban a hacer sus deberes en una semana. Anotó los datos en un diagrama de tallo y hojas. ¿Cuántos compañeros dijeron que dedicaban algo de tiempo a sus deberes en una semana?

   _____

5. ¿Cuántos compañeros de la clase de Estefanía dijeron que dedicaban más de una hora a los deberes a la semana?

   _____

6. **H.O.T.** **Múltiples pasos** ¿Cuántos compañeros dijeron que dedicaban más de 20 minutos y menos de 40 minutos a sus deberes a la semana?

   _____

Matemáticas al instante

7. ¿Cuántos compañeros dijeron que no hacen deberes? **Explica tu respuesta.**

   _____

   _____

Usa el diagrama de tallo y hojas para los problemas 8 a 10.

Temperatura mínima diaria (°F)

Tallo	Hojas				
3	7	9	9		
4	1	4	4	8	
5	0	3	4	9	9
6	1	1	2		

Clave: 3 | 7 representa 37 °F

8. Tina anota diariamente la temperatura mínima durante 15 días. Anotó los datos en un diagrama de tallo y hojas. ¿Cuántos días de temperatura mínima hubo en la decena de los 50?

_____

9. **Usa gráficas** ¿Cuántos días de temperatura mínima hubo en las decenas de los 30 y de los 40?

_____

10. **H.O.T.** **Usa el lenguaje matemático** Explica cómo hallaste cuántos días más hubo con temperatura mínima mayor de 53 °F que días con temperatura mínima menor de 53 °F.

_____

_____

Usa el diagrama de tallo y hojas para los problemas 11 a 14.

Puntaje de juegos de básquetbol

Tallo	Hojas				
4	0	5	8		
5	1	4	4	6	7
6	2	2	7	8	9	9
7	4	4	6	6	
8	1				
9	0				

Clave: 4 | 5 representa 45 puntos

11. Nick anotó el número de puntos obtenido por su equipo de básquetbol durante su temporada en un diagrama de tallo y hojas. ¿Cuántos juegos jugó el equipo de básquetbol de Nick?

_____

12. ¿Durante cuántos juegos el equipo de Nick obtuvo entre 55 y 75 puntos?

_____

13. **Múltiples pasos** ¿Durante cuántos juegos más el equipo de Nick obtuvo menos de 68 puntos que cuando obtuvieron más de 68 puntos?

_____

14. **Razona** Explica cómo cambiaría el diagrama de tallo y hojas si el equipo de Nick jugara 8 juegos más y obtuvieran más de 65 puntos en cada juego?

_____

_____

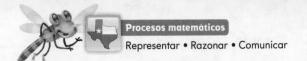

Tarea diaria de evaluación

Rellena el círculo completamente para mostrar tu respuesta.

15. El diagrama de tallo y hojas de la derecha muestra el número de programas vendidos por diferentes vendedores durante un evento deportivo. ¿Cuántos vendedores vendieron entre 20 y 30 programas?

(A) 1

(B) 4

(C) 5

(D) 3

Programas vendidos

Tallo	Hojas
1	3
2	1 3 6 6 8
3	2 5 4
4	1 7 7

Clave: 1 | 3 representa 13 programas vendidos

Usa el diagrama de tallo y hojas para los problemas 16 y 17.

El diagrama de tallo y hojas de la derecha muestra los puntajes de los miembros de un equipo de boliche.

16. ¿Cuál es el puntaje más alto obtenido en el boliche?

(A) 69

(B) 99

(C) 78

(D) 95

Puntajes en el boliche

Tallo	Hojas
6	0 4 5 5 5 9
7	1 2
8	6 6 8 9
9	0 1 4 5 6 9

Clave: 6 | 4 representa 64 puntos

17. Múltiples pasos ¿Cuántos miembros del equipo de boliche obtuvieron 64 ó 65 puntos?

(A) 0

(B) 4

(C) 2

(D) 3

⭐ Preparación para la prueba de TEXAS

18. El diagrama de tallo y hojas de la derecha muestra el número de animales de peluche de Sara y sus amigos. ¿Cuántos amigos de Sara tienen más de 10 animales de peluche?

(A) 12

(B) 6

(C) 8

(D) 7

Número de animales de peluche

Tallo	Hojas
0	3 5 5 8 8
1	0 2 2 2 3
2	1 1 4

Clave: 0 | 3 representa 3 animales de peluche

Tarea y práctica

Nombre _____

17.6 Usar diagramas de tallo y hojas

1. Blake usó un diagrama de tallo y hojas para registrar el número de tarjetas de fútbol americano que él y sus amigos han coleccionado. ¿Cuántos amigos han coleccionado 50 o más tarjetas?

_____

2. ¿Cuántos amigos han coleccionado menos de 25 tarjetas?

_____

3. ¿Cuántos amigos han coleccionado entre 30 y 50 tarjetas?

_____

Número de tarjetas de fútbol americano

Tallo	Hojas				
1	9				
2	3	5			
3	6	8	9		
4	2	2	4	8	
5	1	3	5	6	9
6	1	4	7		

Clave: 2 | 3 representa 23 tarjetas

4. Múltiples pasos ¿Cuántos amigos más han coleccionado más de 40 tarjetas que menos de 40 tarjetas?

_____

Resolución de problemas

5. Las niñas del equipo de fútbol de Sabi vendieron cajas de tarjetas para reunir dinero para sus nuevos uniformes. Sabi registró los datos de sus ventas en un diagrama de tallo y hojas. ¿Cuántas niñas vendieron más de 30 cajas de tarjetas?

_____

6. ¿Cuál es el mayor número de cajas vendidas por una niña?

_____

7. ¿Cuántas niñas del equipo vendieron tarjetas? **Explica.**

_____

_____

Cajas de tarjetas vendidas

Tallo	Hojas					
2	2	2	4			
3	1	3	4	5	5	9
4	5	8	9			
5	1					

Clave: 2 | 2 representa 22 cajas

8. Explica cómo cambiaría el diagrama de tallo y hojas si otra niña del equipo de Sabi vendiera 60 cajas de tarjetas.

_____

_____

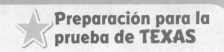
Rellena el círculo completamente para mostrar tu respuesta.

Usa la tabla de la derecha para los problemas 9 a 11.

9. El diagrama de tallo y hojas de la derecha muestra las edades de las personas que asistieron a una clase de adiestramiento de perros. ¿Cuántas personas asistieron entre las edades de 20 y 40 años?

   Ⓐ 7

   Ⓑ 5

   Ⓒ 8

   Ⓓ 6

Edades de personas de la clase de adiestramiento de perros

Tallo	Hojas
0	9
1	2 5 5 5 8 9
2	1 3 4 4 6
3	3 4
4	2

Clave: 0 | 9 representa 9 años de edad

10. ¿Cuál grupo estuvo representado ampliamente en la clase?

    Ⓐ adolescentes   Ⓒ los treinta

    Ⓑ los veinte   Ⓓ los cuarenta

11. **Múltiples pasos** ¿Cuántas personas tenían más de 20 años que menos de 20 años?

    Ⓐ 8   Ⓒ 2

    Ⓑ 1   Ⓓ 7

Usa la tabla de la derecha para los problemas 12 a 14.

12. Kyle llevó un registro del número de vueltas que nadó cada día. Usó un diagrama de tallo y hojas para mostrar los datos. ¿Cuál es el mayor número de vueltas que Kyle nadó en un día?

    Ⓐ 44   Ⓒ 26

    Ⓑ 34   Ⓓ 43

Número de vueltas de nado en 26 días

Tallo	Hojas
1	0 4 5 6 6 7 8 9
2	0 1 1 2 3 3 4 4
	5 5 5 6 7 9
3	1 1 4 4

Clave: 3 | 1 representa 31 vueltas de nado

13. **Múltiples pasos** ¿Cuántos días nadó Kyle 30 o más vueltas?

    Ⓐ 1 día   Ⓒ 2 días

    Ⓑ 3 días   Ⓓ 4 días

14. **Múltiples pasos** ¿Cuántos días nadó Kyle 23, 24 ó 25 vueltas?

    Ⓐ 3 días   Ⓒ 11 días

    Ⓑ 7 días   Ⓓ 9 días

Evaluación de la Unidad 5

Vocabulario

Elige el término correcto del recuadro.

Vocabulario
diagrama de puntos
diagrama de tallo y hojas
frecuencia
tabla de frecuencia

1. Un _____ muestra grupos de datos organizados según el valor de posición. (pág. 621)

2. Un _____ es una gráfica que muestra la frecuencia de los datos en una recta numérica. (pág. 609)

3. La _____ es el número de veces en que ocurre un dato. (pág. 597)

Conceptos y destrezas

Usa la tabla Número de manzanas recolectadas para los problemas 4 a 6. 🔹 TEKS 4.9.A

Janet y sus compañeros de clase fueron a recolectar manzanas. Janet anotó el número de manzanas recolectadas por algunos de sus compañeros.

Número de manzanas recolectadas				
7	12	9	18	24
35	18	20	20	35
25	12	18	20	20

4. Si Janet representa estos datos en un diagrama de tallo y hojas, ¿cuántas hojas debería tener el diagrama de tallo

   y hojas? _____

5. Janet quiere hacer una tabla de frecuencia con estos datos. ¿Qué número de manzanas recolectadas es la frecuencia mayor? _____

6. Janet decidió que en vez de una tabla de frecuencia quiere hacer un diagrama de puntos. ¿Cuántos puntos habrá arriba del número 20? _____

Usa la tabla Cantidad de pasas usadas para los problemas 7 y 8. 🔹 TEKS 4.9.A

Barry y sus compañeros de clase hicieron un surtido de frutas secas. Ellos usaron diferentes cantidades de pasas. Barry anotó las cantidades de pasas que usaron los compañeros.

Cantidad de pasas usadas (tazas)				
$\frac{1}{4}$	$\frac{1}{2}$	$\frac{1}{4}$	$\frac{1}{2}$	$\frac{1}{4}$
$\frac{1}{4}$	$\frac{1}{2}$	$\frac{1}{2}$	$\frac{3}{4}$	$\frac{3}{4}$

7. Barry quiere hacer un diagrama de puntos con los datos. ¿Cuántos puntos en total habrá arriba de $\frac{1}{4}$ y $\frac{3}{4}$? _____

8. Si Barry creara una tabla de frecuencia con estos datos, ¿qué número habría en la columna de frecuencia para $\frac{1}{2}$? _____

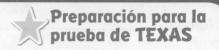
Usa el diagrama de puntos Montaña rusa Ridden para los problemas 9 y 10.

Los excursionistas de un campamento de verano fueron a un parque de diversiones. Durante el viaje, Vicki anotó cuántas vueltas en la montaña rusa dio cada excursionista. Anotó los datos en un diagrama de puntos.

9. ¿Cuántos excursionistas dieron 3 ó 5 vueltas en la montaña rusa?

 TEKS 4.9.B

Ⓐ 7   Ⓒ 4

Ⓑ 8   Ⓓ 11

Montaña rusa Ridden

10. ¿Cuántos excursionistas dieron 2 o más vueltas en la montaña rusa?

 TEKS 4.9.B

Ⓐ 18   Ⓒ 19

Ⓑ 25   Ⓓ 21

Usa la tabla de frecuencia Longitud de hojas para los problemas 11 y 12.

Varios científicos fueron a un campo a recolectar varias hojas. Al regresar al laboratorio midieron cada hoja en pies. Registraron los datos en una tabla de frecuencia.

Longitud de hojas (pies)	
Longitud	**Frecuencia**
$\frac{1}{8}$	11
$\frac{1}{4}$	19
$\frac{3}{8}$	7
$\frac{1}{2}$	3

11. ¿Cuántas hojas midieron menos de $\frac{3}{8}$ de pie de longitud? TEKS 4.9.B

Ⓐ 19   Ⓒ 7

Ⓑ 30   Ⓓ 9

12. ¿Cuántas hojas midieron entre $\frac{1}{4}$ y $\frac{3}{8}$ de pie y $\frac{1}{2}$ pie de longitud combinadas? TEKS 4.9.B

Ⓐ 19   Ⓒ 7

Ⓑ 30   Ⓓ 9

13. Sasha le preguntó a sus amigos cuántos libros leyeron durante las dos semanas de vacaciones. Anotó sus respuestas en una tabla de frecuencia. ¿Cuántos de sus amigos leyeron 1 o más libros durante sus vacaciones? TEKS 4.9.B

Ⓐ 8   Ⓒ 13

Ⓑ 15   Ⓓ 12

Número de libros leídos	
Libros	**Frecuencia**
0	2
1	3
2	4
3	1
4	2
5	3

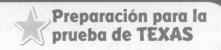
Usa el diagrama de puntos Pesos de piedras para los problemas 14 y 15.

Frank quiere registrar los pesos de diferentes piedras de su colección. Pesa cada piedra y anota los datos en un diagrama de puntos.

14. ¿Cuántas piedras tiene Frank que pesen más de una libra, pero menos de 1.7 libras? ✦ TEKS 4.9.B

Ⓐ 9

Ⓑ 7

Ⓒ 14

Ⓓ 10

Peso de piedras (libras)

15. ¿Cuántas piedras tiene Frank en su colección? ✦ TEKS 4.9.B

Ⓐ 10

Ⓑ 11

Ⓒ 13

Ⓓ 14

16. Kerry llevó un registro del tiempo que pasaba en la computadora en una tabla de frecuencia. ¿Cuántas veces más pasa Kerry 4 o menos horas que las veces que pasa 5 o más horas usando la computadora? ✦ TEKS 4.9.B

Ⓐ 17

Ⓑ 20

Ⓒ 19

Ⓓ 23

Tiempo de uso de la computadora (horas)	
Horas	Frecuencia
2	12
3	10
4	13
5	5
6	9
7	1

17. Jackson les pidió a los estudiantes de tercer grado que hallaran la distancia a la que viven de la escuela, en millas. Anotó las respuestas de los estudiantes en una tabla de frecuencia. ¿Cuántos estudiantes en total viven a menos de 1 o más millas que los estudiantes que viven a 2 millas de la escuela? ✦ TEKS 4.9.B

Ⓐ 18

Ⓑ 20

Ⓒ 26

Ⓓ ninguna de las anteriores

Distancia del hogar a la escuela (millas)	
Distancia	Frecuencia
0.4	4
0.8	8
1.1	3
1.4	6
1.8	6
2.1	2
2.2	1
2.5	4

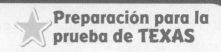
Usa el diagrama de tallo y hojas Número de goles anotados para los problemas 18 y 19.

Durante la temporada de fútbol, Dylan llevó un registro de los goles anotados por cada equipo. Al final de la temporada, Dylan hizo un diagrama de tallo y hojas para mostrar el número total de goles anotados por cada equipo.

18. ¿Cuántos equipos anotaron menos de 20 goles durante la temporada? ➤ TEKS 4.9.B

Ⓐ 4 Ⓒ 8

Ⓑ 3 Ⓓ 5

19. ¿Cuántos equipos más anotaron menos de 30 goles que los equipos que anotaron más de 30 goles durante la temporada? ➤ TEKS 4.9.B

Ⓐ 3 Ⓒ 5

Ⓑ 8 Ⓓ 4

Número de goles anotados

Tallo	Hojas
1	1 4 6
2	0 4 7 8 9
3	1 2 3
4	4

Clave: 1 | 1 representa 11 goles

Usa el diagrama de tallo y hojas Tiempo de práctica para los problemas 20 y 21.

20. Chad anotó el número de horas que practicó con su saxofón. ¿Cuántas horas más practicó Chad durante $\frac{9}{12}$ de hora o más que lo que practicó durante $\frac{6}{12}$ de hora o menos? ➤ TEKS 4.9.B

Ⓐ 2 Ⓒ 3

Ⓑ 4 Ⓓ 6

21. ¿Cuántas veces practicó Chad durante $\frac{7}{12}$ de hora? ➤ TEKS 4.9.B

Ⓐ 2 Ⓒ 4

Ⓑ 3 Ⓓ 5

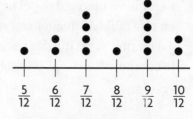

Tiempo de práctica (horas)

22. Brandon pidió prestado un libro a la biblioteca. Los datos muestran la longitud de tiempo que leyó Brandon cada día hasta terminar el libro. Explica cómo usarías los datos para rotular y colocar los puntos en un diagrama de puntos. ¿Cuál es la diferencia entre el tiempo de lectura de Brandon más largo y el más corto? ➤ TEKS 4.9.B

Tiempo de lectura (en horas)
$\frac{1}{4}, \frac{1}{4}, 1, \frac{1}{4}, \frac{1}{2}, \frac{3}{4}, \frac{1}{2}, \frac{1}{4}$

_____

_____

_____

Unidad 6

Comprensión de finanzas personales

Muestra lo que sabes

Comprueba si comprendes las destrezas importantes.

Nombre _____

▶ **Sumar decimales** Estima. Luego, halla la suma.

1. Estima: _____

```
        2 . 1 8
  +  + 3 . 3 2
```

2. Estima: _____

```
        4 . 7 5
  +  + 2 . 6 1
```

▶ **Restar decimales** Estima. Luego, halla la diferencia.

3. Estima: _____

```
        7 . 4 4
  -  - 3 . 9 3
```

4. Estima: _____

```
        9 . 3 4
  -  - 4 . 8 9
```

▶ **Multiplicar números de tres y cuatro dígitos por números de un dígito.**

Halla el producto.

5. 684×7

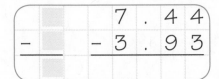

T	H	T	O
	6	8	4
×			7

6. $1,152 \times 4$

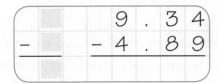

T	H	T	O
1	1	5	2
×			4

APRENDE EN LÍNEA

Opciones de evaluación:
Soar to Success Math

Palabras nuevas

ganancia	institución financiera	presupuesto
gastos fijos	interés	
gastos variables	préstamo	

▶ Visualizar •

Escribe el ejemplo para cada término de la tabla.

Término	Ejemplo
institución financiera	
gastos fijos	
gastos variables	
préstamo	
interés	

▶ Comprender el vocabulario •

Completa las oraciones usando las palabras nuevas.

1. Un plan organizado para gastar y ahorrar dinero se llama _____.

2. Un _____ es un gasto que cambia según la necesidad o elección.

3. Un _____ ocurre regularmente y la cantidad no cambia.

4. El dinero que un banco u otra institución financiera presta se llama _____.

5. La _____ es la cantidad que queda después de restar todos los gastos de la cantidad de dinero recibida de la venta de un artículo o servicio.

6. Una _____ mantiene seguro el dinero, solicita y aprueba préstamos.

- **Libro interactivo del estudiante**
- **Glosario multimedia**

Nombre _____

Vocabulario

Puedes usar lo que ya sabes acerca de sumar y restar números enteros para sumar y restar cantidades de dinero.

1. Camino a la escuela, Janine compró un racimo de plátanos por $3.00. Ella le dio al vendedor un billete de 10 dólares. ¿Cuánto cambio debería recibir?

$$\begin{array}{r} \$10.00 \\ -\ 3.00 \\ \hline \end{array}$$

En una tabla de entrada y salida se muestra cómo se relacionan los números de entrada y los números de salida. Una regla te dice qué hacer en la entrada para obtener la salida. Puedes usar una tabla de entrada y salida como ayuda para resolver problemas.

Janine quiere saber cuánto le costará comprar 4 racimos de plátanos. Completa la tabla de entrada y salida para mostrar cuánto le costarán los plátanos.

	Entrada (Número de racimos)	Salida (Costo total)
	1	$3.00
2.	2	
3.	3	
4.	4	

5. La regla es: _____

6. Cuatro racimos de plátanos costarán _____.

7. ¿Cuánto costarán 8 racimos de plátanos? _____

Redacción Haz una tabla de entrada y salida para mostrar el costo total de 5 DVD si cada uno cuesta $13.00.

_____

Lectura Busca este libro en tu biblioteca. *Once Upon a Dime: A Math Adventure,* escrito por Nancy Kelly Allen

Calcula la ganancia

Objetivo del juego Determina los gastos y calcula la ganancia.

Materiales

- 3 cubos numerados cada uno rotulado de 1 al 6
- hoja de cálculo mensual
- lápiz o marcador

Preparación

Cada jugador se convierte en dueño de una empresa que vende artículos. Cada jugador usa una hoja de cálculo para hallar los gastos de la empresa y la ganancia de un mes.

Número de jugadores: 2 a 4 jugadores

Instrucciones

1 El jugador 1 lanza los 3 cubos numerados y ordena los dígitos en cualquier orden para determinar los gastos fijos de la empresa.

2 El jugador 1 lanza un cubo y multiplica por 4 para determinar los gastos variables mensuales de la empresa. El jugador 1 calcula sus gastos totales.

3 El jugador 1 lanza dos cubos numerados y ordena los dígitos en cualquier orden para determinar el precio de cada artículo vendido.

4 El jugador 1 lanza un cubo y multiplica por 90 para determinar el número de artículos vendidos. Luego, el jugador 1 calcula la cantidad total recibida por el número de artículos vendidos.

5 Cada uno de los jugadores repite los cuatro pasos y calcula su ganancia mensual.

6 El jugador con la ganancia más grande es el ganador del juego.

Hoja de cálculo mensual

Gastos fijos: $ ☐ ☐ ☐

Gastos variables: $ ☐ × 4

Gastos totales: _____

Precio por artículo vendido: $ ☐ ☐

Número de artículos vendidos: ☐ × 90

Cantidad total recibida: _____

Ganancia: _____

TEKS Comprensión de finanzas personales:
4.10.A
También 4.4.A, 4.4.H
PROCESOS MATEMÁTICOS
4.1.A, 4.1.D

18.1 Gastos fijos y gastos variables

? Pregunta esencial

¿Cuál es la diferencia entre los gastos fijos y los gastos variables?

El dinero que necesitas para pagar la electricidad o el servicio telefónico son tus gastos. Los gastos que se realizan con regularidad y cuya cantidad no cambia se llaman **gastos fijos**. Los gastos cuya cantidad cambia según la necesidad o elección se llaman **gastos variables**.

Soluciona el problema

Erin tiene gastos fijos y gastos variables. Ella paga $23.75 cada 12 semanas por el periódico que llega a su casa todos los días. A ella y su familia les gusta salir a comer. El lunes por la noche, Erin gastó $45.78 por la comida del Restaurante A. El martes por la noche, gastó $58.12 por la comida del Restaurante B. El miércoles por la noche, gastó $37.64 por la comida del Restaurante C.

🔒 Ejemplo 1 Completa.

El _____ de Erin es un gasto _____ porque paga la misma cantidad y el costo no cambia.

La cantidad que Erin gasta en comida en restaurantes es un gasto

_____ porque la cantidad _____ dependiendo del restaurante donde va o según el tipo de comida que compra.

🔒 Ejemplo 2 Halla la cantidad de dinero que gasta Erin en gastos fijos durante 24 semanas.

Erin paga $_____ cada 12 semanas por el periódico.

En 24 semanas, paga $_____ + $_____ =

$_____ .

Erin gasta $_____ en gastos fijos durante 24 semanas.

Charla matemática
Procesos matemáticos

¿Qué otros gastos fijos podría tener una persona?

🔓 Ejemplo 3 Resuelve.

¿Cuánto gasta Erin en gastos variables?

_____ + _____ + _____ = _____

Lunes por la   Martes por la   Miércoles por la   Gasto total
noche   noche   noche

Entonces, Erin gasta $ _____ en gastos variables.

Comparte y muestra

✅ **1.** Betsy paga por un servicio de retiro de basura domiciliario semanal. El costo es $23 por mes. El retiro de basura es un

gasto _____. En 6 meses, la familia paga

6 × _____ = _____.

2. La Sra. Beyer va a la tienda de abarrotes una vez por semana. En un mes gasta $99.65, $122.56, $130.45 y $145. ¿Cuál es el gasto total mensual? Las cuentas de la tienda de abarrotes

son un gasto _____.

En un mes, la Sra. Beyer gastó _____ en alimentos.

✅ **3.** **Escribe** ▶ Usa la lista de la derecha. Clasifica los gastos como fijos y variables. Elige uno y explica por qué aparece allí.

_____

_____

_____

○	ropa
	pagos del auto
	vacaciones
	alimentos
	diversión
	factura de electricidad
	teléfono celular
	pagos por la vivienda
	gasolina
○	pagos del préstamo

Gastos fijos	Gastos variables

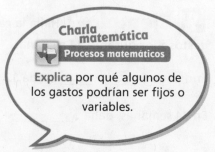

Charla matemática
Procesos matemáticos
Explica por qué algunos de los gastos podrían ser fijos o variables.

Resolución de problemas En el mundo

Usa los números de la ilustración para los problemas 4 y 5.

4. ¿En cuánto aumentó el precio de la gasolina desde el precio más bajo y el precio más alto que se muestra?

_____

5. **Múltiples pasos** Maya llenó el tanque del carro con gasolina al precio que se muestra. La capacidad del tanque de gasolina es de 15 galones. Estima la cantidad que ella gasta si llena el tanque cuatro veces. ¿Es un gasto variable?

_____

6. **Aplica** Mario pagó este año el préstamo del auto. Sus pagos eran de $259 al mes durante cada uno de los primeros 8 meses. El último pago, en el noveno mes, fue de $125. ¿Cuál es el total que Mario pagó en mensualidades del auto este año? ¿Son las mensualidades que Mario pagó durante los primeros 8 meses un gasto fijo o un gasto variable?

_____

7. **H.O.T.** **Múltiples pasos** La Sra. Xavier compra 1 ó 2 libros al mes por $13.99 cada uno. Un año de subscripción a una revista le cuesta $19.99. Ella compra el periódico del domingo por $2.05 a la semana. Estima la máxima cantidad que podría gastar en material de lectura en un año.

Matemáticas al instante

_____

8. **H.O.T.** **Comunica** La panadería de Wendy tiene gastos fijos y gastos variables. Las facturas de gas y de electricidad cuestan $500 al mes. Los ingredientes cuestan $700 al mes. Ella le paga a 2 empleados $10 por hora para trabajar 40 horas a la semana. **Explica** cómo puedes hallar sus gastos totales al mes.

_____

_____

_____

_____

Autoservicio Efectivo o Crédito
REGULAR SIN PLOMO **2.99**

REGULAR SIN PLOMO **4.02**

Regular sin plomo **3.99**

Autoservicio
REGULAR SIN PLOMO **3.87**

Escribe
Muestra tu trabajo

Tarea diaria de evaluación

Rellena el círculo completamente para mostrar tu respuesta.

9. Lexi está tomando 3 cursos en la Escuela Comunitaria. Ella paga $835 por cada uno de los cursos de la escuela. Gasta aproximadamente $45 por semana durante 20 semanas en ir a la escuela. ¿Cuánto gasta en gastos fijos?

   Ⓐ $2,505

   Ⓑ $2,400

   Ⓒ $900

   Ⓓ $2,700

10. Todos los lunes, la madre de Jack paga los siguientes gastos: el pago de la vivienda, la membresía del club, el pago del auto y el costo de la alimentación. ¿Cuál es un gasto variable?

    Ⓐ membresía del club

    Ⓑ pago de la vivienda

    Ⓒ pago del auto

    Ⓓ costo de la alimentación

11. **Múltiples pasos** Josh tiene un nuevo plan de celular. Él tiene mensajes de voz y mensajes de texto ilimitados hacia otros aparatos de su área por $35 al mes. Los mensajes de voz y los mensajes de texto fuera de su área cuestan $0.10 por minuto y $0.99 por mensaje. ¿De cuánto sería la factura de Josh si usara 10 minutos de llamadas fuera de su área y enviara un mensaje de texto fuera de su área?

    Ⓐ $35.10

    Ⓑ $36.99

    Ⓒ $35.00

    Ⓓ $35.99

 Preparación para la prueba de TEXAS

12. Dara fabrica brazaletes y los vende en su tienda. ¿Cuál es un gasto fijo del negocio de Dara?

    Ⓐ costo de las cuentas

    Ⓑ costo del cordel

    Ⓒ costo de publicidad

    Ⓓ arrendamiento de su tienda

Nombre _____

18.1 Gastos fijos y gastos variables

1. Bruce compra 7 latas de alimento para perros en una semana
y una bolsa de alimento para perros cada 4 semanas. Las latas
de alimento para perros cuestan $1.29 cada una.

   Una bolsa de alimento para perros cuesta $67.59. El alimento
   para perros es un gasto _____. En 4 semanas, Bruce gasta

   $28 \times$ _____ + _____ = _____ por alimento
   para perros.

Gastos de dueños de perros
alimento
premios para perros
juguetes
cama
collar y cadena
cuidado veterinario
paseos diarios
hospedaje
clases de adiestramiento

2. Usa la lista de Gastos de dueños de perros. Clasifica los gastos
en gastos fijos y gastos variables. Escoge un gasto y
explica por qué lo pusiste allí.

Gastos fijos	Gastos variables	

Resolución de problemas

3. Gretchen tiene un gato. Ella compra una bolsa de arena higiénica
todos los meses. La bolsa de arena higiénica cuesta $38.59. ¿Cuánto
será el costo de un año de arena higiénica? ¿Es un gasto fijo o
un gasto variable? _____

4. En marzo, Gretchen compró un cepillo y un juguete para su gatito. El cepillo
costó $6.79. El juguete costó $3.88. En abril, ella compró una jaula
por $87.68. ¿Cuánto gastó en esos artículos? ¿Son gastos
fijos o gastos variables? **Explica tu respuesta.** _____

_____

Rellena el círculo completamente para mostrar tu respuesta.

5. Mark paga a un jardinero $100 a la semana. Él compró una cerca para el jardín y 2 semilleros de plantas. También compró una pala y un azadón. ¿Cuál gasto es fijo?

Ⓐ jardinero

Ⓑ plantas

Ⓒ cerca

Ⓓ pala

6. Leslie toma el autobús para ir y regresar del trabajo 5 días a la semana. Cada boleto de autobús cuesta $1.25. A veces, ella compra un periódico para leer en el autobús. Cada periódico cuesta $0.75. ¿Cuántos son sus gastos fijos a la semana?

Ⓐ $6.25

Ⓑ $12.50

Ⓒ $18.75

Ⓓ $10.00

7. Todos los meses, Wesley hace un cheque para pagar cada una de las siguientes cuentas. ¿Cuál es un gasto variable?

Ⓐ arrendamiento

Ⓑ televisión por cable

Ⓒ electricidad

Ⓓ membresía del gimnasio

8. ¿Cuál de los gastos mensuales del automóvil de Victoria es fijo?

Ⓐ pago del automóvil

Ⓑ combustible

Ⓒ peaje

Ⓓ estacionamiento

9. **Múltiples pasos** La dueña de una tienda paga $1,200 al mes por arrendamiento. Ella paga $15 la hora al empleado de la tienda. El empleado trabaja 60 horas al mes. ¿Cuál es su total de gastos fijos mensual?

Ⓐ $2,100

Ⓑ $1,290

Ⓒ $1,800

Ⓓ $3,000

10. **Múltiples pasos** Jenny gasta $2.20 en el almuerzo escolar todos los días. Ella también compra un panecillo en la pastelería todos los días de camino entre su casa y la escuela. El panecillo cuesta $1.25. ¿Cuáles son los gastos fijos de Jenny en una semana escolar de 5 días?

Ⓐ $15.05

Ⓑ $15.75

Ⓒ $22.25

Ⓓ $17.25

TEKS Comprensión de finanzas personales: 4.10.B
También 4.4.A, 4.4.F, 4.4.H
PROCESOS MATEMÁTICOS
4.1.A, 4.1.F

18.2 Hallar la ganancia

? Pregunta esencial

¿Cómo puedes determinar si obtienes una ganancia?

♟ Soluciona el problema En el mundo

Jasmine hace marionetas en forma de vacas con calcetines para ganar dinero y donarlo al Club de las Granjas del Futuro. Ella compra todos los materiales que se muestran en la tabla. Cada calcetín le sirve para hacer una marioneta. Venderá cada marioneta en forma de vaca por $8. ¿Obtendrá Jasmine una ganancia si vende todas sus marionetas?

Una **ganancia** es la cantidad que queda después de restar todos los gastos de la cantidad de dinero recibida de la venta de un artículo.

Materiales para marioneta	Costo
3 paños de fieltro (rojo, rosado y negro, uno de cada color)	$6 cada uno
6 pares de calcetines blancos (12 en total)	$12
Variedad de botones	$3.69
Pegamento para manualidades	$4.99
Tijeras para manualidades	$9.99
10 paquetes de cartón para cartel	$5.33

🔑 Ejemplo

Ⓐ Halla el total de los gastos.

Piensa: Halla el costo de los 3 paños de fieltro.

Fieltro: _____ paños × $_____ = $_____.

Suma el costo de todos los materiales que Jasmine compró para hacer las marionetas.

_____ = _____

Jasmine gastó un total de $_____ en sus marionetas.

Ⓑ Cantidad recibida de la venta de las marionetas.

Jasmine tiene _____ calcetines, así que puede fabricar _____ marionetas.

Ella vende cada marioneta por $8.

Piensa: Para hallar la cantidad de dinero que ella recibe, debes multiplicar.

_____ marionetas × $_____ por marioneta = $_____

Jasmine recibe _____ de la venta de todas las marionetas.

Ⓒ Halla la ganancia.

Resta los gastos totales de la cantidad recibida.

$_____ – $_____ = $_____

Entonces, Jasmine obtiene una _____ de $_____.

Charla matemática
Procesos matemáticos

¿Cuál es la menor cantidad de marionetas que Jasmine puede vender y aún obtener una ganancia? **Explica tu respuesta.**

1. Diego tiene su propio negocio de corte de césped. Sus gastos para una semana se muestran en la tabla. Él cobra a sus clientes $45 por corte de césped. ¿Cuánta ganancia puede obtener Diego en la semana del 4 de junio?

Corte de césped de Diego Semana del 4 de junio	
Gastos	**Costo**
Gasolina para la camioneta y herramientas	$67.40
Otros gastos de la camioneta	$89
Nueva máquina para orillas	$198.99

A. ¿Cuáles fueron sus gastos en la semana del 4 de junio?

_____ + _____ + _____ = _____

B. En la semana del 4 de junio, él atendió a 15 clientes. ¿Cuánto dinero recibió?

_____ cortes de césped × _____ por césped = _____

C. ¿Cuál es la ganancia de Diego?

Piensa: Cantidad recibida – gastos = ganancia

_____ – _____ = _____

2. Durante la semana del 6 de agosto, Diego tuvo que comprar una nueva cortadora de césped. Su gasto de gasolina fue de $45 y otros gastos de la camioneta fueron de $89. ¿Cuánta ganancia obtuvo Diego si tuvo 12 clientes esa semana?

Gastos: _____ + _____ + _____ = _____

Ganancia: _____ – _____ = _____

Entonces, Diego obtuvo una ganancia de _____ .

Halla la ganancia.

3. Gastos: $222
   Cantidad recibida: $791

   _____

4. Gastos: $96
   Cantidad recibida: $149.59

   _____

5. Gastos: $195.75
   Cantidad recibida: $500

   _____

6. Gastos: $950.01
   Cantidad recibida: $1,203.12

   _____

7. Gastos: $109.90
   Cantidad recibida: $860

   _____

8. Gastos: $810.50
   Cantidad recibida: $2,002.25

   _____

Resolución de problemas En el mundo

Usa la tabla para los problemas 9 a 11.

9. **Múltiples pasos** Ava comienza un negocio de pintar al óleo las mascotas de las personas. Compra los artículos que se muestran en la tabla. Ella tiene pinturas y otros artículos. Ava cobra $75 por un retrato sin enmarcar. Si ella vende 20 retratos, ¿qué ganancia obtiene?

Retratos de animales de Ava	
Gastos	**Costo**
Lienzos (conjunto de 20)	$44.89
Conjunto de pinceles profesionales	$231.21

_____

10. **H.O.T.** ¿Cuál es la menor cantidad de retratos que Ava necesita vender para obtener una ganancia? **Explica** cómo hallaste tu respuesta.

Escribe ▸ Muestra tu trabajo

_____
_____
_____
_____

11. **Aplica** Ava compra otros 20 lienzos. Ella necesita pintura ahora, así que compra 3 tubos de pintura por $11 cada uno. No necesita pinceles. ¿Cuál es su ganancia si vende 5 retratos?

_____

12. **H.O.T.** **Razona** David y Diana deciden decorar bolsas de compras y venderlas. La ganancia irá al proyecto del jardín comunitario. Ellos compran 8 bolsas de compras por $5.93 cada una y 8 pinturas para telas por $4.02 cada una. Estima la cantidad que deberían cobrar por cada bolsa de compras si obtienen una ganancia cercana a los $40. **Explica tu respuesta.**

_____
_____

Tarea diaria de evaluación

Rellena el círculo completamente para mostrar tu respuesta.

13. Jamie arma y vende cajas para cultivo de gusanos. Los materiales para construir cada caja cuestan $13. Ella vende cada una de las cajas por $20. ¿Cuánta ganancia obtendrá Jamie si vende 5 cajas?

    (A) $100

    (B) $115

    (C) $13

    (D) $35

14. Simón obtiene una ganancia de $1.35 por cada perrito caliente que vende. Si cada perrito caliente le cuesta $0.85, ¿en cuánto vende Simón cada perrito caliente?

    (A) $2.20

    (B) $1.35

    (C) $0.50

    (D) $2.55

15. **Múltiples pasos** Jenny vende cada barra de cereal hecha en casa por $2. Hacer cada barra le cuesta $1. Si vende 50 barras de cereal en una feria, ¿qué ganancia obtiene Jenny?

    (A) $100   (C) $75

    (B) $50   (D) $175

Preparación para la prueba de TEXAS

16. John tiene un negocio de preparación de impuesto sobre el ingreso. Él gasta $99 en un programa de computadora y $16 en libros. Cobra $25 a cada cliente. ¿Qué ganancia obtiene si tiene 18 clientes?

    (A) $334

    (B) $335

    (C) $450

    (D) $173

**Tarea
y práctica**

TEKS Comprensión de finanzas personales:
4.10.B *También 4.4.A, 4.4.F, 4.4.H*
PROCESOS MATEMÁTICOS 4.1.A, 4.1.F

Nombre _____

18.2 Hallar la ganancia

**Jackie prepara mermelada para vender en el
mercado. Sus gastos se muestran en la tabla.**

1. ¿Cuáles son los gastos de Jackie?

   _____ + _____ + _____ = _____

2. Jackie preparó 21 frascos de mermelada. Ella vendió toda
   la mermelada a $5.50 el frasco. ¿Cuánto dinero recibió?

   _____ × _____ = _____

3. ¿Cuál es la ganancia de Jackie?

   _____ − _____ = _____

Gastos de fabricación de mermelada	
Bayas	$24.69
Azúcar	$4.75
Limones	$3.29

Resolución de problemas *En el mundo*

Usa la tabla para los problemas 4 a 6.

4. Sam y Carla van a fabricar y vender agarraderas para reunir
   dinero para un refugio de animales. Necesitan 2 tejedoras, así
   que comprarán dos paquetes de telares. Si ellos también
   compran 2 bolsas de presillas y venden las 22 agarraderas a
   $4.00 cada una, ¿qué ganancia recibirán? **Explica tu respuesta.**

Artículos para hacer agarraderas en telar	
Telar	$17.94
Incluye presillas para 3 agarraderas	
Bolsas de presillas	$19.95
Suficiente presillas para 8 agarraderas	

   _____

   _____

   _____

5. Sam y Carla deciden comprar 2 telares y 10 bolsas de presillas. ¿Cuál es
   su ganancia si venden todas las 86 agarraderas a $4.50 cada una? _____

6. Si Sam y Carla compran solamente los dos paquetes de telares y
   venden las 6 agarraderas, ¿cuánto deben cobrar por cada agarradera
   para obtener ganancia? **Explica tu respuesta.**

   _____

   _____

Rellena el círculo completamente para mostrar tu respuesta.

7. **Múltiples pasos** Connor vende cada *pretzel* por $1.50. Hacer cada *pretzel* le cuesta $0.45. ¿Cuánta ganancia recibirá Connor si vende 40 *pretzels*?

(A) $58.00

(B) $60.00

(C) $78.00

(D) $42.00

8. Priscilla obtiene una ganancia de $24.50 por cada bufanda que vende. Los materiales para cada bufanda le cuestan $8.39. ¿En cuánto vende Priscilla cada bufanda?

(A) $32.89

(B) $16.11

(C) $34.89

(D) $22.21

9. Iván ganó $300.00 cortando céspedes. Su ganancia fue de $266.72. ¿Cuánto gastó?

(A) $566.72

(B) $33.28

(C) $144.38

(D) $44.28

10. **Múltiples pasos** Wilson ayudó a su tío a mudarse. Él gastó $33.58 en combustible y $24.88 en guantes de trabajo. Ganó $200.00. ¿Cuál es la ganancia de Wilson?

(A) $258.46

(B) $58.46

(C) $141.54

(D) $152.64

11. **Múltiples pasos** Christina vendió 35 pares de guantes por $840. Hacer cada par de guantes le costó $6.22. ¿Cuál es la ganancia que obtuvo Christina?

(A) $217.70

(B) $622.30

(C) $818.30

(D) $17.78

12. **Múltiples pasos** Amy vende cada panecillo por $1.35. Hacer cada panecillo le cuesta $0.39. ¿Cuál será la ganancia de Amy si vende 48 panecillos?

(A) $46.08

(B) $69.60

(C) $18.72

(D) $64.80

18.3 Planes de ahorro

? Pregunta esencial

¿Cuáles son las ventajas y desventajas de varios planes de ahorro?

Las personas ahorran dinero por diversos motivos. También ahorran dinero de diversas maneras. Puedes guardar tu dinero en casa o puedes ahorrar tu dinero en una cuenta de ahorros en el banco. Si mantienes tu dinero en el banco, ganarás un **interés**, o dinero adicional, por permitir que el banco use tu dinero.

🔑 Soluciona el problema En el mundo

Sammie está ahorrando su dinero para comprar una nueva tableta. Ella ha ahorrado $100 hasta ahora. Sammie puede depositar los $100 en una cuenta de ahorros de un banco o puede guardar su dinero en casa en un lugar seguro. Ayuda a Sammie a comparar las ventajas y desventajas de guardar su dinero en casa o en una cuenta de ahorros.

🔑 Ejemplo 1 Ventajas

Encierra en un círculo la frase que aplica.

Casa:	Acceso fácil al dinero	No gana interés	Alguien lo puede tomar
Cuenta de ahorros:	Gana interés	No tienes acceso fácil al dinero	Sabes dónde está tu dinero

🔑 Ejemplo 2 Desventajas

Encierra en un círculo la frase que aplica.

Casa:	Acceso fácil al dinero	No gana interés	Alguien lo puede sacar
Cuenta de ahorros:	Gana interés	No tienes acceso fácil al dinero	Sabes dónde está tu dinero

- ¿Cómo puede a veces una ventaja ser también una desventaja? **Explica tu respuesta.**

_____

_____

_____

1 Ejemplo Compara los planes de ahorro.

Natalia quiere comprar un *scooter* por $100. ¿Cuál banco es el mejor plan de ahorro?

Banco A: Cada semana, deposita $10 de su fondo en una cuenta de ahorros.
El interés es de $3 por cada $100 en el banco.

Banco B: Cada semana, deposita $10 de su fondo en una cuenta de ahorros.
El interés es de $6 por cada $100 en el banco.

Después de ahorrar $10 a la semana durante 10 semanas en el Banco A,

Natalia puede obtener _____ más $ _____ de interés o _____.

Después de ahorrar $10 a la semana durante 10 semanas en el Banco B,

Natalia puede obtener _____ más $ _____ de interés o _____.

Entonces, el _____ es el mejor plan de ahorro para Natalia.

> **Charla matemática**
> **Procesos matemáticos**
> Explica por qué ganar interés es una ventaja.

Comparte y muestra

1. Jacob necesita $79 para comprar un carro a control remoto. Encierra en un círculo la ventaja de Jacob al ahorrar su dinero en una cuenta de ahorros en su banco.

| Él gana interés sobre el dinero ahorrado en la cuenta de ahorros. | Él podría no haber ganado interés sobre el dinero ahorrado en la cuenta de ahorros. |

2. Mary necesita $120 para comprar un nuevo programa de computadora. Encierra en un círculo la desventaja de Mary al ahorrar su dinero en casa.

| Ella sabe en todo momento dónde está su dinero. | Alguien puede tomar su dinero y gastarlo. |

3. **Escribe** ▶ Da dos o más razones para ahorrar tu dinero en una cuenta de ahorros en un banco.

_____

_____

_____

Nombre _____

4. Conecta ¿En qué se parece que uno de tus padres te regale una moneda de 25¢ más cada vez que ahorras $2 al interés ganado en una cuenta de ahorros de un banco?

_____

_____

_____

5. **H.O.T.** John piensa que hay tres maneras en que podría ahorrar los $20 que necesita cada 4 semanas para tomar clases de guitarra. ¿Qué plan debería elegir? **Explica** una ventaja y una desventaja para cada plan.

Él puede guardar $5 de su fondo cada semana en su alcancía.	Él podría ahorrar $5 de su fondo cada semana en una cuenta de ahorros de un banco.	Él podría ganar $5 más cada semana regando el césped de la gente.
_____	_____	_____
_____	_____	_____
_____	_____	_____
_____	_____	_____
_____	_____	_____

6. **H.O.T.** **Múltiples pasos** Marco cobra $15 por cada césped que corta y $10 por cada auto que lava. Él lava 2 autos y corta 3 céspedes esta semana. Él quiere gastar $40 y depositar el resto en su cuenta de ahorros. ¿Cuánto dinero depositará Marco en su cuenta de ahorros?

_____

7. Aplica ¿Cuáles son las futuras cosas que podrías ahorrar usando una cuenta de ahorros de un banco?

_____

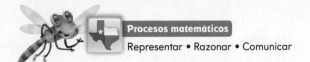

Tarea diaria de evaluación

Rellena el círculo completamente para mostrar tu respuesta.

8. ¿Cuál oración es verdadera acerca de ahorrar dinero en una cuenta de ahorros de un banco?

Ⓐ Es posible que pierdas el dinero.

Ⓑ Es posible que termines con más dinero que la cantidad que depositas.

Ⓒ Nunca obtendrás tu dinero nuevamente.

Ⓓ Tienes que pagarle al banco para que guarde tu dinero.

9. Múltiples pasos ¿Cuál oración es verdadera acerca de los planes de ahorros de abajo?

Plan X Beth depositó $6 en una cuenta de ahorros de un banco todas las semanas durante un año.

Plan Y Beth depositó $30 en una cuenta de ahorros de un banco todos los meses durante un año.

Ⓐ Ella tendrá $52 más al final del año con el Plan Y.

Ⓑ Ella tendrá la misma cantidad de dinero al final del año.

Ⓒ Ella tendrá $12 más al final del año con el Plan X.

Ⓓ Ella tendrá $48 más al final del año con el Plan Y.

10. Bárbara depositó $22 a la semana durante 30 semanas en su cuenta de ahorros en un banco. Si ella recibe $4 de interés por cada $100 que ahorra, ¿cuánto dinero tendrá Bárbara después de 30 semanas?

Ⓐ $684   Ⓒ $660

Ⓑ $636   Ⓓ $404

 Preparación para la prueba de TEXAS

11. ¿Cuál de las siguientes opciones de ahorros te permitirá conseguir más rápidamente la meta de ahorrar $400?

Ⓐ Ahorra $25 a la semana en una cuenta de ahorros de un banco.

Ⓑ Guarda $25 a la semana en un cajón en casa.

Ⓒ Ahorra $50 a la semana en una cuenta de ahorros de un banco.

Ⓓ Ahorra $50 a la semana realizando trabajos pequeños en tu comunidad.

TEKS Comprensión de finanzas personales: **4.10.C** *También 4.4.A*
PROCESOS MATEMÁTICOS **4.1.A, 4.1.F**

Nombre _____

18.3 Planes de ahorro

1. León quiere comprar una patineta. Encierra en un círculo la ventaja de ahorrar dinero para la patineta en una cuenta de ahorros en un banco.

La cuenta ganará interés y tendrá más dinero del que León depositó.

León puede comprar la patineta sin esperar a que el dinero esté ahorrado.

2. Encierra en un círculo la desventaja si León compra la patineta con el dinero de su hermano y luego ahorra para devolver el dinero a su hermano con un interés de $4 por cada $100.

León pagará más que el precio de la patineta.

León tendrá que esperar para comprar la patineta.

Resolución de problemas En el mundo

3. Emmy compró una muñeca y luego la vendió por más dinero del que pagó por ella. ¿En qué se parece esto a ganar intereses en una cuenta de ahorros de un banco?

_____

_____

4. Los padres de Sharon tienen 10 años para ahorrar dinero para su educación universitaria. Explica una ventaja y una desventaja para cada plan de ahorro.

Plan 1	Plan 2
Pagar cuotas por una casa que podría valer más en 10 años. Luego, se vende la casa para pagar la universidad.	Ahorrar dinero en una cuenta de ahorros que sume un interés de $2 por cada $100 en la cuenta cada año.
Ventaja	Ventaja
_____	_____
Desventaja	Desventaja
_____	_____

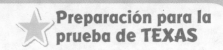
Rellena el círculo completamente para mostrar tu respuesta.

5. **Múltiples pasos** Arnaldo quiere ir de viaje en 4 meses. Necesita $600 para el viaje. ¿Cuál de los siguientes planes de ahorro es la mejor manera de ahorrar $600 en 4 meses (16 semanas)?

Ⓐ Ahorrar $100 al mes en un banco y recibir $2.50 para cada $100 ahorrados.

Ⓑ Ahorrar $50 al mes en un banco y recibir $2.00 para cada $100 ahorrados.

Ⓒ Ahorrar $30 a la semana y prestar el resto.

Ⓓ Ahorrar $40 a la semana y recibir $3 por cada $100 ahorrados.

6. ¿Cuál es una desventaja de ahorrar el dinero escondiéndolo en un lugar secreto?

Ⓐ No siempre recibes el dinero.

Ⓑ El dinero no ganará intereses.

Ⓒ Podrías terminar con más dinero del que ahorraste.

Ⓓ Puedes ahorrar más dinero.

7. Vincent ganó $46 ahorrando $900. ¿Qué interés ganó?

Ⓐ $2 por cada $100 ahorrados

Ⓑ $4 por cada $100 ahorrados

Ⓒ $3 por cada $100 ahorrados

Ⓓ $9 por cada $100 ahorrados

8. Si ahorras $700 y ganas $3 de interés por cada $100, ¿cuánto dinero tendrás en total?

Ⓐ $721   Ⓒ $730

Ⓑ $703   Ⓓ $7,021

9. **Múltiples pasos** Melania saca a pasear a 4 perros. Ella gana $15 por cada perro. Ganó $12 por cuidar niños durante 3 horas. Si gasta $42 en zapatos y ahorra el resto, ¿cuánto dinero ahorrará?

Ⓐ $54

Ⓑ $60

Ⓒ $36

Ⓓ $96

10. **Múltiples pasos** ¿Cuál enunciado es verdadero acerca de los siguientes planes de ahorro?

Plan A: Ahorrar $15 en una cuenta de ahorro cada semana durante 26 semanas.

Plan B: Ahorrar $50 en una cuenta de ahorro cada semana durante 6 meses.

Ⓐ Sería mejor guardar el dinero en casa que usar cualquiera de los planes de ahorro.

Ⓑ Al final, se recibirá la misma cantidad de dinero usando cualquiera de los planes.

Ⓒ Se recibirá más dinero en la cuenta de ahorros usando el Plan A.

Ⓓ Se recibirá más dinero en la cuenta de ahorros usando el Plan B.

Nombre _____

18.4 Presupuesto de un fondo semanal

? Pregunta esencial

¿Cómo puedes hacer un presupuesto de un fondo semanal?

Soluciona el problema

Luis recibe un fondo de $15 a la semana. Él quiere hacer un presupuesto para mostrar cómo usará su fondo. En este presupuesto, los gastos no deberían ser más que su fondo.

Un **presupuesto** es un plan organizado de gastos y ahorro de dinero. Ayuda a Luis a hacer el presupuesto de su fondo semanal.

Recuerda

Los gastos pueden ser fijos o variables.

 Halla los gastos semanales.

Los gastos semanales de Luis se muestran en la tabla de abajo. Completa la tabla. ¿Cuánto ahorra Luis para compartir con centros de beneficencia?

Gastos	Gasto diario	Gasto semanal
Almuerzo escolar, 3 días por semana	$2.50 un almuerzo	_____
Merienda después de escuela, 3 días por semana	$0.75 una merienda	_____
Ahorro para universidad		$2.50
Ahorro para cosas especiales		$2.00
Ahorro para compartir con centros de beneficencia		_____

Halla el total para cada uno de los gastos semanales.

Gasto de almuerzo: $_____ + $_____ + $_____ = $_____ a la semana.

Gasto de merienda: $_____ + $_____ + $_____ = $_____ a la semana.

Total de gastos antes del gasto de compartir con centros de beneficencia:

$_____ + $_____ + $_____ + $_____ = $_____

Para hallar la cantidad que Luis compartirá, _____ los gastos totales de su fondo semanal.

Gasto de compartir con centros de beneficencia:

$_____ − $14.25 = $_____

Entonces, Luis compartirá $_____ por semana con centros de beneficencia.

Charla matemática
Procesos matemáticos

¿Cuándo podría cambiar Luis su presupuesto? Explica tu respuesta

Comparte y muestra

MATH BOARD

1. Como Carver va a una escuela que no queda cerca de su casa, él recibe un fondo de $50 por semana. Quiere hacer un presupuesto para mostrar cómo usará su fondo. Por cada uno de 5 días, él paga $3.40 en viajes en autobús, $3.60 en almuerzo y $1 en meriendas. Él quiere ahorrar la mitad del dinero que le queda cada semana. ¿Cuánto dinero ahorrará Carver a la semana?

Completa la tabla.

Gastos	Por día	Cantidad semanal
Viajes en autobús	$3.40	
Almuerzo	$3.60	
Meriendas	$1.00	

Halla el total de cada gasto a la semana.

Viajes en autobús: $_____ + $_____ + $_____ + $_____ + $_____ = $_____

Almuerzo: $_____ + $_____ + $_____ + $_____ + $_____ = $_____

Meriendas: $_____ por día × _____ días = $_____

Total de gastos semanales: $_____ + $_____ + $_____ = $_____

Diferencia entre fondo y gastos: $50 − $_____ = $_____

La mitad del dinero que le queda a Carver después de gastos: $_____ ÷ 2 = $_____

Entonces, Carver ahorrará $_____ a la semana.

Usa la información dada para responder a la pregunta.

2. Ester recibe un fondo semanal de $25. ¿Cómo podría hacer un presupuesto de su fondo para gastar y ahorrar, incluyendo para la universidad y para compartir? Completa la tabla.

Presupuesto de Ester	
Gastos	Cantidad por semana
Gastos	
Ahorro	
Ahorro para universidad	
Compartir con centros de beneficencia	
Total	

3. Liliana recibe un fondo mensual. Ella ahorra $14 de su fondo a la semana. Cada semana, ella dispone de $2 para compartir, ahorra $4 para la universidad y $12 para divertirse. ¿Cuál es el fondo mensual de Liliana?

_____

Resolución de problemas

4. **H.O.T.** **Múltiples pasos** Sarita recibe un fondo semanal de $15. Ella está ahorrando para comprar un bicicleta que cuesta $321. Cada semana, comparte $3 con un centro de beneficencia, gasta $4 y deposita $5 en la cuenta de ahorros para la universidad. Si ella ahorra el resto de su fondo para su bicicleta, ¿cuántas semanas se demorará en ahorrar lo suficiente para comprar su bicicleta?

_____

Escribe ▶ **Muestra tu trabajo**

5. **Razona** Pedro recibe un fondo semanal de $10 por hacer deberes domésticos y $8 por hora por cuidar a su hermano. Su meta es ahorrar $10 a la semana para la universidad, compartir $10 a la semana con un centro de beneficencia y ahorrar $14 a la semana para sus gastos. Él cuida a su hermano la misma cantidad de horas a la semana. ¿Cuántas horas necesita cuidar a su hermano a la semana para lograr su meta? **Explica tu respuesta.**

_____

_____

_____

_____

6. **H.O.T.** **Múltiples pasos** Henry paga $10 a la semana por la membresía de un gimnasio, $10 a la semana por su celular y ahorra $15 a la semana. Él gana $10 por cada césped que corta. ¿Cuál es la menor cantidad de céspedes que necesita cortar cada semana para cubrir los gastos presupuestados? **Explica tu respuesta.**

_____

_____

_____

_____

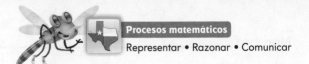
Tarea diaria de evaluación

Rellena el círculo completamente para mostrar tu respuesta.

7. Sammy está ahorrando $5 de los $10 de su fondo a la semana durante el campamento de verano de ciencias. Él debe dividir el resto del fondo entre su cuenta de ahorros, un centro de beneficencia de su elección y la cuenta para su universidad. Sammy dona $1 por semana a un centro de beneficencia local. Él deposita la misma cantidad en su cuenta de ahorros que en su cuenta para la universidad. ¿Cuánto coloca Sammy en su cuenta para la universidad cada semana?

- (A) $2.00
- (B) $2.50
- (C) $4.50
- (D) $4.00

8. Lisa quiere comprar un tableta que cuesta $300. Ella recibe un fondo semanal de $12. Si ella ahorra $5 cada semana para comprar la tableta, ¿cuántas semanas se demorará en tener el dinero suficiente para comprarla?

- (A) 300 semanas
- (B) 20 semanas
- (C) 60 semanas
- (D) 30 semanas

9. **Múltiples pasos** Juan está organizando una fiesta para reunir dinero para el refugio animal local. Su meta es donar al refugio $250. Él cobra $5 a cada persona que asiste a la fiesta y asisten 35 personas. Si Juan ahorra $5 de su fondo a la semana para el refugio animal, ¿cuánto tiempo le tomará ahorrar el resto de los $250 para el refugio?

- (A) 7 semanas
- (B) 75 semanas
- (C) 5 semanas
- (D) 15 semanas

 Preparación para la prueba de TEXAS

10. Cada semana, Carol ahorra $24, paga $56 por sus gastos y comparte $8 con un centro de beneficencia de su elección. Si ella gana $8 por hora, ¿cuántas horas debe trabajar para tener dinero suficiente para cumplir con su presupuesto?

- (A) 3 horas
- (B) 7 horas
- (C) 11 horas
- (D) 10 horas

TEKS Comprensión de finanzas personales:
4.10.D También *4.4.A, 4.4.D, 4.4.F*
PROCESOS MATEMÁTICOS **4.1.A, 4.1.F**

Tarea y práctica

Nombre _____

18.4 Presupuesto de un fondo semanal

Usa la información dada para responder a la pregunta.

1. Carlos recibe un fondo semanal de $24. Él gasta cada semana $4 en meriendas y $6 en diversión. Está ahorrando el resto para una impresora que cuesta $224. ¿Cuántas semanas demorará Carlos en tener dinero suficiente para comprar la impresora?

_____

2. El fondo semanal de Brenda es de $15. Ella separa $5 de su fondo semanal para regalos y comparte $2 con centros de beneficencia. Divide el resto en cantidades iguales en dinero para gastos y para descargar música. ¿Cuánto dinero gasta Brenda cada semana?

_____

Resolución de problemas

3. Darleen recibe $10 de fondo semanal. Ella saca a pasear al perro del vecino 6 días a la semana y recibe $3 por día. Gana $7 la hora haciendo diferentes trabajos. Darleen quiere ahorrar $15 a la semana, compartir $5 con centros de beneficencia y tener por lo menos $20 a la semana para sus gastos. ¿Cuántas horas debe trabajar en diferentes trabajos cada semana para ganar el dinero suficiente? **Explica tu respuesta.**

_____

_____

_____

_____

4. Si Darleen quiere aumentar su dinero para gastar a $25 a la semana y ganar un dinero adicional de $12 a la semana para un plan de teléfono, ¿cuántas horas más necesitará trabajar en diferentes trabajos? **Explica tu respuesta.**

_____

_____

_____

Rellena el círculo completamente para mostrar tu respuesta.

5. Jim recibe un fondo semanal. Él guarda $8 para sus gastos, ahorra $5 y dona $2 a beneficencia. ¿Cuánto es el fondo semanal de Jim?

(A) $15

(B) $13

(C) $11

(D) $16

6. Gianna hace un presupuesto con su fondo, así que usa cantidades iguales para gastar, ahorrar y regalar. Su fondo semanal es de $13.50. ¿Cuánto ahorra Gianna cada semana?

(A) $6.75

(B) $4.25

(C) $5.00

(D) $4.50

7. Múltiples pasos Lily recibe $13 de fondo semanal. Ella ahorra $3, dona $2 a la semana para el comedor comunitario y divide el resto entre dinero para gastos y premios para su perro. ¿Cuánto dinero gasta cada semana en premios para su perro?

(A) $8

(B) $7

(C) $5

(D) $4

8. Múltiples pasos Hunter está ahorrando para un taladro inalámbrico. El taladro cuesta $160. Hunter recibe un fondo semanal de $15. Él guarda $8 a la semana para sus gastos y ahorra el resto. ¿Cuántas semanas demorará en ahorrar dinero suficiente para comprar el taladro?

(A) 23 semanas

(B) 20 semanas

(C) 11 semanas

(D) 15 semanas

9. Múltiples pasos Wendy recibe un fondo semanal de $8. Ella guarda $5 para sus gastos y divide el resto en partes iguales para ahorros y donaciones. ¿Cuánto dinero dona Wendy cada semana?

(A) $2.00

(B) $1.50

(C) $1.75

(D) $1.25

10. Múltiples pasos Dylan recibe un fondo semanal de $10. Él también recibe $5 la hora por regar el jardín de su tía. Quiere tener $12 a la semana para sus gastos y ahorrar por lo menos $15 a la semana para comprar una nueva guitarra. ¿Cuántas horas deberá trabajar en el jardín de su tía cada semana para lograr su meta?

(A) 3 horas

(C) 4 horas

(B) 2 horas

(D) 5 horas

18.5 Instituciones financieras

TEKS Comprensión de finanzas personales: 4.10.E
También 4.4.A, 4.4.F, 4.8.C
PROCESOS MATEMÁTICOS
4.1.A, 4.1.D, 4.1.F

? Pregunta esencial

¿Cuál es el propósito de las instituciones financieras?

Las **instituciones financieras**, como bancos y empresas de tarjetas de crédito, son negocios relacionados con el mantenimiento seguro del dinero, la solicitud y la aprobación de préstamos.

Al abrir una cuenta de ahorros en un banco, el banco es el prestatario. Esto tiene la ventaja de mantener el dinero seguro. Al solicitar un préstamo o una tarjeta de crédito, el banco es el prestamista.

Soluciona el problema

Lee cada una de las situaciones. ¿Está actuando la institución financiera como prestamista o como prestatario? Escribe las letras abajo.

🔑 Solicitud y aprobación de préstamos

Institución financiera como prestamista: _____

Institución financiera como prestatario: _____

A Alex solicita un préstamo para pagar un auto.	**B** Brianna está ahorrando para tomar un curso. Su dinero está en una cuenta de ahorros de un banco.	**C** Clara usa un cajero automático para sacar dinero.	**D** Destiny paga su tarjeta de crédito.
E Etiel deposita el cheque que recibe de regalo en su cuenta bancaria.	**F** Fabiola solicita un préstamo para pagar por el nuevo techo de su casa.	**G** Gavin usa un banco electrónico para depositar su sueldo.	**H** Héctor solicita un préstamo para abrir un negocio.

• Encierra en un círculo las situaciones de arriba donde el dinero se mantiene seguro.

Cuando pides prestado el dinero a una institución financiera, debes pagar un interés sobre el **préstamo**. El **interés** es el dinero adicional pagado por el prestatario al prestamista a cambio del uso del dinero del prestamista.

🔒 Ejemplo Interés

Tyler quiere comprar un vehículo de cuatro ruedas que cuesta $400. Tyler no tiene mucho dinero. Puede pedir prestado el dinero a una institución financiera para comprar el vehículo de cuatro ruedas, pero tendrá que pagar interés. ¿Cuánto deberá reembolsar al banco por el dinero que pidió prestado?

Halla el interés total sobre $400.

Piensa: ¿Cuántos $100 hay en $400?

Interés = $_____ por cada $100 de préstamo × 4 = $_____

Piensa: Reembolso del préstamo = cantidad prestada + interés

Cantidad total pagada al banco: $_____ + $_____ = $_____

Ofrecemos
Préstamos bancarios
¡Solicítelo hoy!

Tasa de interés para préstamos personales:

$10 por cada $100 de préstamo.

Su 🏛 Banco

Comparte y muestra

1. Zack solicita un préstamo por $500 de su banco. La tasa de interés del préstamo es de $11 por cada $100 de préstamo. ¿Cuánto tendrá que reembolsar Zack al banco que le prestó el dinero?

   Interés = $_____ por cada $100 de préstamo × _____ = $_____

   Cantidad total pagada al banco: $_____ + $_____ = $_____

Escribe *prestatario* o *prestamista*.

✔ 2. Cuando pides un préstamo a un banco, tú eres el _____

   y el banco es el _____.

✔ 3. Cuando depositas dinero en una cuenta de ahorros en un banco, tú eres el

   _____ y el banco es el _____.

4. Encierra en un círculo cuándo podrías usar una institución financiera.

   Pedir dinero prestado para comprar un carro.

   Prestar a tu amigo $5.

   Solicitar un préstamo para comprar una nueva casa.

   Pedir prestado $1 a tu amigo.

   Tener seguros $200 que ganaste con tu trabajo.

   Depositar tu fondo mensual en un lugar seguro.

Resolución de problemas En el mundo

5. **Aplica** La Sra. Artino solicita un préstamo a una institución financiera. El préstamo es por $600. El interés total pagado será de $6. ¿Cuánto es el interés pagado sobre $100 de préstamo?

_____

6. **Escribe** ▶ ¿Cuándo sería mejor usar una cuenta bancaria para guardar $200 pagando $20 al mes que pedir $200 prestados usando un préstamo bancario? Usa un ejemplo para explicar.

_____

_____

7. **H.O.T.** **Múltiples pasos** Sonia solicita un préstamo por $700 para comprar una nueva lavadora. El interés es de $8 por cada $100 de préstamo. Si ella quiere reembolsar el préstamo a los 6 meses, ¿cuánto deberá pagar cada mes?

Matemáticas al instante

8. **H.O.T.** Mira la columna de interés pagado de la tabla. Supón que pides prestados $600. Completa la tabla. ¿Cuál préstamo elegirías? **Explica tu respuesta.**

Tasas de préstamo bancario				
	Duración del préstamo	**Interés pagado**	**Total del reembolso**	**Pago mensual**
Préstamo personal	4 meses	$6 por cada $100 de préstamo	$_____ + $600 = $_____	$636 ÷ 4 = $_____
Préstamo personal	6 meses	$8 por cada $100 de préstamo	$_____ + $600 = $_____	$648 ÷ 6 = $_____
Préstamo personal	8 meses	$12 por cada $100 de préstamo	$_____ + $600 = $_____	$672 ÷ 8 = $_____

_____

_____

_____

Tarea diaria de evaluación

Rellena el círculo completamente para mostrar tu respuesta.

9. ¿Qué situación muestra una institución financiera como prestataria?

   (A) Abby usa una tarjeta de crédito para pagar una compra en línea.

   (B) Kevin pide prestado dinero para pagar un curso de asistente dental.

   (C) Luis deposita su salario en una cuenta de ahorros.

   (D) Hailey solicita un préstamo para ayudarse a comprar una casa.

10. Sergio pide $300 prestados a su banco. El interés es de $7 por cada $100 de préstamo. ¿Cuánto dinero le cargarán de interés a Sergio?

    (A) $21   (C) $307

    (B) $7   (D) $30

11. **Múltiples pasos** Casey pide $200 prestados a su banco. ¿Cuál es la cantidad total que deberá reembolsar al banco?

    (A) $120

    (B) $50

    (C) $12

    (D) $212

Tasas de préstamo bancario		
	Duración del préstamo	Interés pagado
Préstamo personal	4 meses	$6 por cada $100 de préstamo

 Preparación para la prueba de TEXAS

12. ¿Cuál oración NO es verdadera acerca de una institución financiera?

    (A) Una institución financiera es un lugar seguro para guardar tu dinero.

    (B) Una institución financiera cobra una tarifa, llamada interés, por los préstamos.

    (C) Una institución financiera puede emitir tarjetas de crédito.

    (D) Una institución financiera es un negocio que nunca presta dinero.

668

TEKS Comprensión de finanzas personales:
4.10.E *También 4.4.A, 4.4.F*
PROCESOS MATEMÁTICOS 4.1.A, 4.1.D, 4.1.F

Nombre _____

18.5 Instituciones financieras

1. Alexia usa $700 de su tarjeta de crédito. El interés de la tarjeta de crédito es de $18 por cada $100 de préstamo. ¿Cuánto tendrá que devolver Alexia?

Interés = $_____ por cada $100 de préstamo × _____ = $_____

Cantidad total devuelta = $_____ + $_____ = $_____

Escribe *prestatario* o *prestamista*.

2. Lucas usa $128 de su tarjeta de crédito.

_____

3. Sophia deposita $20 a la semana en su cuenta de ahorro bancaria.

_____

4. A Lillian le depositan su cheque del sueldo directamente en su cuenta bancaria.

_____

5. Levy consigue un préstamo del banco para comprar una casa.

_____

Resolución de problemas En el mundo

6. Mateo solicitó un préstamo por $8,200 al banco para comprar un automóvil. El interés del préstamo es de $6 por cada $100 de préstamo. ¿Cuánto dinero deberá reembolsar Mateo? _____

7. Ellie quiere comprar una computadora por $900. Ella puede ahorrar $75 mensuales en una cuenta de ahorros y recibir $2 por cada $100 ahorrados y puede comprar la computadora cuando tenga el dinero suficiente. O puede reembolsar $75 mensuales por un préstamo de $900 y pagar un interés de $7 para cada $100 de préstamo. ¿Cuánto pagará por la computadora en cada una de las dos opciones?

_____

_____

_____

8. ¿Por qué ahorraría Ellie para la computadora? ¿Por qué solicitaría un préstamo de dinero para comprar la computadora? ¿Cuáles son las ventajas de cada manera?

_____

_____

_____

_____

_____

Rellena el círculo completamente para mostrar tu respuesta.

9. ¿Qué situación muestra a una institución financiera como prestatario?

   Ⓐ Un empresario pide un préstamo para comprar equipo.

   Ⓑ Un comprador usa una tarjeta de crédito para comprar un abrigo.

   Ⓒ Un estudiante pide dinero prestado para ir a la universidad.

   Ⓓ Un cliente hace un depósito en una cuenta de ahorros.

10. Emma pide $1,300 prestados a su banco. La tasa de interés es de $5 por cada $100 de préstamo. ¿Cuál será la tasa de interés que le cargarán a Emma?

    Ⓐ $75

    Ⓑ $130

    Ⓒ $65

    Ⓓ $50

11. ¿Cuál oración describe lo que hace una institución financiera con el dinero cuando un cliente deposita en una cuenta de ahorros?

    Ⓐ Aprueba préstamos a otros clientes.

    Ⓑ Dona el dinero a centros de beneficencia.

    Ⓒ Paga a los empleados del banco.

    Ⓓ Reembolsa los préstamos hechos a otros clientes.

12. Freddie pidió $600 prestados a su banco para comprar una nueva mesa de carpintero. El pago de interés será de $30. ¿Cuál es el interés para cada $100 de préstamo?

    Ⓐ $3

    Ⓑ $6

    Ⓒ $5

    Ⓓ $18

13. **Múltiples pasos** Sophia pide $500 prestados durante 4 meses. Ella pagará $4 de interés por cada $100 de préstamo. ¿Cuál es su pago mensual?

    Ⓐ $125

    Ⓑ $130

    Ⓒ $129

    Ⓓ $520

14. **Múltiples pasos** Roger usa $800 de su tarjeta de crédito. Le cargan un interés de $16 por cada $100 de préstamo. ¿Cuánto dinero reembolsará?

    Ⓐ $928

    Ⓑ $960

    Ⓒ $128

    Ⓓ $816

✓ Evaluación de la Unidad 6

Vocabulario

Elige el término correcto para completar la oración.

Vocabulario
ganancia
gastos fijos
gastos variables
institución financiera
interés
préstamo
presupuesto

1. Los _____ son los gastos que se realizan con regularidad y cuya cantidad no cambia. (pág. 641)

2. Una _____ es la cantidad que queda después de restar todos los gastos de la cantidad de dinero recibida de la venta de un artículo. (pág. 647)

3. Una _____ es un negocio, como un banco, que mantiene seguro el dinero y solicita y aprueba préstamos a las personas y empresarios. (pág. 665)

4. El dinero que un banco u otras instituciones financieras presta

   se llama _____. (pág. 665)

5. Un _____ es un plan organizado de gastos y de ahorro de dinero. (pág. 659)

6. Los _____ son los gastos cuya cantidad cambia según la necesidad o elección. (pág. 641)

7. El dinero adicional pagado por el prestatario al prestamista a cambio del uso

   del dinero del prestamista se llama _____. (pág. 665)

Conceptos y destrezas

8. Amber recibe un fondo semanal de $35. ¿Cómo podría hacer un presupuesto de su fondo dividido entre gastos, ahorros, incluyendo para la universidad y para compartir con centros de beneficencia? ◆ TEKS 4.10.D

Presupuesto de Amber	
Gastos	**Cantidad semanal**
Gastos	
Ahorros	
Ahorro para universidad	
Ahorro para compartir con centros de beneficencia	
Total	

9. Describe las semejanzas y diferencias entre gastos fijos y gastos variables. Da un ejemplo de cada tipo de gasto y explica por qué piensas que el gasto es el tipo de gasto que es.   TEKS 4.10.A

_____

_____

_____

_____

_____

10. Explica por qué reembolsas más que el dinero prestado cuando solicitas un préstamo en una institución financiera.   TEKS 4.10.E

_____

_____

_____

_____

11. ¿Cuáles son algunas ventajas y desventajas de ahorrar dinero en un banco más que guardarlo en una alcancía?   TEKS 4.10.C

_____

_____

_____

_____

Rellena el círculo completamente para mostrar tu respuesta.

Usa la tabla para los problemas 12 y 13.

12. Reagan hace una lista de los gastos semanales en la tabla de la derecha. Ella recibe un fondo de $49 semanales para pagar sus gastos. ¿Cuánto del fondo presupuesta Reagan para alimentación por semana? TEKS 4.10.D

Gasto	Semanal
Alimentación	
Ahorros	$8
Compartir con centros de beneficencia	$4
Diversión	$9

Ⓐ $42

Ⓒ $28

Ⓑ $38

Ⓓ $27

13. ¿Cuál oración es verdadera cuando se hace un presupuesto de un fondo semanal para gastos y ahorros, incluyendo para la universidad y para compartir con centros de beneficencia? TEKS 4.10.D

Ⓐ La cantidad presupuestada para gastos es siempre igual a la cantidad presupuestada para compartir con centros de beneficencia.

Ⓑ La cantidad total de todos los gastos no debe ser más que el fondo semanal.

Ⓒ La cantidad presupuestada para ahorro es siempre la mitad del fondo semanal.

Ⓓ La cantidad total de todos los gastos puede ser más que el fondo semanal.

14. Arlen tiene diversos gastos variables que paga todos los meses. ¿Cuál de las siguientes opciones es un gasto variable? TEKS 4.10.A

Ⓐ arrendamiento

Ⓒ pago del auto

Ⓑ cuenta de gasolina

Ⓓ reembolso del préstamo

15. ¿Cuál no es el propósito de una institución financiera? TEKS 4.10.E

Ⓐ mantener el dinero seguro

Ⓒ pedir dinero prestado

Ⓑ prestar dinero

Ⓓ comprar gasolina para tu auto

16. Susan quiere ahorrar su dinero para comprar una computadora nueva que cuesta $800. Ella está considerando las ventajas y desventajas de guardar su dinero en casa o ponerlo en una cuenta de ahorros en un banco. ¿Cuál es una ventaja de Susan de poner su dinero en una cuenta de ahorros en un banco en vez de guardarlo en casa? TEKS 4.10.C

Ⓐ Susan ganaría interés.

Ⓑ Susan no ganaría interés.

Ⓒ Susan podría usar el dinero para comprar otra cosa.

Ⓓ El dinero de Susan se podría perder.

17. ¿Qué situación muestra a una institución financiera como prestamista? ➤ TEKS 4.10.E

Ⓐ Vicki ahorra su fondo semanal en una cuenta de ahorros en un banco.

Ⓑ Tim solicita un préstamo para comprar una computadora.

Ⓒ Terry deposita un cheque en su cuenta bancaria.

Ⓓ Iván abre una cuenta de ahorros en un banco.

18. Neil deposita $3,500 en su cuenta de ahorros en una institución financiera. ¿Cuál es el propósito de una institución financiera en esta situación? ➤ TEKS 4.10.E

Ⓐ aprobar en préstamo el dinero de Neil

Ⓑ mantener seguro el dinero de Neil

Ⓒ permitir que Neil pague la tarjeta de crédito

Ⓓ permitir que Neil compre un nuevo gato

19. En una tabla, Maxine lleva una lista de sus gastos mensuales. ¿Cuál es un gasto fijo? ➤ TEKS 4.10.A

Ⓐ almuerzos

Ⓑ cuenta para gasolina

Ⓒ factura de electricidad

Ⓓ arrendamiento

Gastos de Maxine	
Cuenta	Costo
Cuenta para alimentos	$321
Cuenta para gasolina	$125
Factura de electricidad	$75
Arrendamiento	$750
Almuerzos	$48

20. Irma tenía una cuenta de ahorros en un banco. La cuenta pagaba un interés de $3.50 por $100. Si Irma tenía $400 en la cuenta, ¿cuánto interés recibía? ➤ TEKS 4.10.C

Ⓐ $11.50   Ⓒ $12.50

Ⓑ $14.00   Ⓓ $3.50

21. Mark vende tres videojuegos por $37.50 cada uno. Él compró los tres juegos por $17.95 cada uno. ¿Cuál es la ganancia de Mark de la venta de los tres videojuegos? ➤ TEKS 4.10.B

Ⓐ $58.65   Ⓒ $58.56

Ⓑ $85.56   Ⓓ $85.65

Glosario

A

a. m. **A.M.** El tiempo que hay entre la medianoche y el mediodía

altura **height** La medida de una recta perpendicular de la base a la parte superior de una figura de dos dimensiones

ángulo **angle** Una figura que se forma por dos segmentos o rayos que tienen el mismo extremo (pág. 450)
Ejemplo:

ángulo agudo **acute angle** Un ángulo que mide más de 0° y menos de 90° (pág. 450)
Ejemplo:

ángulo llano **straight angle** Un ángulo que mide 180° (pág. 450)
Ejemplo:

ángulo obtuso **obtuse angle** Un ángulo que mide más de 90° y menos de 180° (pág. 450)
Ejemplo:

Origen de la palabra

El prefijo latino **ob-** significa "en contra de". Cuando se combina con **–tusus**, que significa "golpeado", la palabra latina **obtusus**, de la que obtenemos **obtuso** significa "golpeado en contra de". Esto tiene sentido cuando se observa un ángulo obtuso, porque el ángulo no es ni puntiagudo ni agudo. El ángulo se ve como si hubiera sido golpeado y como consecuencia hubiese quedado sin punta y redondeado.

ángulo recto **right angle** Un ángulo que forma una esquina cuadrada (pág. 450)
Ejemplo:

área **area** El número de cuadrados de una unidad que se necesitan para cubrir una superficie plana (pág. 427)
Ejemplo:

área = 9 unidades cuadradas

B

base **base** El lado de un polígono o de una figura de dos dimensiones, por la que se mide o nombra una figura de tres dimensiones
Ejemplos:

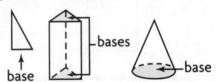

C

calendario **calendar** Una tabla que muestra los días, las semanas y los meses de un año

capacidad **capacity** La cantidad que cabe en un recipiente cuando se llena

Celsius (°C) **Celsius (°C)** Una escala métrica para medir la temperatura

centésimo **hundredth** Una de cien partes iguales (pág. 31)
Ejemplo:

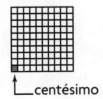

centésimo

centímetro (cm) centimeter (cm) Una unidad del sistema inglés (usual) de medidas que mide la longitud o la distancia
1 metro = 100 centímetros
Ejemplo:

1 centímetro

clave key Parte de un mapa o gráfica que explica los símbolos que ahí aparecen

cociente quotient El número, sin incluir el residuo, que es el resultado de una división
Ejemplo: 8 ÷ 4 = 2; 2 es el cociente.

cociente parcial partial quotient Un método de división en el que los múltiplos del divisor se restan del dividendo y luego se suman los cocientes (pág. 349)

comparar compare Para describir si los números son iguales entre sí, o menores o mayores entre sí

cuadrado square Un cuadrilátero con dos pares de lados paralelos, cuatro lados de igual longitud y cuatro ángulos rectos (pág. 467)
Ejemplo:

cuadrado de una unidad unit square Un cuadrado que tiene 1 unidad de largo y 1 unidad de ancho (pág. 427)

cuadrícula grid Cuadrados divididos equitativamente y espaciados en una forma de superficie plana

cuadrilátero quadrilateral Un polígono con cuatro lados y cuatro ángulos

cuarto (ct) quart (qt) Una unidad básica para medir la capacidad y el volumen de un líquido (pág. 537)
1 cuarto = 2 pintas

cuarto de hora quarter hour 15 minutos
Ejemplo: desde las 4:00 hasta las 4:15 es un cuarto de hora.

cubo cube Una figura de tres dimensiones que tiene 6 lados cuadrados del mismo tamaño
Ejemplo:

datos data Información recopilada sobre las personas y las cosas

decágono decagon Un polígono con diez lados y diez ángulos

decimal decimal Un número con uno o más dígitos que están a la derecha del punto decimal (pág. 31)

decimales equivalentes equivalent decimals Dos o más decimales que nombran a la misma cantidad

decímetro (dm) decimeter (dm) Una unidad métrica para medir la longitud o la distancia (pág. 549)
1 metro = 10 decímetros

décimo tenth Una de diez partes iguales (pág. 31)
Ejemplo:

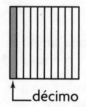
décimo

denominador denominator El número que está debajo en una barra de una fracción que indica cuántas partes iguales hay en un entero o grupo
Ejemplo: $\frac{3}{4}$ ← denominador

denominador común common denominator Un múltiplo común de dos o más denominadores
Ejemplo: Algunos denominadores comunes para $\frac{1}{4}$ y $\frac{5}{6}$ son 12, 24 y 36.

diagonal diagonal Un segmento que conecta dos vértices de un polígono que no están uno junto al otro
Ejemplo:

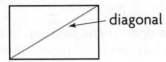

diagrama de puntos dot plot Una gráfica en la que se anota cada parte de los datos en una recta numérica (pág. 609)
Ejemplo:

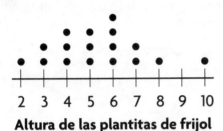

Altura de las plantitas de frijol

diagrama de tallo y hojas stem-and-leaf plot Una gráfica que muestra grupos de datos organizados según su valor de posición (pág. 621)

diagrama de Venn Venn diagram Un diagrama que muestra la relación entre conjuntos de cosas
Ejemplo:

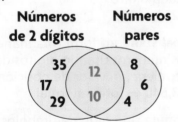

diferencia difference La respuesta a un problema de resta

dígito digit Cualquiera de los símbolos 0, 1, 2, 3, 4, 5, 6, 7, 8 ó 9 que se usan para escribir números

dimensión dimension Una medida en una dirección dada

dividendo dividend El número que ha de dividirse en un problema de división
Ejemplo: 36 ÷ 6; 6)$\overline{36}$; el dividendo es 36.

dividir divide Separar en grupos iguales; la operación contraria a la multiplicación

divisible divisible Un número es divisible entre otro número si el cociente es un número positivo y el residuo es cero
Ejemplo: 18 es divisible entre 3.

división division El proceso de compartir un número de elementos para hallar cuántos grupos iguales pueden formarse o cuántos elementos hay en cada grupo igual; la operación contraria a la multiplicación

divisor divisor El número que divide al dividendo
Ejemplo: 15 ÷ 3; 3)$\overline{15}$; el divisor es 3.

dólar dollar Papel moneda que vale 100 centavos y es igual a 100 monedas de 1¢; $1.00
Ejemplo:

dos dimensiones two-dimensional Que se mide en dos direcciones, como longitud y ancho
Ejemplo:

ancho

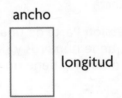

longitud

 E

ecuación equation Una oración numérica que muestra que dos cantidades son iguales
Ejemplo: 4 + 5 = 9

eje de simetría line of symmetry Una línea imaginaria en una figura que indica cómo se puede doblar la figura para que sus dos partes correspondan con exactitud (pág. 473)
Ejemplo:

eje de simetría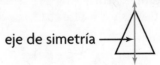

en el sentido contrario de las manecillas del reloj counterclockwise En dirección opuesta en la que las manecillas del reloj se mueven (pág. 487)

en el sentido de las manecillas del reloj clockwise En la misma dirección en la que las manecillas del reloj se mueven (pág. 488)

en palabras word form Una manera de escribir números usando palabras
Ejemplo: cuatrocientos cincuenta y tres mil dos doscientos doce

encuesta survey Método para reunir información

entero whole Todas las partes de una figura o grupo

equivalente equivalent Que tiene el mismo valor o nombra a la misma cantidad

escala scale Una serie de números ubicados a distancias regulares en una gráfica como ayuda para rotular la gráfica

estimación estimate Un número aproximado a la cantidad exacta (pág. 23)

estimar estimate Hallar una respuesta cercana a la cantidad exacta

expresión expression Parte de una oración numérica que tiene números y símbolos de operación pero que no tiene un símbolo de igualdad

extremo endpoint El punto que está al final de un segmento o el punto de inicio de una recta

factor factor Un número que se multiplica por otro para hallar un producto

factor común common factor Un número que es un factor de dos o más números

Fahrenheit (°F) Fahrenheit (°F) Una escala para medir la temperatura

familia de operaciones fact family Una serie de ecuaciones de multiplicación y división o de ecuaciones de suma y resta
Ejemplo: $7 \times 8 = 56$ $8 \times 7 = 56$
$56 \div 7 = 8$ $56 \div 8 = 7$

figura abierta open shape Una figura que no comienza y termina en el mismo punto
Ejemplos:

figura cerrada closed shape Una figura de dos dimensiones que comienza y termina en el mismo punto
Ejemplos:

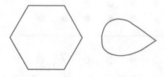

figura de dos dimensiones two-dimensional figure Una figura que está sobre un plano; una figura que tiene longitud y ancho

figura de tres dimensiones three-dimensional figure Una figura que tiene longitud, ancho y altura

forma desarrollada expanded form Una manera de escribir números en la que se muestra el valor de cada dígito (pág. 11)
Ejemplo: $253 = 200 + 50 + 3$

forma normal standard form Una manera de escribir los números usando dígitos del 0 al 9 y cada dígito tiene un valor de posición (pág. 11)
Ejemplo: 3,540 ← forma normal

fórmula formula Una serie de símbolos que expresan una regla matemática (pág. 422)
Ejemplo: Área = longitud × ancho
o $A = l \times a$

fracción fraction Un número que indica parte de un entero o parte de un grupo
Ejemplo:

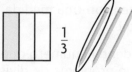

fracción mayor que 1 fraction greater than 1
Un número que tiene un numerador que es
mayor que su denominador

fracciones equivalentes equivalent fractions
Dos o más fracciones que indican a la misma
cantidad (pág. 75)
Ejemplo: $\frac{3}{4}$ y $\frac{6}{8}$ nombran a la misma cantidad.

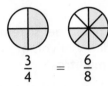

$$\frac{3}{4} = \frac{6}{8}$$

frecuencia frequency El número de veces en que
ocurren los datos (pág. 597)

galón (gal) gallon (gal) Una unidad del sistema
inglés (usual) que mide la capacidad y el
volumen de un líquido (pág. 537)
1 galón = 4 cuartos

ganancia profit La cantidad que queda después
de restar todos los gastos de la cantidad
de dinero recibida por vender un artículo o
servicio (pág. 647)

gastos fijos fixed expense Gastos que ocurren
de manera regular y cuya cantidad no cambia
(pág. 641)

gastos variables variable expense Gastos en
los cuales la cantidad cambia basados en la
necesidad o elección (pág. 641)

grado (°) degree (°) La unidad usada para medir
ángulos y temperaturas (pág. 493)

gráfica de barras bar graph Una gráfica que usa
barras para mostrar los datos
Ejemplo:

gráfica lineal line graph Una gráfica que usa
segmentos para indicar cómo cambian los
datos con el tiempo

gramo (g) gram (g) Una unidad del sistema
métrico para medir la masa
1 kilogramo = 1,000 gramos

grupos iguales equal groups Grupos que tienen
el mismo número de objetos

hexágono hexagon Un polígono con seis lados y
seis ángulos
Ejemplos:

hora (h) hour (hr) Una unidad usada para medir
el tiempo
1 hora = 60 minutos

horizontal horizontal En dirección de izquierda
a derecha

igual a equal to Que tiene el mismo valor
Ejemplo: 4 + 4 es igual a 3 + 5.

impar odd Un número entero que tiene un 1, 3,
5, 7, ó 9 en la posición de las unidades

institución financiera financial institution Un
negocio, como un banco, que junta dinero,
lo mantiene seguro y presta dinero a las
personas o negocios a manera de préstamo
(pág. 665)

interés interest El dinero adicional pagado por
el prestatario al prestamista a cambio del uso
del dinero del prestamista. Por ejemplo, ganas
interés en un banco si tienes una cuenta de
ahorros. (pág. 653)

kilogramo (kg) kilogram (kg) Una unidad del sistema métrico decimal que mide la masa
1 kilogramo = 1,000 gramos

kilómetro (km) kilometer (km) Una unidad del sistema métrico decimal que mide la longitud o la distancia (pág. 520)
1 kilómetro = 1,000 metros

libra (lb) pound (lb) Un medida de peso del sistema inglés (usual) (pág. 531)
1 libra = 16 onzas

línea line Un camino recto de puntos en un plano que continúa sin fin en ambas direcciones sin extremos (pág. 449)
Ejemplo:

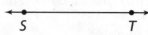

líneas intersecantes intersecting lines Líneas que se cruzan en un punto exacto (pág. 461)
Ejemplo:

líneas paralelas parallel lines Líneas que están en el mismo plano sin intersecarse y que siempre están a la misma distancia (pág. 461)
Ejemplo:

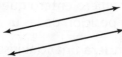

Origen de la palabra

Euclides, un antiguo matemático griego, fue uno de los primeros en explorar la idea de las líneas paralelas. El prefijo *para-* significa "junto a". Este prefijo te ayuda a entender el significado de la palabra *paralelo*.

líneas perpendiculares perpendicular lines Dos líneas que se intersecan para formar cuatro ángulos rectos (pág. 461)
Ejemplo:

litro (L) liter (L) Unidad del sistema métrico que mide la capacidad y el volumen de un líquido
1 litro = 1,000 mililitros

longitud length La medida de la distancia que hay entre dos puntos

masa mass La cantidad de materia que hay en un objeto

matriz array La manera en la que se acomodan los objetos en hileras y columnas
Ejemplo:

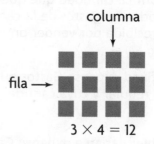

$3 \times 4 = 12$

media hora half hour 30 minutos
Ejemplo: 4:00 a 4:30 es una media hora.

media unidad cuadrada half-square unit La mitad de una unidad que se usa para medir el área, con dimensiones de 1 unidad × 1 unidad

medianoche midnight 12:00 de la noche

medio galón half gallon Una unidad del sistema inglés (usual) de medidas que mide la capacidad y el volumen de un líquido (pág. 537)
1 medio galón = 2 cuartos

mediodía noon las 12:00 del día

metro (m) meter (m) Unidad del sistema métrico que mide la longitud o la distancia
1 metro = 100 centímetros

mililitro (ml) mililiter (ml) Unidad del sistema métrico que mide la capacidad y el volumen de un líquido (pág. 555)
1 litro = 1,000 mililitros

milímetro (mm) millimeter (mm) Una unidad del sistema métrico que mide la longitud o la distancia (pág. 549)
1 centímetro = 10 milímetros

milla (mi) mile (mi) Una unidad del sistema inglés (usual) que mide la longitud o la distancia (pág. 519)
1 milla = 5,280 pies

millares thousands El periodo que le sigue al periodo de las unidades en un sistema numérico de base diez

millón million El número positivo que sigue a 999,999; 1,000 millares; escrito como 1,000,000

millones millions El periodo que sigue a los millares

mínima expresión simplest form Una fracción está en su mínima expresión cuando el numerador y el denominador tienen solamente 1 como factor común (pág. 88)

minuto (min) minute (min) Unidad que se usa para medir periodos breves de tiempo
1 minuto = 60 segundos

moneda de 5¢ nickel Una moneda que vale 5 centavos y con un valor igual al de 5 monedas de 1¢; 5¢
Ejemplo:

moneda de 10¢ dime Una moneda que vale 10 centavos y que vale lo mismo que 10 monedas de 1¢; 10¢
Ejemplo:

multiplicación multiplication Un proceso para hallar el número de elementos que hay en grupos de igual tamaño, o para hallar el número total de elementos que hay en un número dado de grupos cuando cada grupo contiene el mismo número de elementos; la multiplicación es lo contrario de la división

multiplicar multiply Combinar grupos iguales para hallar cuántos hay en total; la operación contraria a la división

múltiplo multiple El producto de un número y de un número positivo se llama múltiplo de un número
Ejemplo:

$$
\begin{array}{cccc}
3 & 3 & 3 & 3 \\
\times 1 & \times 2 & \times 3 & \times 4 \quad \leftarrow \text{números positivos} \\
\hline
3 & 6 & 9 & 12 \quad \leftarrow \text{múltiplos de 3}
\end{array}
$$

múltiplo común common multiple Un número que es un múltiplo de dos o más números

numerador numerator El número arriba de la barra de una fracción que indica cuántas partes iguales de un entero o de un grupo se consideran

Ejemplo: $\frac{2}{3}$ ← numerador

número compuesto composite number Un número que tiene más de dos factores
Ejemplo: 6 es un número compuesto ya que sus factores son 1, 2, 3 y 6.

número mixto mixed number Una cantidad que se da como número entero y como fracción a la vez (pág.105)

número positivo (número de contar) counting number Un número entero que puede usarse para contar una serie de objetos (1, 2, 3, 4, . . .)

número primo prime number Un número que tiene exactamente dos factores: 1 y sí mismo
Ejemplos: 2, 3, 5, 7, 11, 13, 17 y 19 son números primos. 1 no es un número primo.

números compatibles compatible numbers Números que se pueden calcular mentalmente con facilidad (pág. 273)

octágono octagon Un polígono que tiene ocho lados y ocho ángulos
Ejemplos:

onza (oz) ounce (oz) Una unidad del sistema inglés (usual) de medidas que mide el peso (pág. 531)
1 libra = 16 onzas

onza fluida (oz fl) fluid ounce (fl oz) Una unidad del sistema inglés (usual) usada para medir la capacidad de contener un líquido y el volumen de un líquido (pág. 537)
1 taza = 8 onzas fluidas

operaciones inversas inverse operations
Operaciones que se deshacen entre sí, como la suma y la resta o la multiplicación y la división
Ejemplo: 6 × 8 = 48 y 48 ÷ 6 = 8

operaciones relacionadas related facts Un conjunto de oraciones numéricas de suma, resta o multiplicación y división
Ejemplos: 4 × 7 = 28   28 ÷ 4 = 7
7 × 4 = 28   28 ÷ 7 = 4

oración numérica number sentence Una oración que incluye números, símbolos de operación y un símbolo de mayor que, de menor que, o de no igual a
Ejemplo: 5 + 3 = 8

orden order Una forma de acomodar o colocar las cosas de manera particular una tras de la otra

orden de las operaciones order of operations
Una serie especial de reglas que da el orden en el que se hacen los cálculos

p. m. P.M. Las horas entre el mediodía y antes de la medianoche

par even Un número que tiene un 0, 2, 4, 6 u 8 en la posición de las unidades

paralelogramo parallelogram Un cuadrilátero cuyos lados opuestos son paralelos y de igual longitud (pág. 467)
Ejemplo:

paréntesis parenthesis Los símbolos usados para mostrar cuál operación u operaciones deben hacerse primero

partes iguales equal parts Partes que tienen exactamente el mismo tamaño

patrón pattern Una serie ordenada de números u objetos; el orden te ayuda a predecir lo que vendrá luego
Ejemplos: 2, 4, 6, 8, 10

pentágono pentagon Un polígono con cinco lados y cinco ángulos
Ejemplos:

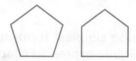

perímetro perimeter La distancia alrededor de una figura (pág. 421)

periodo period Cada grupo de tres dígitos en un número de tres dígitos; por lo regular los periodos se separan por comas o espacios (pág. 11)
Ejemplo: 85,643,900 tiene tres periodos.

peso weight Qué tan pesado es un objeto

pictografía pictograph Una gráfica que usa símbolos para mostrar y comparar información
Ejemplo:

pie (ft) foot (ft) Una unidad del sistema inglés (usual) usada para medir la longitud o la distancia
1 pie = 12 pulgadas

pinta (pt) pint (pt) Una unidad básica para medir la capacidad y el volumen de un líquido (pág. 537)

1 pinta = 2 tazas

plano plane Una superficie plana que se extiende sin final hacia todas las direcciones
Ejemplo:

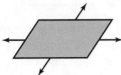

polígono polygon Una figura de tres dimensiones que se forma por tres o más lados llanos que son segmentos
Ejemplos:

polígono   no polígono

polígono regular regular polygon Un polígono que tiene todos sus lados de igual longitud y todos sus ángulos de igual medida
Ejemplos:

préstamo loan El dinero que presta un banco u otra institución financiera (pág. 665)

presupuesto budget Un plan organizado para gastar y ahorrar dinero (pág. 659)

prisma prism Una figura de tres dimensiones que tiene dos bases en forma de polígono congruentes y otras caras que son todas rectángulos
Ejemplos:

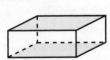

prisma rectangular   prisma triangular

prisma rectangular rectangular prism Una figura de tres dimensiones en la que sus seis caras son rectángulos
Ejemplo:

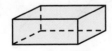

producto product La respuesta a un problema de multiplicación

productos parciales partial products Método de multiplicar en el que las unidades, las decenas, las centenas y demás se multiplican por separado y luego se suman los productos (pág. 230)

propiedad asociativa de la multiplicación Associative Property of Multiplication La propiedad que establece que puedes agrupar los factores de maneras diferentes y aún así obtener el mismo producto
Ejemplo: $3 \times (4 \times 2) = (3 \times 4) \times 2$

propiedad asociativa de la suma Associative Property of Addition La propiedad que establece que puedes sumar los sumandos de maneras diferentes y aún así obtener la misma suma
Ejemplo: $3 + (8 + 5) = (3 + 8) + 5$

propiedad conmutativa de la multiplicación Commutative Property of Multiplication La propiedad que establece que cuando cambia el orden de los factores, el producto es igual
Ejemplo: $4 \times 5 = 5 \times 4$

propiedad conmutativa de la suma Commutative Property of Addition La propiedad que establece que cuando cambia el orden de los sumandos, la suma es igual
Ejemplo: $4 + 5 = 5 + 4$

propiedad de identidad de la multiplicación Identity Property of Multiplication Propiedad que establece que el producto de cualquier número y uno es dicho número
Ejemplo: $9 \times 1 = 9$

propiedad de identidad de la suma Identity Property of Addition Propiedad que establece que cuando sumas cero a cualquier número, la suma es dicho número
Ejemplo: $16 + 0 = 16$

propiedad del cero de la multiplicación Zero Property of Multiplication La propiedad que dice que el producto de 0 y cualquier número es 0
Ejemplo: $0 \times 8 = 0$

propiedad distributiva Distributive Property
La propiedad que establece que multiplicar
una suma por un número es lo mismo que
multiplicar cada sumando por el número y
después sumar sus productos (pág. 229)
Ejemplo: $5 \times (10 + 6) = (5 \times 10) + (5 \times 6)$

pulgada (pulg) inch (in.) Unidad del sistema
inglés (usual) de medidas usada para medir la
longitud o la distancia
Ejemplo:

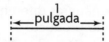

punto point Una ubicación exacta en el espacio
(pág. 449)

punto de referencia benchmark Un tamaño o
cantidad conocida que te ayuda a entender un
tamaño o cantidad diferente (pág. 113)

punto decimal decimal point Un símbolo
usado para separar dólares de centavos en
cantidades de dinero y para separar a las
unidades de las decenas en un decimal (pág. 31)
Ejemplo: 6.4
　　　↑ punto decimal

rayo ray Parte de una recta; tiene un extremo y
continúa sin fin en una dirección (pág. 449)
Ejemplo:

reagrupar regroup Intercambiar cantidades de
igual valor para convertir un número
Ejemplo: $5 + 8 = 13$ unidades, o 1 decena 3
　　　unidades

recta numérica number line Una línea en la que
los números se pueden localizar
Ejemplo:

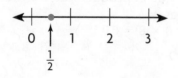

rectángulo rectangle Un cuadrilátero con dos
pares de lados paralelos, dos pares de lados
de igual longitud y cuatro ángulos rectos
(pág. 467)
Ejemplo:

redondear round Reemplazar un número por
otro número que dice aproximadamente
cuántos o cuánto (pág. 23)

regla rule Un procedimiento (generalmente
relacionado con operaciones aritméticas) para
determinar un valor de salida a partir de un
valor de entrada

reloj analógico analog clock Una herramienta
para medir el tiempo, cuyas manecillas se
mueven en un círculo para mostrar horas,
minutos y algunas veces, segundos
Ejemplo:

reloj digital digital clock Un reloj que muestra el
tiempo en minutos usando dígitos
Ejemplo:

residuo remainder La cantidad que queda
cuando un número no se divide en partes
iguales (pág. 312)

resta subtraction Es el procedimiento de
calcular cuánto queda al quitar una cantidad
de artículos de un grupo de objetos; es
el procedimiento de hallar la diferencia
al comparar dos grupos; es la operación
contraria a la suma

rombo rhombus Un cuadrilátero con dos pares
de lados paralelos y cuatro lados de igual
longitud (pág. 467)
Ejemplo:

segmento line segment Parte de una línea que incluye dos puntos llamados extremos y todos los puntos que hay entre ellos (pág. 449)
Ejemplo:

A ●———————● B

segundo (seg) second (sec) Pequeña unidad de tiempo (pág. 563)
1 minuto = 60 segundos

símbolo de centavo (¢) cent sign (¢) Un símbolo que representa *centavo* o *centavos*
Ejemplo: 53¢

símbolo de igualdad (=) equal sign (=) Un símbolo usado para mostrar que dos números tienen el mismo valor
Ejemplo: 384 = 384

símbolo de mayor que (>) greater than sign (>) Símbolo usado para comparar dos cantidades, con la cantidad mayor que ya se ha dado
Ejemplo: 6 > 4

símbolo de menor que (<) less than sign (<) Símbolo usado para comparar dos cantidades, con la cantidad menor que ya se ha dado
Ejemplo: 3 < 7

símbolo de no igual a (≠) not equal to sign (≠) Símbolo que indica que una cantidad no es igual a otra
Ejemplo: 12 × 3 ≠ 38

simetría axial line symmetry Aquello que tiene una forma que si se dobla en una sola línea sus dos partes correspondan con exactitud (pág. 473)

sólido solid shape Ver *figura de tres dimensiones.*

suma addition El proceso de hallar el número total de elementos cuando dos o más grupos de elementos se juntan; la operación contraria a la resta

suma o total sum El resultado de un problema de adición, o suma

sumando addend Un número que se suma a otro en un problema de suma
Ejemplo: 2 + 4 = 6;
2 y 4 son sumandos.

tabla de conteo tally table Una tabla que usa marcas de conteo para anotar los datos

Origen de la palabra

Algunas personas llevaban los puntajes en tarjetas de juego haciendo marcas sobre el papel (IIII). Estas marcas se conocen como *marcas de conteo*. La palabra *conteo* se relaciona con *contar* y viene del latín *computāre* que significa "computar" o "calcular". Antiguamente, un método para llevar la cuenta era haciendo marcas sobre trozos de madera o hueso.

tabla de entrada y salida input/output table Una tabla en la que cada valor de entrada corresponde a un valor de salida, en donde los valores de salida se determinan por un patrón o función (pág. 415)

tabla de frecuencia frequency table Una tabla que usa números para anotar datos sobre con cuánta frecuencia ocurre algo (pág. 597)
Ejemplo:

Color favorito	
Color	Frecuencia
Azul	10
Rojo	7
Verde	5
Otro	3

taza (tz) cup (c) Una unidad del sistema inglés (usual) de medidas que se utiliza para medir la capacidad y el volumen de un líquido (pág. 537)
1 taza = 8 onzas

© Houghton Mifflin Harcourt Publishing Company

temperatura temperature El grado de calor o de frío que generalmente se mide en grados Fahrenheit o en grados Celsius

término term Un número de objetos de un patrón (pág. 409)

tiempo transcurrido elapsed time El tiempo que transcurre desde que empieza una actividad hasta que termina

tonelada (t) ton (T) Medida del sistema inglés (usual) que se usa para medir peso (pág. 532)
1 tonelada = 2,000 libras

transportador protractor Una herramienta que se usa para medir o dibujar ángulos (pág. 499)

trapecio trapezoid Un cuadrilátero con exactamente un par de lados paralelos (pág. 467)
Ejemplos:

tres dimensiones three-dimensional Que se mide en tres direcciones, como longitud, ancho y altura
Ejemplo:

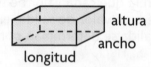

triángulo triangle Un polígono con tres lados y tres ángulos
Ejemplos:

triángulo acutángulo acute triangle Un triángulo con tres ángulos agudos (pág. 456)
Ejemplo:

triángulo obtusángulo obtuse triangle Un triángulo que tiene un ángulo obtuso (pág. 456)
Ejemplo:

triángulo rectángulo right triangle Un triángulo con un ángulo recto (pág. 456)
Ejemplo:

U

unidad cuadrada square unit Una unidad que se usa para medir área como pie cuadrado, metro cuadrado, y así sucesivamente (pág. 427)

unidad de patrón pattern unit La parte de un patrón que se repite
Ejemplo:

unidad de patrón

unidad fraccionaria unit fraction Una fracción que tiene un numerador de uno (pág. 99)

unidades lineales linear units Unidades que miden longitud, ancho, altura o distancia

unidimensional one-dimensional Medido en una sola dirección, como la longitud
Ejemplos:

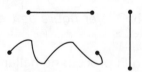

valor de posición place value El valor de un dígito en un número, basado en la localización del dígito

variable variable Una letra o símbolo que representa un número o números

vertical vertical En la dirección de arriba abajo

vértice vertex El punto en el cual dos rayos se encuentran o dos (o más) segmentos se encuentran en una figura de dos dimensiones *Ejemplos:*

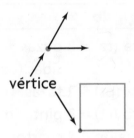

vértice

vértice corner *Véase vértice*

volumen de un líquido liquid volume La medida del espacio que ocupa un líquido (pág. 537)

yarda (yd) yard (yd) Una unidad del sistema inglés (usual) para medir longitud o distancia 1 yarda = 3 pies

Tabla de medidas

SISTEMA MÉTRICO	SISTEMA INGLÉS (USUAL)
Longitud	
1 centímetro (cm) = 10 milímetros (mm)	1 pie (ft) = 12 pulgadas (pulg)
1 metro (m) = 1,000 milímetros	1 yarda (yd) = 3 pies o 36 pulgadas
1 metro = 100 centímetros	1 milla (mi) = 1,760 yardas
1 metro = 10 decímetros (dm)	o 5,280 pies
1 kilómetro (km) = 1,000 metros	
Capacidad y volumen de un líquido	
1 litro (L) = 1,000 mililitros (ml)	1 taza (tz) = 8 onzas
	fluidas (oz fl)
	1 pinta (pt) = 2 tazas
	1 cuarto (ct) = 2 pintas o 4 tazas
	medio galón = 2 cuartos
	1 galón (gal) = 2 medios galones
	o 4 cuartos
Masa/Peso	
1 kilogramo (kg) = 1,000 gramos (g)	1 libra (lb) = 16 onzas (oz)
	1 tonelada (t) = 2,000 libras

HORA	DINERO
1 minuto (min) = 60 segundos (s)	moneda de 1¢ = 1¢ o $0.01
media hora = 30 minutos	moneda de 5¢ = 5¢ o $0.05
1 hora (h) = 60 minutos	moneda de 10¢ = 10¢ o $0.10
1 día (d) = 24 horas	moneda de 25¢ = 1¢ o $0.25
1 semana = 7 días	medio dólar = 50¢ o $0.50
1 año = 12 meses o	dólar = 100¢ o $1.00
52 semanas	
1 año = 365 días	
1 año bisiesto = 366 días	
1 década = 10 años	
1 siglo = 100 años	

Tabla de medidas

SÍMBOLOS

$<$	es menor que	$\perp$	es perpendicular a
$>$	es mayor que	$\parallel$	es paralelo a
$=$	es igual a	$\overleftrightarrow{AB}$	recta AB
$\neq$	no es igual a	$\overrightarrow{AB}$	rayo AB
¢	centavo o centavos	$\overline{AB}$	segmento AB
$	dólar o dólares	$\angle ABC$	ángulo ABC o ángulo B
°	grado o grados	$\triangle ABC$	triángulo ABC

FÓRMULAS

	Perímetro	Área
Polígono	$P =$ suma de las longitudes de los lados	Rectángulo $A = l \times a$
Rectángulo	$P = (2 \times l) + (2 \times a)$ o $P = 2 \times (l + a)$	
Cuadrado	$P = 4 \times l$	